KNAUR

Von Sebastian Fitzek sind bei Droemer Knaur bereits folgende Titel erschienen:

Die Therapie
Amokspiel
Der Seelenbrecher
Das Kind
Splitter
Der Augensammler
Der Augenjäger
Abgeschnitten (zusammen mit Michael Tsokos)
Der Nachtwandler
Passagier 23
AchtNacht
Flugangst 7A

Über den Autor:

Sebastian Fitzek, geboren 1971, ist Deutschlands erfolgreichster Autor von Psychothrillern. Seit seinem Debüt »Die Therapie« (2006) ist er mit allen Romanen ganz oben auf den Bestsellerlisten zu finden. Mittlerweile werden seine Bücher in vierundzwanzig Sprachen übersetzt und sind Vorlage für internationale Kinoverfilmungen und Theateradaptionen. Als erster deutscher Autor wurde Sebastian Fitzek mit dem Europäischen Preis für Kriminalliteratur ausgezeichnet. Er lebt mit seiner Familie in Berlin.

Sebastian Fitzek

DAS PAKET

Psychothriller

Besuchen Sie uns im Internet:
www.knaur.de

Vollständige Taschenbuchausgabe Februar 2018
Knaur Taschenbuch

Ein Imprint der Verlagsgruppe
Droemer Knaur GmbH & Co. KG, München
Ein Projekt der AVA International GmbH Autoren- und Verlagsagentur
www.ava-international.de

Redaktion: Regine Weisbrod
Covergestaltung: ZERO Werbeagentur GmbH, München
Coverabbildung: FinePic®, München
Satz: Adobe InDesign im Verlag
Druck und Bindung: CPI books GmbH, Leck
ISBN 978-3-426-51018-6

10 11

Für mein Dreamteam:
Manu, Roman, Sabrina, Christian, Karl,
Barbara und Petra

Für die Unverzichtbaren:
Carolin und Regine

Und natürlich für die, die ich selbst dann vermisse,
wenn ich sie umarme:
Sandra, Charlotte, David und Felix

In dankbarer und liebevoller Erinnerung
an meinen Vater Freimut Fitzek

… alle Geschichten, wenn man sie
bis zum Ende erzählt,
hören mit dem Tode auf.
Wer Ihnen das vorenthält,
ist kein guter Erzähler.

E. Hemingway

Es ist nicht möglich, etwas zu beobachten,
ohne es zu verändern.

Heisenbergsche Unschärferelation

Prolog

Als Emma die Tür zum Schlafzimmer ihrer Eltern öffnete, ahnte sie nicht, dass sie dies zum letzten Mal tun würde. Nie wieder würde sie sich, mit einem Stoffelefanten bewaffnet, nachts um halb eins an ihre Mutter kuscheln, vorsichtig bemüht, Papa beim Ins-Bett-Krabbeln nicht aufzuwecken, der im Traum mit den Füßen strampelte, zusammenhanglose Worte murmelte oder mit den Zähnen knirschte.

Heute strampelte, murmelte oder knirschte er nicht. Heute wimmerte er nur.

»Papa?«

Emma tapste von der Dunkelheit des Flurs ins Schlafzimmer. Das Licht des Vollmonds, der über Berlin in diesen Frühlingsnächten wie eine Mitternachtssonne thronte, fiel mit einem quecksilbrigen Schimmer durch die zugezogenen Gardinen.

Mit zusammengekniffenen Augen, über denen Emmas Pony wie ein kastanienbrauner Vorhang hing, konnte sie die Umgebung erahnen: die Rattantruhe am Fußende, die gläsernen Nachttische, die das ausladende Bett flankierten, den Schrank mit den Schiebetüren, in dem sie sich früher manchmal versteckt hatte.

Bis Arthur in ihr Leben trat und ihr das Versteckspielen verleidete.

»Papa?«, flüsterte Emma und tastete nach dem nackten Fuß ihres Vaters, der unter der Bettdecke hervorstach.

Sie selbst trug nur eine einzelne Socke, und auch die hing ihr kaum noch an den Zehen. Die andere hatte sie im Schlaf verloren, irgendwo auf dem Weg vom Einhorn-Glitzerschloss zum Tal der silbergrauen Flugspinne, die ihr im Traum manchmal Angst einjagte.
Aber nicht so viel Angst, wie ich sie vor Arthur habe.
Obwohl der ihr immer wieder versicherte, er wäre nicht böse. Aber konnte sie ihm vertrauen?
Emma presste sich den Elefanten stärker an die Brust. Ihre Zunge fühlte sich an wie ein trockener Kaugummi, der am Gaumen klebte. Sie hatte ihre dünne Stimme selbst kaum gehört, also versuchte sie es noch einmal:
»Papa, wach auf.« Emma zupfte ihn am Zeh.
Während ihr Vater den Fuß zurückzog, drehte er sich wimmernd zur Seite. Dabei lupfte er kurz die Decke, und sein unverwechselbarer Schlafgeruch stieg Emma in die Nase. Sie war sich sicher, ihren Vater allein am Duft mit geschlossenen Augen aus einem Dutzend Erwachsener heraus erkennen zu können. An dieser erdigen Mischung aus Tabak und Eau de Cologne, die ihr so vertraut war. Die sie so gerne roch.
Emma überlegte kurz, ob sie es besser bei ihrer Mutter versuchen sollte. Die war immer für sie da. Papa schimpfte oft. Meistens wusste Emma gar nicht, was sie angestellt hatte, wenn mal wieder die Türen flogen, so laut, dass das ganze Haus erzitterte. Mama sagte dann später, ihr Vater wüsste es selbst nicht so genau. Er wäre ein »Chorlirika« oder so ähnlich und es täte ihm hinterher leid. Und manchmal, ganz selten, sagte er ihr das dann sogar selbst. Kam zu ihr ins Zimmer, berührte ihre tränennasse Wange, strich ihr übers Haar und erklärte ihr, dass es nicht so einfach sei, erwachsen zu sein, wegen der Verantwortung und der

Probleme und so. Für Emma waren diese handverlesenen Momente die glücklichsten auf Erden, und nach genau so einem Moment sehnte sie sich jetzt.
Gerade heute würde es ihr so viel bedeuten.
Wo ich doch solche Angst habe.
»Papa, bitte, ich …«
Sie wollte zum Kopfende treten, um seine Stirn zu berühren, dabei stolperte sie über eine Glasflasche.
Oh nein …
In ihrer Aufregung hatte sie vergessen, dass Mama und Papa stets eine Wasserflasche neben dem Bett stehen ließen, für den Fall, dass einer von beiden in der Nacht Durst bekam. Als sie umfiel und übers Parkett kullerte, hörte es sich für Emma an, als rollte ein Güterzug durch das Schlafzimmer. Der Lärm schien ohrenbetäubend, als würde die Dunkelheit Geräusche verstärken.
Das Licht ging an.
Auf der Seite ihrer Mutter.
Emma stieß einen spitzen Schrei hervor, als sie plötzlich im Hellen stand.
»Mäuschen?«, hörte sie ihre Mutter fragen, die im Kegel ihrer Leselampe wie eine Heilige aussah. Wie eine Heilige mit zerzausten Haaren und Kissenfalten im Gesicht.
Aufgeschreckt, riss nun auch Emmas Vater die Augen auf.
»Was, verdammt, was …« Er sprach laut, sein Blick irrte umher, suchte nach einer Orientierung. Es war offensichtlich, dass er aus einem bösen Traum erwacht war, vielleicht sogar noch in ihm steckte. Er setzte sich auf.
»Was hast du, Süße?«, wollte ihre Mutter wissen. Bevor Emma ihr antworten konnte, wurde ihr Vater laut.
»Verdammte Scheiße!«
»Thomas!«, wies die Mutter ihren Ehemann zurecht.

Er schrie noch lauter, fuchtelte in Emmas Richtung. »Scheiße, wie oft habe ich dir gesagt …«
»Thomas!«
»… dass du uns nachts in Ruhe lassen sollst!«
»Aber mein … mein … mein Schrank …« Emma begann zu stottern, und ihre Augen füllten sich mit Tränen.
»Nicht schon wieder«, fluchte ihr Vater weiter. Die Beschwichtigungsversuche ihrer Mutter schienen ihn nur noch wütender zu machen.
»Arthur«, erklärte Emma trotzdem. »Der Geist. Er ist wieder da. Im Schrank. Ihr müsst mitkommen, bitte. Sonst tut er mir vielleicht weh.«
Ihr Vater atmete schwer, der Blick verdunkelte sich, seine Lippen zitterten, und für einen kurzen Moment sah er aus, so wie sie sich Arthur vorstellte: wie ein kleiner, schwitzender Teufel, mit dickem Bauch und kahlem Kopf.
»Einen Dreck müssen wir. Emma, hau sofort ab, oder *ich* tu dir weh. Nicht *vielleicht,* sondern *garantiert!*«
»Thomas!«, hörte sie ihre Mutter erneut ausrufen und taumelte zurück.
Die Worte hatten Emma getroffen. Härter als die Tischtenniskelle, die sie letzten Monat beim Sport aus Versehen ins Gesicht bekommen hatte. Tränen schossen ihr in die Augen. Es war, als habe ihr Vater sie geohrfeigt. Ihre Wange brannte, obwohl er nicht einmal die Hände gehoben hatte.
»So kannst du doch nicht mit deiner Tochter reden«, hörte Emma ihre Mutter sagen. Ängstlich, mit leiser Stimme. Fast flehentlich.
»Ich rede mit ihr, wie es mir passt. Sie muss endlich lernen, nicht jede Nacht hier reinzuplatzen …«
»Sie ist ein sechsjähriges Mädchen.«

»Und ich bin ein vierundvierzigjähriger Mann, aber meine Bedürfnisse zählen in diesem Haus wohl gar nichts?«
Emma ließ ihren Elefanten fallen und bemerkte es nicht einmal. Sie drehte sich zur Tür, verließ das Zimmer wie von einer unsichtbaren Marionettenschnur gezogen.
»Thomas …«
»Hör mir auf mit *Thomas*«, äffte ihr Vater in ihrem Rücken. »Ich hab mich erst vor einer halben Stunde aufs Ohr gelegt. Wenn ich morgen früh nicht fit im Gericht bin, wenn ich diesen Prozess verliere, dann war es das mit der Kanzlei, und dann kannst du dir alles hier in die Haare schmieren: das Haus, dein Auto, das Baby.«
»Ich weiß …«
»*Nichts* weißt du. Emma frisst uns jetzt schon die Haare vom Kopf, aber du wolltest ja unbedingt einen zweiten Balg, der mich dann überhaupt nicht mehr schlafen lässt. Scheiße. Ich bin hier der Alleinverdiener, wie dir vielleicht nicht entgangen ist. Und ICH BRAUCHE MEINEN SCHLAF!«
Emma hatte schon die Hälfte des Flurs durchquert, doch die Stimme ihres Vaters wurde nicht leiser. Nur die ihrer Mutter. »Schhhh, Thomas. Liebling. Entspann dich.«
»WIE SOLL ICH HIER ENTSPANNEN?«
»Lass mich. Bitte. Ich kümmere mich jetzt um dich, okay?«
»KÜMMERN? Seitdem du wieder schwanger bist, hast du dich nur noch um dich …«
»Ich weiß, ich weiß. Das ist mein Fehler. Komm, lass mich nur machen …«
Emma schloss ihre Zimmertür und sperrte die Stimmen ihrer Eltern aus.
Zumindest die aus dem Schlafzimmer. Nicht die in ihrem Kopf.

Hau sofort ab! Oder …
Sie wischte sich die Tränen aus den Augen und wartete darauf, dass das Rauschen in den Ohren verschwinden würde, aber das tat es nicht. Ebenso wenig, wie sich das Mondlicht aus ihrem Zimmer zurückzog, das hier heller als bei ihren Eltern schien. Ihre Raffrollos waren aus dünnem Leinen, zusätzlich schimmerten die aufgeklebten Leuchtsterne an der Decke über ihrem Bett.
Mein Bett.
Emma wollte sich dort verkriechen und unter der Decke weinen, aber das konnte sie erst, wenn sie sich sicher war, dass der Geist nicht mehr in seinem Versteck hockte. Dass er sie nicht während des Schlafs ansprang, sondern wieder verschwunden war, so wie jedes Mal, wenn Mama mit ihr nachschauen ging.
Der alte Bauernschrank war ein Ungetüm mit groben Schnitzereien in den Eichenholztüren, die beim Öffnen das knarzende Lachen einer alten Hexe imitierten.
So wie jetzt.
Bitte lass ihn verschwunden sein.
»Hallo?«, sprach Emma in das schwarze Loch vor ihren Augen. Der Schrank war so groß, dass ihre Sachen nur die linke Seite einnahmen. In der anderen Hälfte war Platz für die Handtücher und Tischdecken der Mutter.
Und für Arthur.
»Hallo«, antwortete der Geist mit der tiefen Stimme. Wie immer hörte es sich an, als hielte er sich eine Hand vor den Mund. Oder ein Tuch.
Emma stieß einen spitzen Schrei aus. Seltsamerweise aber fühlte sie nicht diese tiefe, alles umfassende Furcht wie vorhin, als es zum ersten Mal im Schrank gerumpelt hatte und sie nachsehen gegangen war.

Vielleicht ist Angst wie eine Tüte Gummibärchen, dachte sie. *Ich hab sie schon im Schlafzimmer meiner Eltern verbraucht.*

»Du bist noch da.«

»Natürlich. Denkst du, ich lasse dich allein?«

Ich hatte es mir gewünscht.

»Was, wenn mein Papa nachgesehen hätte?«

Arthur lachte leise. »Ich wusste, dass er nicht kommt.«

»Wieso?«

»Hat er sich schon jemals um dich gekümmert?«

Emma zögerte. »Ja.«

Nein. Ich weiß nicht.

»Aber Mama …«

»Deine Mama ist schwach. Deshalb bin ich ja hier.«

»Du?« Emma zog die Nase hoch.

»Sag mal …« Arthur machte eine kleine Pause, und seine Stimme wurde noch tiefer. »Hast du geweint?«

Emma nickte. Sie wusste nicht, ob der Geist sie sehen konnte, aber vermutlich brauchte er kein Licht für seine Augen. Vielleicht hatte er sogar gar keine Augen, sicher war sie sich nicht. Sie hatte Arthur ja noch nie gesehen.

»Was ist passiert?«, wollte er wissen.

»Papa hat geschimpft.«

»Was hat er denn gesagt?«

»Er sagte …« Emma schluckte. Die Worte im eigenen Kopf zu hören war eine Sache. Sie laut auszusprechen eine andere. Es schmerzte. Aber Arthur bestand darauf, und sie sorgte sich, dass er genauso wütend werden würde wie Papa eben, also wiederholte sie es.

»Hau sofort ab, oder ich tu dir weh.«

»*Das* hat er gesagt?«

Emma nickte erneut. Und tatsächlich schien Arthur sie im

Dunkeln sehen zu können, denn er reagierte auf ihr Nicken. Er stieß ein missbilligendes Grunzen aus, und dann geschah etwas ganz Erstaunliches. Arthur verließ sein Versteck. Zum ersten Mal.

Der Geist, der viel größer war, als sie ihn sich vorgestellt hatte, schob mehrere Bügel zur Seite und strich ihr beim Herausklettern mit seinen behandschuhten Fingern über die Haare.

»Leg dich ruhig schon mal ins Bett, Emma.«

Sie sah zu ihm auf und erstarrte. Statt eines Gesichts sah sie ein Zerrbild ihrer selbst. Als würde sie in den Spiegel eines Gruselkabinetts blicken, der auf einer langen, schwarzen Säule montiert war.

Es dauerte eine Weile, bis ihr bewusst wurde, dass Arthur einen Motorradhelm trug, in dessen Visier sie ihr zur Fratze entstelltes Ebenbild sah.

»Ich bin gleich wieder zurück«, versprach er und wandte sich zur Tür.

Etwas an seinem Gang kam ihr bekannt vor, doch Emma war viel zu sehr von dem spitzen Gegenstand in Arthurs rechter Hand abgelenkt.

Es sollten Jahre vergehen, bis ihr klarwurde, dass es sich hierbei um eine Spritze gehandelt hatte.

Mit einer langen Nadel, die im Mondlicht silbern funkelte.

Wer einmal lügt, dem glaubt man nicht,
auch wenn er dann die Wahrheit spricht.

Sprichwort

1. Kapitel

28 Jahre später

»Tun Sie das nicht. Ich habe gelogen. Bitte nicht …«
Die Zuschauer, fast ausschließlich Männer, bemühten sich um eine teilnahmslose Miene, während sie beobachteten, wie die halbnackte, schwarzhaarige Frau gequält wurde.
»Großer Gott, das ist ein Fehler. Ich habe mir das alles doch nur ausgedacht. Ein schrecklicher Fehler … Hilfe!«
Ihre Schreie hallten durch den weißgetünchten, sterilen Raum, die Worte waren einwandfrei zu verstehen. Auf ein Missverständnis würde sich hier später niemand herausreden können.
Die Frau wollte das nicht.
Dennoch stach der leicht übergewichtige, bärtige Mann mit den schiefen Zähnen die Injektionsnadel in die Beuge ihres fixierten Arms.
Dennoch nahm man ihr nicht die Elektroden ab, die an Stirn und Schläfe befestigt waren, auch nicht den Manschettenring auf ihrem Kopf, mit dem sie an diese bedauernswerten, gequälten Affen in Tierversuchslaboren erinnerte, denen man den Schädel geöffnet und Sonden ins Gehirn gesteckt hatte.
Und weit davon entfernt war das, was ihr gleich angetan werden sollte, im Grunde nicht.
Als das Narkotikum und das Muskelrelaxans ihre Wirkung zeigten, wurde die Beatmung eingeleitet. Dann begannen die Männer mit den Stromstößen. Vierhundert-

fünfundsiebzig Volt, siebzehn Mal hintereinander, bis sie einen epileptischen Krampfanfall auslösten.
Aus dem schrägen Winkel der Überwachungskamera war nicht zu erkennen, ob die Schwarzhaarige sich aufbäumte oder ihre Gliedmaßen spastisch zuckten. Die Rücken der mit Kittel und Mundschutz kostümierten Gestalten nahmen den Zuschauern die Sicht. Aber die Schreie hatten aufgehört. Und schließlich stoppte auch die Aufnahme, und es wurde wieder etwas heller im Saal.
»Was Sie soeben gesehen haben, ist ein schockierender Fall ...«, begann Dr. Emma Stein ihre Ausführungen und unterbrach sich kurz, um das Mikrophon etwas näher zu sich heranzuziehen, damit die geladenen Tagungsteilnehmer sie besser verstehen konnten. Mittlerweile ärgerte sie sich, den Trittschemel abgelehnt zu haben, den ihr der Techniker beim Soundcheck angeboten hatte. Dabei hätte sie normalerweise sogar selbst danach gefragt, aber der Kerl im Blaumann hatte so überlegen gegrinst, dass sie die sinnvolle Standerhöhung ausgeschlagen hatte, weswegen Emma jetzt auf Zehenspitzen hinter dem Rednerpult stand.
»... ist ein schockierender Fall längst totgeglaubter Zwangspsychiatrie.«
Wie Emma selbst waren die meisten Anwesenden ebenfalls Psychiater. Sie musste ihren Kollegen also nicht erklären, dass sich ihre Kritik nicht auf die Methode der Elektrokrampftherapie bezog. So mittelalterlich es sich anhören mochte, Strom durch ein menschliches Gehirn zu leiten, so vielversprechend waren die Ergebnisse im Kampf gegen Psychosen und Depressionen. Unter Vollnarkose vorgenommen, war die Behandlung nahezu nebenwirkungsfrei.

»Diese Aufnahmen einer OP-Überwachungskamera konnten wir aus dem Hamburger Orphelio-Klinikum schmuggeln. Die Patientin, deren Schicksal Sie eben ausschnittsweise beobachten konnten, wurde dort am 3. Mai letzten Jahres eingewiesen. Die Aufnahmediagnose lautete schizoide Psychose, basierend einzig und allein auf den Aussagen, die die Vierunddreißigjährige bei der Aufnahme selber getätigt hat. Dabei war sie kerngesund. Die angebliche Patientin hatte ihre Symptome nur vorgespielt.«
»Weshalb?«, fragte ein gesichtsloses Wesen halb links von ihr etwa in der Mitte des Saales. Der Mann hatte nahezu brüllen müssen, damit sie ihn in dem theatergleichen Raum verstand. Die Deutsche Gesellschaft für Psychiatrie hatte für ihre jährliche Fachtagung den Hauptsaal des Internationalen Congress Centrums Berlin gemietet. Von außen erinnerte das ICC an eine silberne Raumstation, die aus den unendlichen Weiten des Weltalls direkt unter den Funkturm geschleudert worden war. Beim Betreten des möglicherweise asbestverseuchten Siebziger-Jahre-Baus (hierüber streiten die Experten) dachte man jedoch eher an einen Retro-Film als an Science-Fiction. Chrom, Glas und schwarzes Leder dominierten die Inneneinrichtung.
Emma ließ ihren Blick über die dicht besetzten Stuhlreihen wandern, konnte den Fragesteller aber nicht ausfindig machen, also redete sie in die Richtung, in der sie ihn vermutete.
»Gegenfrage: Was sagen Ihnen die Rosenhan-Experimente?«
Ein älterer Kollege, der am Rand der ersten Reihe in einem Rollstuhl saß, nickte wissend.
»Durchgeführt wurden sie das erste Mal Ende der sechzi-

ger, Anfang der siebziger Jahre mit dem Ziel, die Zuverlässigkeit psychiatrischer Prognosen zu testen.« Emma rollte sich, wie immer, wenn sie etwas nervös war, eine Strähne ihres dichten, teakholzbraunen Haares um den linken Zeigefinger. Sie hatte vor ihrem Vortrag nichts gegessen, aus Angst, müde zu werden oder aufstoßen zu müssen. Jetzt grummelte ihr Magen so laut, dass sie Angst hatte, das Mikrophon könnte das Knurren übertragen und damit den Witzen, die ganz bestimmt über ihren dicken Hintern kursierten, neue Nahrung liefern. Dass sie ansonsten eher schlank war, vergrößerte die körperliche Unzulänglichkeit in ihren Augen eher noch.

»Oben Besenstiel, unten Abrissbirne«, hatte sie erst heute früh wieder gedacht, als sie sich vor dem Badezimmerspiegel begutachtete.

Im nächsten Moment hatte Philipp sie von hinten umarmt und behauptet, sie habe den schönsten Körper, den er je berührt habe. Und beim Abschiedskuss hatte er sie an der Haustür zu sich herangezogen und ihr ins Ohr geflüstert, er bräuchte dringend eine Paartherapie mit der erotischsten Psychiaterin Charlottenburgs, sobald sie wieder zurück sei. Sie spürte, dass er es ernst meinte, aber sie wusste auch, dass ihr Mann im Verteilen von Komplimenten geübt war. Flirten, daran hatte Emma sich gewöhnen müssen, lag einfach in Philipps Natur, und er ließ selten eine Gelegenheit aus, es zu trainieren.

»Zu dem Zweck der Rosenhan-Experimente, benannt nach dem amerikanischen Psychologen David Rosenhan, ließen sich acht Testpersonen zum Schein in psychiatrische Kliniken einweisen. Studenten, Hausfrauen, Maler, Psychologen und Ärzte. Sie alle erzählten bei der Aufnahme die gleiche Geschichte: Sie hätten Stimmen gehört.

Merkwürdige, unheimliche Stimmen, die Worte gesagt hätten wie ›hohl‹, ›dumpf‹ oder ›leer‹.
Es wird Sie nicht überraschen zu hören, dass alle Scheinpatienten aufgenommen wurden, die meisten von ihnen mit der Diagnose Schizophrenie oder manisch-depressive Psychose.
Obwohl die Probanden nachweislich gesund waren und sich nach der Einweisung völlig normal verhielten, wurden sie über Wochen hinweg in den Anstalten behandelt und sollten insgesamt über zweitausend Tabletten einnehmen.«
Emma benetzte sich die Lippen mit einem Schluck Wasser aus dem bereitgestellten Glas. Sie hatte Lippenstift aufgetragen, auch wenn Philipp sie lieber »naturgeschminkt« mochte. Tatsächlich hatte sie eine ungewöhnlich glatte Haut, die ihrer Meinung nach aber viel zu blass war, gerade angesichts ihrer kräftigen Haarfarbe. Was daran ein »liebenswerter Kontrast« sein sollte, wie Philipp meinte, konnte sie nicht erkennen.
»Wenn Sie denken, die Siebziger sind lange her, das hat in einem anderen Jahrhundert, also dem Mittelalter der psychiatrischen Wissenschaften, stattgefunden, dann belehrt Sie dieses Video eines Schlechteren: Es ist im letzten Jahr entstanden. Auch diese junge Dame war eine Testperson. Wir haben das Rosenhan-Experiment wiederholt.«
Ein Raunen ging durch den Saal. Wohl weniger aus Angst vor skandalösen Ergebnissen, sondern aus Sorge der Anwesenden, womöglich selbst getestet worden zu sein.
»Wieder haben wir Scheinpatienten in psychiatrische Anstalten geschickt, wieder haben wir getestet, was passiert, wenn völlig gesunde Menschen in eine geschlossene Einrichtung eingewiesen werden. Mit erschreckenden Resultaten.«

Emma trank einen zweiten Schluck, dann fuhr sie fort: »Nur aufgrund eines einzigen Satzes bei ihrer Aufnahme wurde bei der Frau aus dem Video eine schizoide Paranoia diagnostiziert. Über einen Monat lang wurde sie daraufhin behandelt. Nicht nur medikamentös und in Gesprächstherapien, sondern auch mit unmittelbarer Gewalt. Wie Sie selbst sehen und hören konnten, hat sie unmissverständlich zum Ausdruck gebracht, dass sie die Elektrokrampfbehandlung nicht will. Kein Wunder, denn sie ist ja kerngesund. Dennoch wurde sie zwangsbehandelt.
Obwohl sie das eindeutig ablehnte. Obwohl nach ihrer Aufnahme keine weiteren Auffälligkeiten festgestellt wurden und sie den behandelnden Ärzten mehrfach versicherte, ihr Zustand habe sich normalisiert. Doch diese hörten weder auf sie noch auf die Pfleger und Mitpatienten. Denn anders als die nur sporadisch vorbeischauenden Ärzte waren sich die Personen, mit denen sie für längere Zeit und auf Dauer zusammen war, sicher, dass diese Frau auf der Geschlossenen völlig fehl am Platze ist.«
Emma sah, wie jemand im vorderen Drittel aufstand. Sie gab dem Techniker das verabredete Zeichen, das Licht etwas heller zu drehen. Als ihre Augen einen hochgewachsenen, schlaksigen Mann mit schütteren Haaren ausmachten, wartete sie, bis sich eine langbeinige Kongressassistentin durch die Reihen zu ihm durchgekämpft hatte und ihm ein Funkmikrophon reichte.
Der Mann pustete einmal ins Mikro, dann sagte er: »Stauder-Mertens, Uniklinik Köln. Mit Verlaub, Frau Kollegin. Sie präsentieren uns hier verwaschene Horrorvideos, deren Herkunft und Bezugsquelle wir lieber gar nicht wissen wollen, und stellen wüste Behauptungen auf, die, sollten sie je an die Öffentlichkeit getragen werden, dazu

geeignet sind, unserem Berufsstand massiven Schaden zuzufügen.«
»Haben Sie auch eine Frage?«, wollte Emma wissen.
Der Arzt mit dem Doppelnamen nickte. »Haben Sie noch mehr in der Hand als die Aussage dieser Scheinpatientin?«
»Ich habe sie persönlich für dieses Experiment ausgewählt.«
»Schön, aber können Sie auch die Hand für sie ins Feuer legen? Ich meine, woher wollen Sie wissen, dass diese Person wirklich gesund ist?«
Selbst aus der Entfernung konnte Emma das gleiche selbstsichere Lächeln erkennen, das sie schon bei dem Techniker geärgert hatte.
»Worauf wollen Sie hinaus, Herr Stauder-Mertens?«
»Darauf, dass jemand, der sich freiwillig für Wochen unter Vorspiegelung falscher Tatsachen in eine geschlossene Einrichtung einweisen lässt, eine Person ist, die mit einer, lassen Sie es mich vorsichtig formulieren, außergewöhnlichen psychischen Struktur ausgestattet sein muss. Wer sagt Ihnen, dass diese bemerkenswerte Dame nicht doch an jenen Symptomen litt, deretwegen sie am Ende behandelt wurde und die sich vielleicht erst während ihres Aufenthalts zeigten?«
»Ich«, antwortete Emma.
»Ach, waren Sie denn die ganze Zeit bei ihr?«, fragte der Mann leicht süffisant.
»Ja.«
Sein selbstsicheres Grinsen war verschwunden. »Sie?«
Emma nickte, und die Stimmung im Saal wurde spürbar nervöser.
»Ganz richtig«, bestätigte Emma. Ihre Stimme zitterte vor Aufregung, aber auch vor Wut ob der Ungeheuerlichkeit

ihrer Enthüllungen. »Werte Kollegen, Sie haben die Testperson auf dem Video nur von hinten und mit gefärbten Haaren gesehen, aber die Frau, die gegen ihren ausdrücklich erklärten Willen erst narkotisiert und dann zwangsweise mit Stromstößen behandelt wurde, diese Frau war – ich.«

2. Kapitel

Zwei Stunden später

Emma griff nach ihrem Trolley und zögerte beim Betreten von Zimmer 1904 aus dem einfachen Grund, dass sie kaum etwas sehen konnte. Das wenige Licht, das die Dunkelheit durchbrach, stammte von den unzähligen Lichtern der Großstadt, neunzehn Stockwerke unter ihr. Das *Le Zen* am Tauentzien war Berlins neuester Fünf-Sterne-Chrom-und-Glas-Palast mit über dreihundert Zimmern. Höher und luxuriöser als jedes andere Hotel der Hauptstadt. Und – zumindest in Emmas Augen – relativ geschmacklos eingerichtet.

Jedenfalls war das ihr erster Eindruck, nachdem sie den Hauptschalter neben der Tür gefunden hatte und das Deckenlicht ansprang.

Die Möblierung wirkte so, als hätte man dem Praktikanten eines Innenarchitekturbüros den Auftrag gegeben, sämtliche Klischees, deren man sich in Bezug auf fernöstliche Lebensart bedienen konnte, bei der Wahl der Ausstattung zu berücksichtigen.

Im Vorraum, der von dem angrenzenden Schlafzimmer nur durch eine dünne, mit Seidenpapier bezogene Schiebetür getrennt war, stand ein chinesischer Hochzeitsschrank. Ein Bambusläufer erstreckte sich von der Tür bis zu einem niedrigen Futonbett. Die Lampen neben den bodentiefen Couchmöbeln ähnelten den bunten Lampions des Laternenumzugs, den der Kindergarten der Heerstraßensiedlung jedes Jahr mit seinen Knirpsen am Martinstag veran-

staltete. Überraschend stilvoll wiederum war eine riesige Schwarzweißfotografie zwischen Sofa und Einbauschrank, die ein überlebensgroßes Porträt Ai Weiweis zeigte, das vom Fußboden bis zur Zimmerdecke reichte. Emma hatte erst kürzlich eine Ausstellung dieses chinesischen Ausnahmekünstlers besucht.
Sie löste ihren Blick von dem Mann mit dem zerzausten Kinnbart, hängte ihren Mantel in den Schrank und zog ihr Handy aus der Handtasche.
Mailbox.
Sie hatte es schon einmal versucht, aber Philipp ging nicht dran. Wie üblich, wenn er im Einsatz war.
Seufzend trat sie an das bodentiefe Fenster, streifte die Peeptoes ab, ohne die sie auf die Durchschnittsgröße einer Vierzehnjährigen schrumpfte, und schaute auf den Kurfürstendamm hinab. Dabei strich sie sich über den Bauch, der noch keine Wölbung zeigte, dafür war es noch etwas zu früh. Doch der Gedanke daran, dass da etwas in ihr heranwuchs, das sehr viel wichtiger war als jedes Seminar und jede berufliche Anerkennung, beruhigte sie.
Es hatte eine Weile gedauert, bis sich vor fünf Wochen endlich der zweite Strich auf dem Schwangerschaftstest gezeigt hatte. Und der war auch der Grund, weshalb Emma heute nicht zu Hause schlief, sondern zum ersten Mal in ihrer eigenen Stadt im Hotel übernachtete. Ihr kleines Haus in der Teufelssee-Allee glich momentan einer Baustelle, denn sie hatten begonnen, das Dach für ein Kinderzimmer auszubauen. Auch wenn Philipp der Meinung war, dass es vor dem Ende des ersten Schwangerschaftstrimesters vielleicht etwas übereifrig war, mit dem Nestbau zu beginnen.
Da er mal wieder beruflich in einer anderen Stadt im Ein-

satz war, hatte Emma das Übernachtungspaket angenommen, das die Deutsche Gesellschaft für Psychiatrie jedem Gastredner auf dem zweitägigen Kongress kostenlos angeboten hatte; selbst denen, die in Berlin wohnten, damit diese bei der gemeinsamen Abendveranstaltung (die Emma gerade schwänzte) im Ballsaal des Hotels auch etwas trinken konnten.

»Der Vortrag endete so, wie du es vorausgesagt hast«, sprach sie Philipp auf die Mailbox. »Sie haben mich allerdings nicht gesteinigt, aber nur, weil sie keine Steine dabeihatten.«

Sie lächelte.

»Immerhin haben sie mir mein Hotelzimmer nicht wieder weggenommen. Die Schlüsselkarte, die ich mit den Kongressunterlagen bekommen habe, hat noch gepasst.«

Emma schickte Philipp einen Kuss hinterher, legte auf und vermisste ihn schrecklich.

Besser allein hier im Hotel als allein zwischen Farbeimern und aufgerissenen Wänden zu Hause, versuchte sie sich die Lage schönzudenken.

Sie ging ins Bad, wo sie beim Ausziehen ihres Kostüms nach dem Regler für die Lautsprecher in der Zwischendecke suchte, der das TV-Tonsignal übertrug.

Vergeblich.

Also musste sie noch einmal ins Wohnzimmer zurück und den Fernseher ausschalten. Auch hier dauerte es eine Weile, bis sie die Fernbedienung in einer Nachttischschublade fand, weshalb sie jetzt bestens über einen Flugzeugabsturz in Ghana und einen Vulkanausbruch in Chile informiert war.

Emma hörte den nasal klingenden TV-Sprecher zu einer neuen Meldung übergehen – »*... warnt die Polizei vor*

einem Serientäter, der Frauen ...« – und schnitt ihm per Knopfdruck den Ton ab.
Im Badezimmer brauchte sie eine Weile, bis sie die Temperatureinstellung gefunden hatte.
Als Frostbeule liebte sie warmes Wasser, selbst jetzt im Hochsommer, und mit nicht einmal zwanzig Grad war es ein ungewöhnlich frischer, vor allem windiger Junitag gewesen.
Also stellte sie den digitalen Temperaturregler der Brause auf vierzig Grad, ihre Schmerzgrenze, und wartete auf das Kribbeln, das sich immer einstellte, sobald der heiße Strahl auf ihre Haut traf.
Normalerweise fühlte sie sich automatisch lebendiger, sobald sie, in Wasserdampf gehüllt, das heiße Wasser auf ihrem Körper spürte, aber heute war der Effekt schwächer, auch weil der Dreck, mit dem man sie nach dem Vortrag beworfen hatte, nicht mit Wasser und Hotelseife abgespült werden konnte.
Die Reaktionen auf ihre Enthüllungen, dass auch im einundzwanzigsten Jahrhundert Menschen Gefahr liefen, aufgrund schlampig erstellter Fehldiagnosen der Spielball machtmissbräuchlich agierender Halbgötter in Weiß zu werden, waren heftig gewesen. Mehr als nur ein Mal hatte man die Validität ihrer Untersuchungsergebnisse in Frage gestellt. Der Herausgeber der renommiertesten fachwissenschaftlichen Zeitung hatte sogar eine akribische Überprüfung angekündigt, bevor man »in Erwägung zöge«, einen Artikel über ihre Arbeit zu veröffentlichen.
Sicher, einige Kollegen hatten ihr nach der Veranstaltung Unterstützung zugesagt, aber selbst bei den wenigen, die ihr auf die Schulter klopften, hatte sie den unausgesprochenen Vorwurf in ihren Augen lesen können: *»Wieso hast*

du dich bloß in Gefahr begeben durch diesen dummen Selbstversuch? Überhaupt: Weshalb gefährdest du deine Karriere und legst dich mit den Mächtigen der Klinikbranche an?«
Etwas, was Philipp sie niemals fragen würde. Er verstand, weshalb Emma seit Jahren für die Verbesserung der Rechtsstellung von Patienten in psychiatrischer Behandlung eintrat, denen man ihrer psychischen Erkrankung wegen in der Regel argwöhnischer gegenüberstand als Patienten, die sich zum Beispiel über eine fehlerhafte Zahnbehandlung beschwerten.
Und Philipp verstand, weshalb sie dafür auch ungewöhnliche, manchmal gefährliche Wege ging. Ohne Zweifel lag es daran, dass sie einander in diesem Punkt so ähnlich waren.
Auch Philipp überschritt für seine Arbeit Grenzen, die kein normaler Mensch freiwillig übertrat. Einfach, weil ihm die Psychopathen und Serientäter, denen er als leitender Ermittler der Abteilung für operative Fallanalyse beim BKA hinterherjagte, oft keine andere Wahl ließen.
Manche Paare teilen denselben Sinn für Humor, bei anderen sind ähnliche Freizeitaktivitäten oder eine gemeinsame politische Einstellung die Basis. Emma und Philipp hingegen lachten über völlig unterschiedliche Witze, sie konnte Fußball, er ihrer Liebe für Musicals nichts abgewinnen, und während sie in ihrer Jugend gegen Atomkraft und die Pelzindustrie demonstriert hatte, war er Mitglied der Jungen Union gewesen. Das, was das Fundament ihrer Beziehung ausmachte, hieß: Empathie.
Intuition und Erfahrung ermöglichten es ihnen, sich in die Seele anderer Menschen hineinzuversetzen und die Geheimnisse ihrer Psyche ans Tageslicht zu fördern. Wäh-

rend Emma das tat, um die Patienten, die ihre Privatpraxis am Savignyplatz aufsuchten, von ihren psychischen Problemen zu befreien, nutzte Philipp seine außergewöhnlichen Fähigkeiten, um Verhaltens- und Personenprofile zu erstellen. Menschen mit seinem Beruf wurden von Drehbuchautoren gerne »Profiler« genannt, hießen im wahren Leben aber Fallanalytiker. Dank Philipps Analysen waren bereits einige der gefährlichsten Täter gefasst worden, die die Bundesrepublik je erlebt hatte.

In letzter Zeit aber wünschte Emma sich, dass sie beide einmal etwas kürzertreten würden. Sie wurde das Gefühl nicht los, dass es auch Philipp immer schlechter gelang, in ihrer ohnehin knapp bemessenen Freizeit den notwendigen Abstand zu seiner Arbeit zu gewinnen. Und sie hatte Angst, dass sie auf dem besten Weg waren, das Nietzsche-Sprichwort von dem Abgrund zu beweisen, der, wenn man nur lange und tief genug in ihn blickt, in einen selbst hineinblickt.

Eine Auszeit, oder wenigstens ein Urlaub. Das wär's.

Die letzte gemeinsame Fahrt war schon so lange her, dass die Erinnerungen an sie bereits verblassten.

Emma schäumte sich mit dem hoteleigenen Shampoo ein und konnte nur hoffen, dass sie am nächsten Morgen nicht wie ein Pudel aussehen würde. So kräftig ihre braunen Haare auch waren, sie reagierten empfindlich auf das falsche Pflegemittel. Es hatte sie zahllose Versuche und viele Tränen gekostet, bis sie herausgefunden hatte, was ihre Mähne glänzen ließ und was ihren Kopf in ein aufgeplatztes Sofakissen verwandelte.

Emma spülte sich die Haare aus, zog den Duschvorhang zur Seite und wunderte sich noch, weshalb ein so teures Hotel keine Schiebetüren aus Glas installiert hatte, als sie

von einer Sekunde auf die andere zu keinem klaren Gedanken mehr fähig war.
Angst war das, was sie fühlte.
Flucht war das, woran sie als Erstes dachte, als sie die Buchstaben sah.
Auf dem Badezimmerspiegel.
In akkurat gezeichneten Lettern, quer über der von Wasserdampf beschlagenen Scheibe stand:

HAU AB.
BEVOR ES ZU SPÄT IST!

3. Kapitel

Ja?«

»Entschuldigen Störung. Alles Ordnung?«

Die hochgewachsene, schlanke Russin in der Tür sah ehrlich besorgt aus. Dabei wirkte die Frau, die nur gebrochen Deutsch sprach, auf Emma nicht wie eine Person, die sich um ihre Mitmenschen unnötig viele Gedanken machte. Eher wie ein Model, das um seine Schönheit wusste und sich selbst für den Mittelpunkt der Welt hielt. Gehüllt in ein eng anliegendes Designerkostüm, gebadet in Chanel, von sündhaft teuer wirkenden High Heels getragen, mit denen selbst Emma auf andere hätte hinabblicken können.

»Wer sind Sie?«, fragte Emma und ärgerte sich, dass sie die Tür geöffnet hatte. Nun stand sie barfuß vor einer slawischen Schönheit, mit pitschnassen Haaren, nur von einem hastig übergeworfenen Hotel-Kimono bekleidet. Dessen Stoff war so dünn, dass sich darunter garantiert jede einzelne Rundung ihres nackten Körpers abzeichnete, der so viel unvollkommener war als der der Russin.

»Tschuldigung. Wände sehr dünn.«

Die Frau strich sich eine ihrer blonden Extensions aus der Stirn. »Kam vorbei. Hörte Schrei.«

»Sie hörten einen Schrei?«, fragte Emma tonlos.

Tatsächlich konnte sie sich nur daran erinnern, dass ihr schwindelig geworden war, was nicht nur an der unheimlichen Spiegel-Botschaft, sondern bestimmt auch an ihrer viel zu heißen Dusche gelegen hatte.

Beides hatte ihr regelrecht den Boden unter den Füßen weggerissen.
Im ersten Moment hatte Emma es noch geschafft, sich am Waschtisch festzuhalten, dann war sie auf den Fliesen zusammengesunken, um vom Fußboden aus die Buchstaben anzustarren:

HAU AB.
BEVOR ES ZU SPÄT IST!

»Hörte auch Weinen«, sagte die Russin.
»Das muss ein Irrtum sein«, antwortete Emma, obwohl es sehr gut möglich war, dass ihr Zusammenbruch mit Tränen einhergegangen war. Ihre Augen brannten zumindest noch. Die Nachricht auf dem Spiegel hatte die dunkelsten Erinnerungen ihrer Kindheit wachgerüttelt.
Der Schrank.
Die knarrenden Türen, hinter denen ein Mann mit Motorradhelm kauerte.
Arthur.
Der Geist, der sie durch unzählige Nächte begleitet hatte. Immer und immer wieder. Zuerst als Monster, später als Freund. So lange, bis sie als Zehnjährige endlich »geheilt« wurde, obwohl es diesen Begriff in der Psychotherapie eigentlich gar nicht gab. Dem Kinderpsychiater, den Emma damals hatte aufsuchen müssen, war es nach vielen Sitzungen gelungen, den Dämon zu vertreiben. Aus ihrem Schrank und aus ihrem Kopf. Dabei hatte er ihr bewusst gemacht, um wen es sich bei diesem Trugbild in Wirklichkeit gehandelt hatte.
Papa!
Seit jenen Therapiestunden, die ihr Interesse für ihren heutigen Beruf überhaupt erst geweckt hatten, wusste

Emma, dass es nie einen Geist gegeben hatte. Und keinen Arthur. Sondern immer nur ihren Vater, der sie zeit ihres Lebens zurückgewiesen und verängstigt hatte und den sie doch so gerne als Verbündeten in ihrer Nähe gehabt hätte. Für sich alleine. Immer um sich herum. Jederzeit abrufbar, sogar nachts im Schrank.

Doch ein Freund war Emmas Vater nie gewesen. Nicht in ihrer Kindheit, nicht während des Studiums, und jetzt, da sie eine verheiratete Psychiaterin war, erst recht nicht. Immer war ihm seine Arbeit wichtiger gewesen. Seine Akten, Zeugen und Prozesse. Morgens zu früh aus dem Haus, abends zu spät bei der Familienfeier. Oder gar nicht.

Obwohl er schon lange nicht mehr praktizierte, schaffte er es heute gerade mal so, eine Karte zu ihrem Geburtstag zu verschicken. Und selbst die hatte ihm Mama, mit der er seinen Lebensabend auf Mallorca verbrachte, bestimmt diktiert. Formulierungen wie »Ich vermisse dich« oder »Ich hoffe, wir schaffen es in diesem Jahr, mehr Zeit miteinander zu verbringen« gehörten einfach nicht zu dem Sprachschatz des Cholerikers. Eher so etwas wie:

»Hau sofort ab, oder ich tu dir weh.«

Und nun stand eine ähnliche Drohung quer über dem Spiegel ihres Hotelbadezimmers.

Konnte das ein Zufall sein?

Natürlich!

Noch bevor es an der Tür geklopft hatte, hatte Emma bereits eine logische Erklärung für den Vorfall gefunden.

Ein Streich!

Der Vormieter des Zimmers musste vor dem Auschecken mit seinen Fettfingern auf die trockene Spiegelscheibe gepatscht haben, um den Nachbewohner in Angst und Schrecken zu versetzen. Was ihm gelungen war.

So sehr, dass sie das halbe Hotel zusammengeschrien hatte. Über die Heftigkeit von Emmas Reaktion wäre der Scherzbold wohl selbst erschrocken, konnte er doch kaum geahnt haben, dass die Worte auf dem Spiegel ein altes Trauma wachrüttelten.
Dabei war es damals nicht die Drohung des Vaters gewesen, die Emma so verstört hatte, sondern dass Arthur ausgerechnet in jener Nacht zum ersten Mal aus dem Schrank stieg. Der Motorradhelm, die Spritze, seine Stimme … alles hatte so real gewirkt.
Und tat es auch manchmal noch in ihrer Erinnerung.
»Geht gut?«, wollte die Russin von ihr wissen, die sie weiterhin mit einer seltsamen Mischung aus Besorgnis und Ungeduld musterte. Und dann sagte sie etwas, was gleichzeitig so freundlich wie grausam war, dass Emma nicht wusste, ob sie lachen oder weinen sollte.
»Macht Kunde Ärger?«
Oh Gott.
Natürlich.
Sie ist eine Prostituierte!
Daher ihr aufgetakelter Aufzug. Der halbe Kongress war im *Le Zen* untergebracht. Das Hotel war voll mit alleinstehenden Männern in Einzelzimmern. Wie viele von denen hatten sich für heute Nacht ein Escort-Mädchen gebucht? Drecksäcke wie Stauder-Mertens ganz sicher, die unter Garantie jede Gelegenheit nutzten, die sich ihnen bot, wenn sie von Frau und Familie getrennt waren.
»Wenn Hilfe brauchen, dann …«
»Nein, nein. Das ist nett, danke, aber …«
Emma schüttelte den Kopf.
… aber ich bin keine Prostituierte. Nur eine schreckhafte Psychiaterin.

Wie freundlich, dass die Frau ihr helfen wollte. Wie furchtbar, dass sie sich mit prügelnden Freiern auszukennen schien. *Und mit zusammengeschlagenen Nutten, die heulend auf den Fliesen eines Hotelbadezimmers kauerten.*
Emma lächelte, doch das Lächeln schien ihr nicht aufrichtig zu gelingen. Sie konnte in den dunklen Augen der Russin sehen, dass ihre Zweifel nicht zerstreut waren, weshalb Emma sich entschloss, ihr die Wahrheit zu sagen.
»Keine Sorge. Ich bin ganz allein in meinem Zimmer. Aber ich dachte, jemand hätte sich hereingeschlichen und mich heimlich beim Duschen beobachtet.«
»Spanner?«
»Ja. Es war aber nur ein dummer Scherz des vorigen Gastes.«
»Na dann.«
Das Escort-Mädchen wirkte immer noch nicht überzeugt, zuckte aber mit den Achseln und sah auf die Rolex an ihrem Handgelenk. Dann verabschiedete sie sich mit ihrem ersten fehlerfreien Satz: »Pass auf, dass dir nichts passiert.« Vermutlich hatte sie ihn schon oft von ihren Kolleginnen gehört.
Emma dankte ihr und schloss die Zimmertür. Durch den Spion sah sie, wie sich die Russin nach rechts den Gang hinunter entfernte.
Die Fahrstühle lagen in der anderen Richtung. Also stand ihr »Termin« wohl noch bevor.
Mit klopfendem Herzen sicherte Emma die Tür mit allen dafür vorgesehenen Drehschlössern und Hebeln und merkte dann erst, wie erschöpft sie war. Erst der Vortrag, dann der Spiegel, jetzt das Gespräch mit der Russin. Sie sehnte sich danach, zur Ruhe zu kommen. Einschlafen zu können.

Am besten in Philipps Armen.
Wieso konnte er jetzt nicht bei ihr sein, damit sie gemeinsam über diese alberne Situation ihre Scherze machten?
Emma überlegte kurz, ob sie zur Ablenkung ihre besten Freunde anrufen sollte, Sylvie oder Konrad, doch von beiden wusste sie, dass sie ein Date hatten. Kein gemeinsames natürlich, denn Konrad war schwul.
Und selbst wenn sie einen von beiden erreichte, was sollte sie sagen? *»Sorry, aber ich bin etwas nervös, weil mein Spiegel beschlagen ist?«*
Beschlagen war, stellte sie fest, als sie ins Badezimmer zurückging, um sich die Zähne zu putzen.
Der Wasserdampf war verschwunden. So wie die Scherz-Nachricht selbst.
Als hätte sie niemals dort gestanden.

4. Kapitel

Emma fröstelte.

Nur noch Schlieren zeugten von dem Kondensat, das sich verflüchtigt und hässliche Ränder auf der silbernen Scheibe hinterlassen hatte. Ohne nachzudenken, wischte sie mit einem Waschlappen die Flecken weg und ärgerte sich im nächsten Moment, dass sie nicht gegen den Spiegel gehaucht hatte, um die Botschaft erneut zum Leben zu erwecken.

Dann ärgerte sie sich, dass sie sich ihrer selbst nicht mehr sicher war.

»Was ist nur los mit dir, Emma?«, flüsterte sie, den Kopf in ein Handtuch gepresst.

Die Nachricht war keine Einbildung gewesen. Nur ein dummer Scherz. Kein Grund, so nervös zu sein.

Sie löschte das Licht im Bad, ohne noch einmal in den Spiegel zu schauen. Den Kimono hängte sie in den Schrank zurück und tauschte ihn gegen einen Pyjama. Dabei konnte sie dem paranoiden Impuls nicht widerstehen, den Schrank nach geheimen Versteckmöglichkeiten zu überprüfen (die es nicht gab). Da sie schon einmal dabei war, konnte sie auch gleich noch hinters Bett sehen, die Vorhänge kontrollieren und erneut die Schlösser überprüfen. Immer unter der Beobachtung Ai Weiweis, dessen Augen so fotografiert waren, dass sie Emma im Blick behielten, welchen Standpunkt auch immer sie gegenüber dem Bild einnahm.

Sie wusste, dass das alles Übersprunghandlungen waren, dennoch ging es ihr besser, nachdem sie ihren irrationalen Stresssymptomen nachgegeben hatte.
Als sie nach dem »Kontrollgang« endlich unter die frisch gestärkte Bettdecke kroch, fühlte sie sich müde und schwer. Ein letztes Mal versuchte sie Philipp zu erreichen. Sie sprach ihm ein *»Träum von mir, wenn du das abgehört hast«* auf die Mailbox, und nachdem sie den Wecker gestellt hatte, schloss sie die Augen.
Wie so oft, wenn sie übermüdet und zugleich vollkommen überdreht war, füllten flirrende Lichter und Schattenspiele die Dunkelheit, in die sie hinabsinken wollte.
Wieso hast du das nur gesagt?, fragte sich Emma in einer verschwommenen Erinnerung an ihren Vortrag, während sie in den Schlaf driftete. *Wieso hast du erzählt, dass du selbst die gefolterte Patientin auf dem Video gewesen bist?* Das war nie beabsichtigt gewesen, sie hatte aus einem Impuls heraus gehandelt, nur weil Stauder-Mertens, dieser selbstverliebte Gockel aus Köln, sie getriezt hatte.
Haben Sie noch mehr in der Hand als die Aussage dieser Scheinpatientin?
Ja, hatte sie. Jetzt war es raus. Eine unnötige Sensation.
Emma drehte sich zur Seite und versuchte die Bilder von der zuhörenden Männermeute im Kongresszentrum abzuschütteln. Dabei pikte es sie in den Ohren, weil sie vergessen hatte, die Perlenstecker abzulegen.
Wieso tust du so etwas immer?, fragte sie sich, und wie es in der Übergangsphase zwischen Wachen und Träumen bei ihr oft vorkam, fragte sie sich, wieso sie sich das fragte und was sie mit »immer« eigentlich meinte, und noch während sie in dieser Gedankenschleife feststeckte, war es auf einmal passiert.

Sie schlief.
Kurz.
Nicht einmal zwei Minuten lang.
Bis das Geräusch sie weckte.
Das Summen.
In der Dunkelheit.
In unmittelbarer Nähe, direkt neben ihrem Bett.
Emma drehte sich zur Seite, öffnete die Augen und sah, dass ihr Handy leuchtete. Sie hatte es auf den Fußboden gelegt, weil das Aufladekabel von der Steckdose nicht bis hoch zum Nachttisch reichte. Nun hatte sie einige Mühe, das Telefon vom Teppich zu angeln.
Unbekannter Teilnehmer.
»Schatz?«, fragte sie in der Hoffnung, dass Philipp von dem Apparat irgendeiner Dienststelle zurückrief.
»Frau Dr. Stein?«
Sie hatte die Stimme des Mannes noch nie gehört. In die Enttäuschung, nicht mit Philipp zu sprechen, mischte sich Verärgerung. Wer in drei Teufels Namen rief so spät noch bei ihr an?
»Ich hoffe, es ist wichtig«, gähnte sie.
»Tut mir leid, Sie zu stören. Hier ist das *Le Zen,* Herr Eigenhardt vom Empfang.«
Auf meinem Handy?
»Ja?«
»Wir wollten nur nachfragen, ob Sie heute noch einchecken.«
»Wie bitte?«
Emma tastete erfolglos nach dem Schalter für die Nachttischlampe neben ihrem Bett.
»Was heißt denn einchecken? Ich schlafe bereits.«
Zumindest versuche ich das.

»Dann dürfen wir das Zimmer also freigeben?«
Hört der schlecht?
»Nein, ich sagte doch: Ich habe bereits eingecheckt. Zimmer 1904.«
»Oh, bitte entschuldigen Sie vielmals, aber …«
Der Rezeptionist war hörbar verwirrt.
»Was aber?«, fragte Emma.
»Aber es gibt bei uns kein Zimmer mit dieser Nummer.«
Wie bitte?
Emma richtete sich in ihrem Bett auf und fixierte das blinkende Lämpchen des Rauchmelders über sich an der Decke.
»Machen Sie Witze?«
»Es gibt im gesamten Hotel keine einzige *Vier*. Das ist eine Unglückszahl im asiatischen Raum, und daher …«
Den Rest des Satzes konnte Emma nicht mehr hören, da ihr Handy auf einmal nicht mehr in ihrer Hand lag.
Dafür hörte sie etwas, was gar nicht möglich war. Direkt neben ihrem Ohr: ein Räuspern.
Eines Mannes.
Und während sich ihr vor Angst die Kehle zuschnürte, spürte sie den Druck auf ihrem Mund.
Schmeckte Stoff.
Gleichzeitig wurde sie von etwas gestochen, und durch den Einstich in ihrer Armbeuge floss ein Kühlmittel.
Der Mann räusperte sich erneut, und dann, als sie sich sicher war, innerlich zu erfrieren, spürte sie die Klingen.
Unsichtbar in der Dunkelheit, unüberhörbar nah vor ihrem Gesicht, denn sie vibrierten.
Srrrrrrr.
Ein rotierendes Küchenmesser, eine Säge oder ein elektrischer Korkenzieher.

Bereit zum Stechen, Schlitzen oder Punktieren.
Sie hörte das Geräusch eines sich öffnenden Reißverschlusses.
»Ich bin schwanger!«, wollte sie schreien, aber Zunge und Lippen versagten den Dienst.
Emma, zur Bewegungsunfähigkeit verdammt, konnte weder brüllen noch strampeln oder um sich schlagen.
Nur abwarten, wo sie die Schmerzen als Erstes fühlen würde.
Und beten, dass das Grauen schnell vorüber wäre.
Was es nicht war.

Sechs Monate danach

5. Kapitel

Emma öffnete die Augen und überlegte, wie lange ihr Gegenüber sie wohl beim Schlafen betrachtet haben musste.

Professor Konrad Luft saß in seinem Stammsessel, die Hände vor dem Bauch gefaltet, sein nachdenklicher Blick ruhte mit melancholischer Schwere auf ihrem Gesicht.

»Geht es einigermaßen?«, fragte er, und erst wusste sie nicht, worauf ihr bester Freund hinauswollte, dann aber sah sie den Beistelltisch an ihrem Bett. Auf ihm lagen die Tabletten, die sie ihr in der psychiatrischen Klinik mitgegeben hatten, in deren geschlossene Abteilung der Richter sie eingewiesen hatte.

Für den Notfall.

Falls sie Schmerzen hatte, sobald sie erwachte.

Sie streckte ihre Glieder unter der Klinikdecke und versuchte, sich mit den Ellbogen auf der Krankenliege aufzustützen. Zu schwach dafür, sank sie wieder in das Kissen zurück und rieb sich die Augen.

Den Transport hatte sie verschlafen, kein Wunder angesichts der vielen Pillen, die man ihr gab. Allein die Nebenwirkungen würden den stärksten Elefanten umhauen, zusätzlich hatte man ihr noch ein Beruhigungsmittel verabreicht.

Nach dem Aufwachen dauerte es eine Weile, bis sie ihre Umgebung erkannte. Der Raum, in dem sie früher schon so viele Stunden verbracht hatte, fühlte sich fremd an,

wenn auch nicht so fremd wie die geschlossene Abteilung, die sie in den letzten Wochen nicht verlassen hatte.
Vielleicht rührte das komische Gefühl daher, dass Konrad seine Strafrechtskanzlei kürzlich renoviert hatte, aber Emma bezweifelte es.
Nicht der Raum war es, der sich wesentlich verändert hatte, sondern sie.
Der Geruch von Farbe und frisch geöltem Nussbaumparkett hing noch in der Luft, einige Möbel waren während der Arbeiten verschoben worden, aber im Grunde war alles noch so wie bei ihrem ersten Besuch vor nunmehr fast zehn Jahren. Damals hatte sie sich in Turnschuhen und Jeans auf das Sofa gelümmelt. Heute lag sie im Nachthemd auf einer höhenverstellbaren Krankenliege, beinahe in der Mitte des Raumes. Leicht schräg gestellt, mit Blick auf Konrads Schreibtisch und der Fensterfront dahinter.
»Schätze, ich bin die erste Mandantin, die auf einer Trage zu dir in die Kanzlei gerollt wurde«, sagte sie.
Konrad lächelte sanft. »Ich hatte schon einige Klienten, die transportunfähig waren. Nur, dass ich dann zu denen gefahren bin. Aber in der Klinik verweigerst du ja jeden Kontakt, Emma. Selbst ein Gespräch mit den Ärzten lehnst du ab. Also habe ich eine richterliche Ausnahmegenehmigung erwirkt.«
»Danke«, sagte sie, obwohl es nichts mehr gab, wofür sie im Leben dankbar sein konnte. Nicht einmal dafür, dass sie ihre Zelle hatte verlassen dürfen.
Tatsächlich hatte sie sich geweigert, ihn in der Anstalt zu empfangen. Niemand sollte sie so sehen. So krank und kaputt. Eingesperrt wie ein Tier. Diese Demütigung hätte sie nicht ertragen.
»Du hast nichts von deinem Stolz verloren, meine liebe

Emma.« Konrad schüttelte den Kopf, jedoch lag keinerlei Missbilligung in seinem Blick. »Lieber gehst du freiwillig ins Gefängnis, als dass ich dich besuchen darf. Dabei brauchst du meine Hilfe jetzt wohl mehr als je zuvor.«

Emma nickte.

»Alles hängt davon ab, wie das Gespräch mit Ihrem Anwalt verläuft«, hatten sie ihr gesagt. Die Psychiater und die Polizisten, die gewiss im Vorzimmer auf den Rücktransport warteten.

Anwalt.

Ein seltsames Wort. Die wenigsten kannten seine Herkunft von dem altenglischen »onweald«, also »Macht«. Hatte Konrad wirklich die Macht, ihr Schicksal zu wenden? Ihr alter Vertrauter, wobei »alt« für einen sportlichen, fast athletischen Mann von achtundfünfzig Jahren gewiss die falsche Bezeichnung war. Emma hatte ihn während ihres Medizinstudiums kennengelernt, im ersten Semester, und als er sich vorstellte, war ihr sein Name eigentümlich vertraut erschienen. Erst später erinnerte sie sich, weshalb. Ihr Vater und Konrad Luft waren Kollegen und hatten kanzleiübergreifend gemeinsam an Fällen gearbeitet, von denen Emma in der Zeitung gelesen hatte.

Der Fall, der sie damals zusammenführte, schaffte es hingegen nicht in die Presse.

Emmas Ex-Freund, Benedict Tannhaus, hatte einen über den Durst getrunken und sie in einem Café in der Nähe der Uni belästigt. Konrad, der dort regelmäßig zu Abend aß, hatte gesehen, wie der Typ sie betatschte, und war energisch dazwischengegangen. Danach hatte er Emma seine Karte zugesteckt, für den Fall, dass sie juristische Hilfe benötigte, was tatsächlich notwendig wurde, da sich ihr Ex als handfester Stalker entpuppte.

Natürlich hätte sich Emma auch an ihren Vater wenden können, aber dann hätte sie die Pest gegen die Cholera getauscht. Zwar war Emmas Vater nie handgreiflich geworden, so wie Benedict. Dafür waren sein Jähzorn und die damit verbundenen unkontrollierten Wutausbrüche über die Jahre immer schlimmer geworden, und sie war froh, seit ihrem Auszug in die Studenten-WG keinen persönlichen Kontakt mehr zu ihm zu haben. Es war ihr schleierhaft, wie ihre Mutter es mit ihrem Vater unter einem Dach aushielt.

Während des langwierigen Verfahrens, in dem Konrad eine gerichtliche Verfügung gegen Benedict erwirkte, freundeten sie sich an. Dabei dachte Emma erst, Konrads Interesse an ihr hätte andere Hintergründe. Tatsächlich fühlte sie sich von seinem väterlichen Charme durchaus angezogen, trotz des gewaltigen Altersunterschieds. Damals wie heute hatte Konrad sein markantes Kinn unter einem akribisch gestutzten Vollbart versteckt und bevorzugt dunkelblaue, maßgeschneiderte Zweireiher zu rahmengenähten Budapester-Schuhen getragen. Die gelockten Haare waren jetzt etwas kürzer, hingen ihm aber immer noch in die hohe Stirn, und Emma verstand nur allzu gut, weshalb der Strafverteidiger so oft von gut situierten, älteren Damen kontaktiert wurde. Sie konnten ja nicht ahnen, dass er Frauen zwar liebte, sie aber keinen Platz in seinen erotischen Phantasien hatten. Konrads Homosexualität war ein Geheimnis, das Emma und er teilten, seitdem sie befreundet waren.

Selbst Philipp hatte sie nichts von Konrads gleichgeschlechtlichen Vorlieben erzählt, das allerdings aus egoistischen Gründen, wie sie sich insgeheim eingestehen musste. Philipp wurden wegen seines Aussehens und seiner char-

manten Art häufig Avancen gemacht, die er schon gar nicht mehr registrierte, wenn zum Beispiel die niedliche Kellnerin ihm den besten Platz im Restaurant anbot oder er im Supermarkt das freundlichste Lächeln in der Schlange bekam.
Deshalb tat es Emma gut, dass auch ihr Mann manchmal eifersüchtig reagierte, wenn Konrad schon wieder anrief, um sich mit ihr zum Frühstücksbrunch zu treffen. Sollte Philipp ruhig denken, auch sie habe Verehrer.
Konrad wiederum hütete das Geheimnis, um seinen Ruf als knallharter Machoanwalt nicht zu schädigen. Stattdessen zeigte er sich auf offiziellen Anlässen regelmäßig mit hübschen Jurastudentinnen. *»Besser ein bindungsunfähiger, ewiger Junggeselle als die Tunte im Gerichtssaal«*, hatte er Emma gegenüber seine Geheimniskrämerei begründet.
Und so zeigten sich die abenteuerwilligen, wohlfrisierten Witwen enttäuscht, wenn Konrad ihnen erklärte, dass er nur Strafrechtssachen und keine Scheidungen annahm und auf seinem Fachgebiet auch nur die spektakulären, oftmals als aussichtslos geltenden Fälle.
Solche wie ihrer.
»Danke, dass du mir helfen willst«, sagte Emma. Eine Floskel, aber sie tat ihren Dienst und füllte das Schweigen.
»Schon wieder.«
Nach dem Stalker-Fall war sie jetzt zum zweiten Mal seine Mandantin. Und das seit jener Nacht im Hotel. In der sie das Opfer eines Wahnsinnigen wurde. Eines Serientäters, der vor ihr schon drei weiteren Frauen in Hotelzimmern aufgelauert und ihnen mit einem Elektrorasierer sämtliche Haare vom Kopf geschoren hatte.
… nachdem er sie bestialisch vergewaltigt hatte …

Wobei die Stunden danach im Krankenhaus für Emma kaum weniger schlimm waren als die Vergewaltigung selbst. Sie war noch gar nicht so richtig wieder bei Bewusstsein, da wurden ihre Körperöffnungen erneut von einer fremden Person manipuliert. Wieder spürte sie Latexfinger in der Vagina und Gegenstände, mit denen man die Abstriche für die Beweissicherung vornahm. Am allerschlimmsten aber waren die Fragen, die ihr eine grauhaarige Polizistin mit Pokermiene gestellt hatte:

»Wo wurden Sie vergewaltigt?«

»Im Le Zen. *Zimmer 1904.«*

»Es gibt dort kein Zimmer mit dieser Nummer, Frau Stein.«

»Das wurde mir auch gesagt, aber das ist unmöglich.«

»Wer hat Sie denn eingecheckt?«

»Niemand. Ich bekam die Schlüsselkarte mit den Kongressunterlagen ausgehändigt.«

»Hat Sie jemand in dem Hotel gesehen? Ein Zeuge?«

»Nein, das heißt ja. Eine Russin.«

»Kennen Sie ihren Namen?«

»Nein.«

»Die Zimmernummer der Russin?«

»Nein. Sie ist …«

»Was?«

»Egal. Vergessen Sie's.«

»Okay. Können Sie den Täter beschreiben?«

»Nein, es war dunkel.«

»Wir konnten keine Abwehrverletzungen feststellen.«

»Ich war betäubt. Womit, wird vermutlich die Blutprobe zeigen. Ich habe einen Einstich gespürt.«

»Hat der Täter Ihnen die Haare vor oder nach der Penetration geschoren?«

»Sie meinen, bevor oder nachdem er mir den Schwanz in die Möse gerammt hat?«
»Ich verstehe Ihre Aufregung.«
»Tun Sie nicht.«
»Schön, und dennoch muss ich Ihnen Fragen wie diese hier leider stellen. Hat der Täter ein Kondom benutzt?«
»Vermutlich, wenn Sie sagen, dass Sie kein Sperma gefunden haben.«
»Und auch keine gröberen Vaginalverletzungen. Haben Sie häufig wechselnde Geschlechtspartner?«
»Ich bin schwanger! Können wir bitte das Thema wechseln?«
»Schön. Wie sind Sie zu der Bushaltestelle gekommen?«
»Bitte?«
»Die Bushaltestelle am Wittenbergplatz. Wo man Sie gefunden hat.«
»Keine Ahnung. Irgendwann muss ich das Bewusstsein verloren haben.«
»Dann wissen Sie also gar nicht, ob Sie vergewaltigt wurden?«
»Der Irre hat mir die Haare abrasiert. Meine Vagina brennt, als wäre sie mit einem Viehtreiber bearbeitet worden. WAS DENKEN SIE DENN, WAS MIT MIR GESCHEHEN IST?«
Die Frage aller Fragen.
Emma dachte daran, wie Philipp sie im Taxi nach Hause gebracht und sie aufs Sofa gelegt hatte.
»Alles wird wieder gut«, hatte er zu ihr gesagt.
Sie hatte genickt und ihn gebeten, ihr einen Tampon zu holen. Den großen für die starken Blutungen, ganz hinten aus dem Badezimmerschrank. Sie hatten im Taxi eingesetzt.

Es war das erste Mal, dass sie miteinander geweint hatten. Und das letzte Mal, dass sie über Kinder sprachen.
Am Tag darauf hatte Emma eine Kerze für das Ungeborene angezündet. Sie war schon lange abgebrannt.
Emma hustete in ihre hohle Hand und versuchte sich von ihren düsteren Erinnerungen abzulenken, indem sie den Blick durch Konrads Büro schweifen ließ.
Die deckenhohe Regalwand, in der man neben den in Leder gebundenen Entscheidungen des Bundesgerichtshofes auch Konrads Lieblingswerke von Schopenhauer fand, kam ihr etwas niedriger vor, vermutlich wegen des neuen Anstrichs, der den Raum kleiner wirken ließ. Und natürlich stand der massive Schreibtisch noch an Ort und Stelle, vor den fast quadratischen Fensterscheiben, durch die man an sonnigen Tagen den Blick über den Großen Wannsee bis nach Spandau schweifen lassen konnte. Heute reichte er nur knapp über die öffentliche Uferpromenade hinaus, auf der sich wenige Spaziergänger durch den knöchelhohen Dezemberschnee kämpften.
Plötzlich spürte sie, wie Konrad neben ihrem Bett stand und sie sanft am Arm berührte.
»Lass es mich dir etwas bequemer machen«, sagte er und streichelte ihr über die Stirn.
Sie roch sein würziges Aftershave und schloss die Augen. Allein die Vorstellung, von einem Mann berührt zu werden, hatte ihr die letzten Monate ein Gefühl des Ekels bereitet. Doch Konrad durfte seine Arme um ihren Körper schlingen und sie von der Krankenliege zu der Couch vor dem Kamin tragen.
»So ist es besser«, sagte er, als sie halb liegend, halb sitzend in den weichen Polstern versank und er sie behutsam mit einer cremefarbenen Kaschmirdecke zudeckte.

Und er hatte recht. So war es besser. Sie fühlte sich geborgen, hier war alles vertraut. Die Sitzgruppe gegenüber mit dem Ohrensessel, in dem Konrad wieder Platz nahm. Der gläserne Couchtisch zwischen ihnen. Und natürlich der kreisrunde Teppich zu ihren Füßen. Weiße, flauschige Fasern, eingefasst in einen schwarzen Rahmen, der wie ein im Uhrzeigersinn ausdünnender Pinselstrich aussah. Von oben betrachtet wirkte der Teppich dadurch wie ein hastig gezeichnetes O. Wie gerne hatte Emma früher auf diesem O gelegen und tagträumend in den Gaskamin geschaut. Wie wohl hatte sie sich gefühlt, wenn sie dabei gemeinsam das mitgebrachte Sushi aßen. Wie sicher und geborgen, wenn sie über Liebeskummer, Misserfolge und Selbstzweifel redeten und sie von ihm jene Ratschläge bekam, die sie sich ein Leben lang von ihrem Vater gewünscht hätte.
Die schwarzen Fasern des Teppichs waren etwas ausgeblichen und hatten über die Jahre hinweg zum Teil eine bräunliche Färbung angenommen.
Die Zeit zerstört alles, dachte Emma, spürte die Wärme des Kamins auf dem Gesicht, doch das angenehme Gefühl, das sich sonst stets eingestellt hatte, wenn sie Konrad besuchte, blieb aus.
Kein Wunder, das hier war ja auch kein Besuch.
Eher eine überlebenswichtige Notwendigkeit.
»Wie geht es Samson?«
»Prächtig«, antwortete Konrad, und Emma glaubte ihm. Er hatte schon immer ein Händchen für Tiere gehabt. Bei ihm war ihr Hund bestens aufgehoben; die Zeit über, in der sie weggesperrt war.
Kurz nach der Nacht im Hotel hatte Philipp ihr den schneeweißen Husky mit dem schwarzgrauen, dicken Wuschelkopf geschenkt.

»Einen Schlittenhund?«, hatte sie ihn erstaunt gefragt, als er ihr zum ersten Mal die Leine überließ.
»Er wird dich da rausziehen«, hatte er behauptet und das *»Elend«* gemeint, in dem sie steckte.
Nun, er hatte sich geirrt, und wie es aussah, würde Samson noch eine ganze Weile ohne sein Frauchen auskommen müssen.
Vielleicht für immer.
»Wollen wir anfangen?«, fragte Emma und hoffte, dass Konrad »Nein« rufen, aufstehen und sie alleine zurücklassen würde.
Selbstverständlich tat er das nicht.
»Bitte«, sagte der beste Zuhörer der Welt, wie ein Reporter den Staranwalt einmal in einem Zeitungsporträt genannt hatte. Seine vielleicht größte Stärke.
Es gab Menschen, die konnten zwischen den Zeilen lesen. Konrad konnte zwischen den Sätzen hören.
Diese Eigenschaft hatte ihn zu einem der wenigen Menschen gemacht, denen Emma sich öffnen konnte. Er kannte ihre Vergangenheit, ihre Geheimnisse, wusste von ihrer überschäumenden Phantasie. Sie hatte ihm von Arthur und von der Psychotherapie erzählt, in der sie, wie sie geglaubt hatte, von imaginären Freunden und anderen Visionen befreit worden war. Heute war sie sich dessen längst nicht mehr sicher.
»Ich schaffe das nicht, Konrad.«
»Du musst.«
In jahrzehntelanger Gewohnheit suchte Emma nach einer Haarsträhne, um sie sich um die Finger zu wickeln – doch dafür war ihr Schopf viel zu kurz.
Fast ein halbes Jahr war es nun her, und noch immer konnte sie sich nicht daran gewöhnen, dass ihre einst so präch-

tig langen Haare verschwunden waren. Immerhin waren sie schon sechs Zentimeter nachgewachsen.
Konrad sah sie so eindringlich an, dass sie den Blick abwenden musste.
»Sonst kann ich dir nicht helfen, Emma. Nicht nach allem, was passiert ist.«
Nicht nach all den Toten. Ich weiß.
Emma seufzte und schloss die Augen. »Wo soll ich beginnen?«
»Mit dem Schlimmsten!«, hörte sie ihn sagen. »Geh mit deinen Erinnerungen dorthin zurück, wo es am meisten weh tut.«
Eine Träne löste sich aus ihren Augen, und sie öffnete sie wieder.
Starrte aus dem Fenster. Beobachtete einen Mann, der eine Dogge am Uferweg an der Leine spazieren führte. Von weitem sah es so aus, als öffnete der große Hund das Maul, um mit der Zunge die Flocken einzufangen, aber Emma war sich nicht sicher. Sie wusste nur, dass sie lieber dort draußen wäre, bei dem Mann mit der Dogge und dem Schnee zu ihren Füßen, der ganz bestimmt nicht so kalt war wie der Innenhof ihrer Seele.
»Also schön«, sagte sie, obwohl nichts daran, was jetzt folgen würde, schön war. Und es vermutlich nie wieder werden würde, selbst wenn sie den Tag überstand, wovon sie im Moment nicht ausging.
»Ich weiß nur nicht, wozu das gut sein soll. Du warst doch bei der Befragung dabei.«
Zumindest bei der zweiten Runde. Die erste Aussage hatte sie noch alleine gemacht, doch als die Fragen der Beamtin immer skeptischer wurden und sie sich nicht mehr wie eine Zeugin, sondern auf einmal wie eine Angeklagte fühlte,

hatte sie nach ihrem Anwalt verlangt. Anders als Philipp, der die Nacht durchfahren musste, um vom Einsatzort in Bayern zu ihr zu kommen, war ihr bester Freund noch um halb zwei bei ihr im Krankenhaus gewesen.

»Du hast mich selbst durch meine Aussage geführt und warst dabei, als ich das Protokoll der Polizistin unterschrieb. Du weißt, was der Friseur in jener Nacht mir angetan hat.«

Der Friseur.

Was für eine verharmlosende Bezeichnung der Presse. Als würde man einen Mann, der Frauen häutet, einen Schurken nennen.

Konrad schüttelte den Kopf. »Ich rede nicht von der Nacht im Hotel, Emma.«

Sie blinzelte nervös. Wusste plötzlich, was er als Nächstes sagen würde, und betete, dass sie sich irrte.

»Du weißt genau, weshalb du hier bist.«

»Nein«, log Emma.

Natürlich wollte er über das Paket reden. Worüber auch sonst?

»Nein«, wiederholte sie, noch weniger energisch als zuvor.

»Emma, bitte. Wenn ich dich verteidigen soll, dann musst du mir alles erzählen, was an jenem Tag vor drei Wochen geschehen ist. Bei dir zu Hause. Ohne Auslassungen.«

Emma schloss die Augen und hoffte, die Polster der Couch würden sie für immer verschlucken, so wie die Blätter einer fleischfressenden Pflanze eine Fliege, aber das geschah leider nicht.

Und weil sie wohl keine andere Wahl hatte, begann sie mit brüchiger Stimme ihre Geschichte zu erzählen.

Von dem Paket.

Und wie mit ihm das Grauen, das in jener Nacht im Hotel seinen Anfang genommen hatte, an die Tür des kleinen Hauses mit dem Jägerzaun am Ende der Sackgasse anklopfte und bei ihr Einzug hielt.

Drei Wochen zuvor

6. Kapitel

Das Schraubgewinde drehte sich durch das Trommelfell direkt in Emmas Gehirn. Sie wusste nicht, wer den akustischen Bohrer angesetzt hatte, der ihr Angstzentrum punktierte. Wer an ihrer Tür klingelte, so früh am Morgen, und sie allein dadurch in Panik versetzte.
Emma hatte ihr Haus in der Teufelssee-Allee nie für etwas Besonderes gehalten, auch wenn es das einzige frei stehende Gebäude in der Nachbarschaft war.
Die Heerstraßensiedlung bestand ansonsten aus charmanten Doppelhaushälften der zwanziger Jahre, und fast ein ganzes Jahrhundert lang, bis Philipp es in den letzten Wochen in eine Festung verwandelt hatte, war ihr kleines Eigenheim nur dadurch aus dem Rahmen gefallen, dass man es umrunden konnte, ohne ein anderes Grundstück zu betreten. Sehr zur Freude der Nachbarskinder, die früher, an warmen Sommertagen, gerne Wettrennen durch ihren Garten veranstaltet hatten: durch die geöffnete Jägerzauntür, entgegen dem Uhrzeigersinn den schmalen Kiesweg am Gemüsebeet vorbei, scharf links um die Veranda herum, wieder links unter dem Arbeitszimmerfenster entlang, bis es durch den leicht verwilderten Vorgarten zurück zur Straße ging, wo der Gewinner an der alten Gaslaterne anklopfen und »Erster« rufen musste.
Früher.
In der Davor-Zeit.
Vor dem *Friseur*.

Heute war der Holzzaun durch massive, graugrüne Metallstreben ersetzt worden, angeblich wildschweinsicher im Boden verankert, wobei Wildschweine das Letzte waren, was Emma fürchtete.
Ihre beste Freundin Sylvia dachte, sie hätte unvorstellbare Angst vor dem Mann, der ihr in jener Nacht im Hotel diese grauenvollen Dinge angetan hatte – doch sie irrte sich.
Sicher, Emma fürchtete, dass der Kerl zurückkommen und da weitermachen könnte, wo er aufgehört hatte.
Noch viel größere Angst als vor ihm hatte sie jedoch vor sich selbst.
Als Psychiaterin kannte Emma die Symptome einer schweren Paranoia. Ironischerweise hatte sie auf diesem Gebiet promoviert, neben der Pseudologie, also dem krankhaften Lügen, war das eines ihrer Spezialgebiete. Sie hatte schon viele Patienten behandelt, die sich in ihren Wahnvorstellungen verliefen. Sie wusste, wie es mit ihnen endete.
Und noch schlimmer: Sie wusste, wie es bei ihnen angefangen hatte.
So wie bei mir.
Das schrille Klingeln noch im Ohr, schlich Emma zur Haustür, gemeinsam mit Samson, den die Türglocke aus dem Halbschlaf gerissen hatte. Dabei hatte sie das Gefühl, ihr Ziel nie zu erreichen.
Emmas Herz rannte einen Marathon. Ihre Beine traten beinahe auf der Stelle.
Besuch? Um diese Zeit? Ausgerechnet jetzt, wo Philipp schon gegangen ist?
Samson stupste ihr die Nase in die Kniekehlen, als wollte er sie zum Weitergehen ermuntern und sagen: *»Komm schon, so schwer ist es nicht.«*

Er knurrte nicht und fletschte auch nicht die Zähne, wie er es meistens tat, wenn ein Fremder vor der Tür stand.
Also drohte ihr vermutlich keine Gefahr.
Oder doch?
Am liebsten wäre Emma hier im Flur in Tränen ausgebrochen. Weinen – ihre momentane Lieblingsbeschäftigung. Seit 158 Tagen, 12 Stunden und 14 Minuten.
Seit meiner neuen Frisur.
Sie betastete den Haaransatz über der Stirn. Fühlte, wie lang die Strähnen bereits nachgewachsen waren. Das hatte sie heute erst zwanzigmal überprüft. In dieser Stunde.
Sie trat an die schwere Eichenholztür heran und öffnete den winzigen Vorhang über der etwa handtellergroßen Fensterscheibe, die in Kopfhöhe in die Tür eingelassen war.
Laut Grundbuchamt lag die Teufelssee-Allee im Bezirk Westend, doch im Vergleich zu den Villen, für die dieses Nobelviertel berühmt war, wirkte ihr kleines Heim eher wie eine Hundehütte mit Treppe.
Es befand sich im Scheitelpunkt des Wendekreises einer Kopfsteinpflastersackgasse, der für größere Wagen schwer, für kleinere Transporter nahezu unmöglich zu bewältigen war. Von weitem betrachtet fügte es sich gut in die Nachbarschaft ein, mit seinem hellen, grobkörnigen Putz, den altmodischen Holzfenstern, einem lehmfarbenen Ziegeldach und der obligatorischen rotbraunen Klinkertreppe, die zu der Tür führte, durch die sie gerade spähte.
Abgesehen vom Zaun, waren die jüngsten Veränderungen von außen nicht sichtbar. Die Glasbruchsensoren, die funkgesteuerte Schließanlage, die Bewegungsmelder in den Zimmerdecken oder die Panik-Aufschaltung zum Notdienst, dessen Wandtaster Emma gerade berührte.

Sicher ist sicher.
Es war elf Uhr vormittags, ein trüber Tag zwar – der graue, undurchdringlich bewölkte Himmel schien zum Greifen nah –, aber weder regnete es (dafür war es vermutlich zu kalt), noch schneite es, wie fast durchgängig die letzten Tage, und so konnte Emma den Mann am Zaun deutlich erkennen.
Von weitem wirkte er wie ein türkischer Rocker: dunkle Haut, kahl rasierter Schädel, ZZ-Top-Bart, silberfarbene, münzgroße Metallringe, die die Ohrläppchen des Hundertzwanzig-Kilo-Hünen ausfüllten wie Alufelgen einen Autoreifen. Der Mann trug blaugelbe Handschuhe, aber Emma wusste, dass jeder einzelne Finger darin mit einem anderen Buchstaben tätowiert war.
»Er ist es nicht! Gott sei Dank«, dachte sie, und eine tonnenschwere Last rutschte von ihrer Seele. Erleichtert gab sie Samson, der mit gespitzten Ohren angespannt neben ihr gestanden hatte, das Zeichen, Platz zu machen.
Sie drückte den Taster für den Türsummer und wartete.
Eingeklemmt zwischen dem Teufelsberg im Norden, mehreren Schulen und Sportanlagen im Westen, der Avus-Stadtautobahn im Süden sowie den Gleisanlagen der S- und Bundesbahn im Osten, fanden in der Heerstraßensiedlung etwa hundertfünfzig meist gutbürgerliche Familien ihr Zuhause. Eine ländliche Gemeinschaft mitten in der Millionenstadt, mit all den Vor- und Nachteilen, die das Leben in einem Dorf so mit sich brachte, wie zum Beispiel dem Umstand, dass man über alles und jeden Bescheid wusste und jeden beim Namen kannte.
Auch den Postboten.

7. Kapitel

Hallo, Salim.«

»Guten Morgen, Frau Doktor.«

Emma hatte abgewartet, bis der Bote die kleine Klinkertreppe hochgestiegen war, erst dann hatte sie die Tür einen Spalt geöffnet, so weit es der von innen angelegte Metallriegel ihr erlaubte.

Samson neben ihr begann im Sitzen mit dem Schwanz zu wedeln, wie immer, wenn er die Stimme des Postboten hörte.

»Tut mir leid, dass Sie so lange warten mussten, ich war oben«, entschuldigte sich Emma mit einem Frosch im Hals.

Im Sprechen war sie nicht mehr geübt.

»Kein Problem, kein Problem.«

Salim Yüzgec stellte seine Lieferung auf der obersten Stufe unter dem Vordach ab, trat sich etwas Schnee vom Hacken und lächelte, während er das obligatorische Leckerli aus seiner Hosentasche holte. Wie jedes Mal vergewisserte er sich, dass Emma nichts dagegen hatte, und wie jedes Mal, gab sie Samson das Zeichen, sich den Hundekuchen zu schnappen.

»Wie geht es Ihnen heute, Frau Doktor?«, wollte er wissen.

Gut. Ich habe erst zehn Milligramm Cipralex geschluckt und von neun Uhr bis halb elf in eine Tüte geatmet. Danke der Nachfrage.

»Tag für Tag ein bisschen besser«, log sie und hatte das Gefühl, dass sie sich bei dem Versuch, zurückzulächeln, hoffnungslos überanstrengte.
Salim war ein mitfühlender Kerl, der ihr hin und wieder einen Topf Gemüsesuppe von seiner Frau mitbrachte. *»Damit Sie nicht noch mehr vom Fleisch fallen.«* Aber seine Sorge um die Psychiaterin fußte auf falschen Annahmen.
Damit die Nachbarschaft sich nicht das Maul darüber zerriss, weshalb die Frau Doktor auf einmal nicht mehr vor die Tür trat, den ganzen Tag im Morgenmantel herumlief und ihre Praxis vernachlässigte, hatte Philipp der Kioskbesitzerin die Geschichte einer schweren Lebensmittelvergiftung erzählt, die für Emma beinahe tödlich ausgegangen sei und ihre Organe angegriffen habe.
Frau Koslowski war die größte Klatschtante der Siedlung, und bis die Stille Post zu Salim vorgedrungen war, hatte sich die Vergiftung zu einer Krebserkrankung ausgewachsen. Aber besser, die Leute dachten, Emma hätte ihre Haare wegen einer Chemotherapie verloren, als dass sie über die Wahrheit tratschten. Über sie und den »Friseur«.
Wie sollten Fremde ihr Glauben schenken, wenn selbst ihr Mann das nicht tat? Sicher, Philipp gab sich die allergrößte Mühe, seine Zweifel zu verbergen. Allerdings hatte er Nachforschungen angestellt und dabei kaum etwas gefunden, was ihre Version vom Tathergang stützte.
Die Zahl Vier hat im chinesischen, japanischen und koreanischen Sprachgebrauch Ähnlichkeit mit dem Wort »Tod«, weshalb sie in einigen Kreisen als Unglückszahl gilt. Im kantonesischsprachigen Bereich steht die Vierzehn sogar für »sicheren Tod«, weshalb die aus Guangdong stammenden Eigentümer des *Le Zen* nicht nur auf die entsprechen-

den Zimmernummern, sondern sogar auf die vierte und vierzehnte Etage verzichteten.
Auch die naheliegende Vermutung, Emma habe sich in der Zimmernummer geirrt, half nicht weiter.
Von der Beschreibung des Blickes her kamen nur die Zimmer 1903 oder 1905 in Betracht. Beide waren für die gesamte Woche von einer alleinstehenden Mutter mit drei Kindern gebucht worden, die, aus Australien kommend, hier in Berlin Urlaub machte. In keinem der beiden Zimmer fanden sich Spuren gewaltsamen Eindringens oder gar eines tätlichen Übergriffs. Und in keinem von beiden hing ein Porträt Ai Weiweis, was nicht verwunderlich war. Eine Aufnahme des chinesischen Konzeptkünstlers fand sich nirgendwo im gesamten Hotel. Ein weiterer Grund, weshalb Emmas »Fall« bei den Ermittlern keine große Priorität hatte.
Und sie immer mehr an ihrem Verstand zweifelte.
Wie sollte sie Philipp verübeln, dass er skeptisch war. Bei einer derart unglaublichen Geschichte? Eine Vergewaltigung, in einem Hotelzimmer, das es offiziell nicht gab und das unmittelbar vor der angeblichen Tat von ihr gründlich durchsucht worden war?
Zudem behauptete Emma, von einem gesichtslosen Serientäter missbraucht worden zu sein, der tatsächlich dafür bekannt war, seine Opfer zu scheren. Aber die stammten bislang alle aus dem Prostituiertenmilieu, und keines hatte überlebt. Denn das war ein weiteres »Markenzeichen« des Friseurs: Er tötete Escort-Damen, denen er auf ihren Zimmern auflauerte.
Nur mich hat er am Leben gelassen. Wieso?
Kein Wunder, dass ihr Fall von der Polizei nicht dem Konto des Friseurs zugerechnet wurde. Damit stand sie in

Philipps Kollegenkreis als eine sich selbst verstümmelnde Irre da, die sich Schauergeschichten ausdachte. Aber dadurch hatte sie wenigstens nicht die Presse am Hals.

Nur den Postboten.

»So früh hab ich nicht mit Ihnen gerechnet«, sagte Emma und öffnete Salim die Tür.

»Bin heute aus dem Bett gefallen«, lachte der Postbote.

Seitdem sie nicht mehr aus dem Haus ging (selbst das Gassigehen war Philipps Job), ließ sie sich vieles, was sie zum Leben brauchte, liefern. Heute stand Salim mit verhältnismäßig wenigen Päckchen vor ihr. Sie quittierte den Erhalt ihrer Kontaktlinsen, die Online-Apotheke hatte endlich die Schmerzmittel versendet, in dem etwas größeren, leichten Karton waren vermutlich die warmen Hausschuhe, die man in die Mikrowelle stecken konnte. Schließlich die tägliche Kiste mit den Lebensmitteln, für die sie beim Online-Supermarkt einen Dauerauftrag eingerichtet hatte.

Für Getränke und alles nicht Verderbliche wie Konserven, Waschmittel oder Klopapier war Philipp zuständig. Gemüse, Milch, Fisch, Butter und Brot sollten aber besser nicht in seinem Auto liegen bleiben, wenn er, wie so oft, plötzlich abgezogen wurde und er Stunden später als erwartet nach Hause kam.

Dass er mehrere Tage fernblieb, so wie an diesem Wochenende, war in jüngster Zeit nicht mehr vorgekommen. Nicht, seitdem der Irre sie bewegungsunfähig gespritzt, ihren Pyjama abgestreift und sich mit seinem gesamten Gewicht auf sie gelegt hatte.

Philipp hatte in den letzten Monaten darauf bestanden, die Nächte bei ihr zu bleiben. Selbst das Europa-Meeting an diesem Wochenende hatte er absagen wollen, obwohl dieser Workshop der wichtigste des Jahres war. Nur einmal alle zwölf Monate trafen sich die führenden Fallanalytiker Europas zum Erfahrungsaustausch. Zwei Tage, jedes Jahr in einer anderen Stadt. Dieses Jahr in Deutschland, in einem Hotel bei Bad Saarow am Scharmützelsee. Ein Pflichttermin für diese eingeschworene Bande außergewöhnlicher Persönlichkeiten, die sich Tag für Tag mit dem Schrecklichsten auseinandersetzen mussten, wozu Menschen fähig waren – und dieses Mal wurde Philipp sogar die Ehre zuteil, einen Vortrag über seine Arbeit halten zu dürfen.

»Ich bestehe darauf! Wenn etwas sein sollte, melde ich mich sofort. Du bist ja fast um die Ecke, nur eine Stunde entfernt«, hatte Emma ihn heute früh mit einem Kuss verabschiedet und hätte dabei am liebsten geschrien: *Eine Stunde? Sehr viel länger hat der Irre nicht gebraucht, um mich in ein psychisches Wrack zu verwandeln.*

»Ich muss mich langsam selbst aus dem Loch ziehen«, hatte sie gesagt und gehofft, er würde erkennen, dass sie nur hohle Psychiaterphrasen aus dem Lehrbuch drosch, an die sie jetzt, da sie selbst als Patientin betroffen war, längst nicht mehr glaubte. Genauso wenig wie an die letzte Lüge, die sie Philipp mit auf den Weg gegeben hatte: »Ich komme schon alleine zurecht.«

Ja, für ganze fünf Sekunden, in denen sie ihm vom Küchenfenster aus nachgewinkt hatte. Dann hatte sie die Fassung verloren und den Kopf gegen die Wand geschlagen, so lange, bis Samson an ihr hochgesprungen war und sie davon abgehalten hatte, sich noch weiter zu verletzen.

»Ich danke Ihnen sehr«, sagte Emma, nachdem sie dem Postboten alles abgenommen und hinter sich in den Flur gestapelt hatte.

Salim bot ihr an, die Kartons in die Küche zu tragen *(so weit kommt es noch)*, dann griff er sich an die Stirn.
»Fast hätte ich es vergessen. Könnten Sie das hier für Ihren Nachbarn annehmen?«
Salim hob ein etwa schuhkartongroßes Paket vom Boden auf, von dem Emma gedacht hatte, es wäre nicht für sie bestimmt, womit sie im Prinzip ja auch richtiglag.
»Für meinen Nachbarn?« Ihre Knie begannen zu zittern, während sie die Konsequenzen zu begreifen begann, die diese ungeheuerliche Bitte nach sich ziehen würde, sollte sie so verrückt sein, darauf einzugehen.
Sie würde wie letztes Mal, als sie so freundlich gewesen war und die Bücherlieferung für die Zahnärztin entgegengenommen hatte, stundenlang in der Dunkelheit des Wohnzimmers sitzen, unfähig, etwas anderes zu tun, als ununterbrochen darüber nachzudenken, *wann* es passieren würde. *Wann* die Klingel die Stille zerreißen und den ungewollten Besuch ankündigen würde.
Während ihre Hände immer feuchter und ihr Mund immer trockener wurden, würde sie die Minuten, später sogar die Sekunden zählen, so lange, bis der fremde Gegenstand aus ihrem Haus endlich verschwunden war.
Und der Gedanke daran war noch nicht einmal das Schlimmste, was ihr bewusst wurde, als sie den Namen im Empfängerfeld auf dem Aufkleber des Paktes las.

Herr A. Palandt
Teufelssee-Allee 16a
14055 Berlin

Mit dem fremden Gegenstand in ihrem Haus würde sie womöglich klarkommen. Er würde ihren Tagesablauf än-

dern und ihren Gefühlshaushalt durcheinanderbringen, aber das Paket alleine war nicht das Problem.
Sondern der Name.
Mit immer schneller rasendem Puls und feucht werdenden Händen starrte sie auf das bedruckte Adressfeld und hätte am liebsten geweint.

8. Kapitel

Palandt?

Wer ... *zum Teufel* ... ist Herr A. Palandt?

Früher hätte sie keinen Gedanken daran verschwendet. Jetzt beflügelte ihre Unwissenheit ihre dunkelsten Phantasien, und das wiederum ängstigte sie so sehr, dass sie den Tränen nahe war.

Teufelssee-Allee 16a?

War das nicht die linke Straßenseite, drei, vier Häuser weiter runter, gleich um die Ecke? Und wohnte da nicht die alte Tornow seit Jahren ganz alleine? Und nicht ...

A. Palandt ...?

Sie kannte jeden in der Gegend, aber diesen Namen hatte sie noch nie gehört, und das löste in ihr ein diffuses Ohnmachtsgefühl aus.

Vier Jahre lebte sie hier nun schon in dieser kleinen Sackgasse. Vier Jahre, seitdem sie die eigentlich viel zu teure Immobilie gekauft hatten, die sie sich nur leisten konnten, weil Philipp geerbt hatte.

»Ich soll es annehmen?«, fragte Emma, ohne das Paket anzufassen.

Es war in herkömmlichem braunem Packpapier eingewickelt, dessen Kanten mit Tesafilm verstärkt waren. Faserige Schnüre zogen ein Kreuz auf der Vorderseite. Nichts Ungewöhnliches.

Bis auf den Namen ...

Herr A. Palandt?

»Bitte«, sagte Salim und streckte es ihr noch einige Zentimeter weiter entgegen. »Ich werfe einfach einen Zettel beim Empfänger ein, dass er es bei Ihnen abholen kann.«
Nein, bloß nicht!
»Wieso?«, fragte Salim erstaunt. Offenbar hatte sie ihren Gedanken laut ausgesprochen.
»Das ist Vorschrift, wissen Sie. Ich muss das tun. Sonst ist das Paket nicht versichert.«
»Ja gut, aber ich kann heute leider …«
»Bitte, Frau Stein. Sie würden mir einen großen Gefallen tun. Meine Schicht ist gleich vorbei. Übrigens für eine sehr lange Zeit, fürchte ich.«
Für eine sehr lange Zeit?
»Wie meinen Sie das?«
Unbewusst trat Emma einen Schritt zurück. Samson, der ihre Anspannung bemerkte, erhob sich neben ihr und richtete die Ohren auf.
»Keine Sorge, ich wurde nicht gefeuert oder so. Das sind gute Nachrichten, also für mich, Naya und Engin.«
»Naya ist Ihre Frau?«, fragte Emma verwirrt.
»Richtig, ich hab Ihnen mal ein Bild gezeigt. Von unserem Engin gibt es momentan nur so ein Ultraschalldings.«
Ein kalter Luftzug wehte von außen durch die Tür und ließ Emmas Morgenmantel im Wind flattern. Sie fröstelte innerlich.
»Ihre Frau ist … *schwanger?*«
Das Wort wog so schwer, dass sie es kaum aus dem Mund bekam.
Schwanger.
Eine Kombination aus neun Buchstaben, die heute einen komplett anderen Sinn ergaben als noch vor einem halben Jahr.

Damals, in der Davor-Zeit, stand das Wort für einen Traum, für Zukunft, es war das Symbol für die Freude und den Sinn des Lebens schlechthin. Heute beschrieb es nur noch eine offene Wunde, ein verlorenes Glück, und hatte, leise ausgesprochen, einen ähnlichen Klang wie »niemals« oder »gestorben«.

Salim, der Emmas offen zur Schau gestellte Fassungslosigkeit als sprachlose Freude fehlinterpretierte, strahlte über beide Ohren.

»Ja. Im sechsten Monat«, lachte Salim. »Hat schon so eine Kugel.« Er machte die entsprechende Handbewegung. »Da passt es wunderbar mit der Verwaltungsstelle. Innendienst, verstehen Sie? Die Bezahlung ist besser, nur dass ich Sie nicht mehr sehe, Frau Stein, tut mir schon leid. Sie waren immer sehr nett zu mir.«

»Das ist jetzt aber eine Freude«, war alles, was Emma relativ tonlos hervorbrachte, wofür sie sich schämte. Früher hatte sie jede Babymeldung in ihrem Bekanntenkreis mit Begeisterung zur Kenntnis genommen. Selbst dann noch, als die ersten Freunde nachfragten, weshalb es mit dem Nachwuchs bei ihr denn so lange dauerte und ob irgendetwas nicht stimmte. Kein einziges Mal war sie neidisch oder gar verbittert gewesen, nur weil es bei ihr und Philipp nicht sofort klappen wollte.

Anders als ihre Mutter, die regelrecht wütend wurde, wenn andere von ihrem Kinderglück schwärmten. Die unerwartete Fehlgeburt damals, als Emma sechs Jahre alt war, hatte sie verändert. Danach war ihre Mutter nie wieder schwanger geworden.

Und jetzt?

Jetzt war die Danach-Zeit, in der sie die Verbitterung ihrer Mutter mit einem Mal verstehen konnte.

Fruchtbar? Furchtbar!
Emma war ein anderer Mensch geworden. Einer mit wundgescheuerter Vagina, der den Geschmack von Latex ebenso kannte wie das Gefühl von vibrierendem Stahl auf dem geschorenen Schädel. Eine Frau, die wusste, dass ein einziges, schicksalhaftes Ereignis alle Empfindungen verändern oder gar abtöten konnte.
Nett.
Sie musste an Salims letzte Worte denken, und da fiel ihr etwas ein.
»Warten Sie bitte einen Moment.«
»Nein, bitte nicht. Das ist nicht notwendig, wirklich«, rief Salim ihr hinterher, der wusste, was sie vorhatte, als sie Samson bat, am Eingang sitzen zu bleiben.
Auch, um den Postboten zu bewachen.
Im Wohnzimmer merkte sie, dass sie das kleine Paket vor der Brust trug, offensichtlich hatte sie es Salim tatsächlich aus der Hand genommen, *verdammt.*
Jetzt ist es im Haus.
Sie legte es neben ihren Laptop auf den Schreibtisch, der zum Hintergarten hin vor dem Fenster stand, und zog die oberste Schublade auf. Suchte nach ihrem Portemonnaie, in dem sie hoffentlich etwas Trinkgeld aufbewahrte, das sie dem treuen Salim zum Abschied geben könnte.
Die Börse war in die hinterste Ecke der Schublade gerutscht, so dass sie erst einmal einige Papiere herausnehmen musste, die sich störrisch davor verhakt hatten.
Ein Brief der Versicherung, Rechnungen, ungelesene Gute-Besserungs-Karten, Werbeprospekte für Waschmaschinen und …
Emma erstarrte mit dem Anzeigenblatt in der Hand.
Sie wollte den Blick von dem Hochglanzfoto abwenden.

Srrrrrrrrr.
In ihrem Kopf begann es zu dröhnen. Laut. Sie spürte die Vibrationen auf der Kopfhaut. Sofort begann es zu jucken. Sie wollte sich kratzen, das schaffte sie aber ebenso wenig, wie den Schraubstock zu überwinden, der ihren Kopf in Position hielt und sie zwang, auf das Blatt zu starren.
Die Spiegel im Haus hatte Philipp abgehängt, damit der Anblick ihrer »Frisur« Emma nicht ständig an jene Nacht erinnerte. Alle Scheren und Rasierapparate waren aus dem Badezimmer verbannt.
Aber an eine einfache Zeitungsbeilage hatte er nicht gedacht.
Handapparat mit Edelstahlklingen. Nur 49,90 €. Mit Haarschneidefunktion! Sparen Sie sich den Friseur!
Emma hörte ein sanftes Knacken, das der Lawine ihrer Alpträume stets vorausging, unmittelbar bevor sie sich vom Abhang ihrer Seele löste.
Sie schloss die Augen. Und mit ihrem Fall zu Boden fiel Emma in das Rattennest ihrer Erinnerungen.

9. Kapitel

Die meisten Menschen denken, der Schlaf wäre der kleine Bruder des Todes, dabei ist er sein größter Gegner. Nicht der *Schlaf*, sondern die *Müdigkeit* ist die Vorhut der ewigen Dunkelheit. Sie ist der Pfeil, den der schwarze Kapuzenmann auf uns abschießt, zielsicher, Abend für Abend, und den der Schlaf Nacht für Nacht mit aller Kraft wieder aus uns herauszuziehen versucht. Doch leider ist er vergiftet, und sosehr die Traumströme auch versuchen, das Gift wieder herauszuspülen, es bleibt immer eine Restschwere in uns. Je älter wir werden, desto schwerer fällt es uns, morgens mit dem Gefühl, erholt und ausgeschlafen zu sein, aus dem Bett zu steigen. Die Kapillaren unserer Existenz sind durchtränkt wie ein einst heller Schwamm mit schwarzer Tinte, und der Schwamm füllt sich immer mehr. Die ehemals farbenfrohen, glücklichen Traumbilder verwandeln sich in alptraumhafte Zerrspiegel, bis der Schlaf seinen Kampf gegen die Müdigkeit endgültig verliert und wir eines Tages erschöpft in ein traumloses Nichts hinübergleiten.

Emma liebte den Schlaf.

Nur nicht die Träume darin, die das Gift der Lebensmüdigkeit in entsetzliche Visionen verwandelt hatte. Entsetzlich deshalb, weil sie so real waren und das widerspiegelten, was ihr tatsächlich widerfahren war.

Wie jedes Mal im Zustand der Bewusstlosigkeit begann es mit einem Geräusch.

Srrrrrrrrr.
Nicht etwa mit dem gewaltsamen Eindringen, dem schweren Atem an ihrem Ohr oder dem Husten, der ihr stoßweise nach Pfefferminz riechende Atemwellen ins Gesicht drückte, während der Friseur in ihre Brustwarze kniff, als er in sein Kondom kam. Visionen, von denen sie nicht wusste, ob sie reale Erinnerungen waren oder der quälende Versuch ihres Gehirns, die verlorenen Stunden zwischen dem Überfall im Hotel und dem Aufwachen an der Bushaltestelle mit Alpträumen zu füllen.
Es begann immer mit dem Surren des Rasierapparats, das heller und beißender wurde, wenn die vibrierenden Klingen auf Haare trafen.
Haare.
Symbol der Sexualität und Fruchtbarkeit, seit Anbeginn der Zeit. Aus diesem Grund verhüllen die Frauen in vielen Kulturkreisen der Welt ihr Haupt, um den Teufel im Manne nicht zu locken. Den Teufel, der sonst …
… über mich kommen, mich vergewaltigen und dann skalpieren würde …
Der Skalpierer, ein sperriges, aber viel treffenderes Wort für den Täter als *»Friseur«*, denn er frisierte seine Opfer nicht, er riss ihnen das Leben vom Kopf.
Wie immer konnte Emma nicht zwischen Traum und Wirklichkeit unterscheiden, als sie die kühle Klinge auf ihrer Stirn fühlte – entweder von der Müdigkeit oder dem Betäubungsmittel in ihrem Blut paralysiert. Sie spürte die elektrisch surrende Schneide, abgesetzt auf ihrer Stirn, und es tat nicht weh, als das Scherblatt nach oben fuhr, vom Haaransatz aus Richtung Hinterkopf. Es tat nicht weh, und dennoch fühlte es sich so an wie Sterben.
Wieso tut er das?

Eine Frage, auf die Emma meinte, die Antwort gefunden zu haben.
Der Täter hatte sie vergewaltigt, und er schämte sich dafür. Intelligent und einsichtig in seine Tat, versuchte er nicht, sie ungeschehen zu machen, wohl aber, die Verantwortung an das Opfer zu delegieren.
Emma hatte sich nicht verhüllt, ihre offen sichtbaren, fülligen Locken hatten das maskuline Tier aus seinem Bau gelockt, und deshalb musste sie nicht bestraft, wohl aber in einen ehrbaren Zustand versetzt werden, bei dessen Anblick es keinem Mann mehr möglich wäre, auf falsche Gedanken zu kommen.
Deshalb hat er mir den Kopf rasiert.
Nicht, um mich zu demütigen.
Sondern, um mir den Teufel auszutreiben, der ihn in Versuchung geführt hat.
Emma hörte, wie es knisterte, wenn die Klingen auf einen Wirbel trafen, spürte, wie ihr Kopf zur Seite gedreht wurde, damit er an die Schläfen herankam, spürte ein Brennen, als das Scherblatt zu tief eindrang und etwas Haut anhob, spürte einen Latexhandschuh auf ihrem Mund, roch das Gummi, das ihre Lippen bedeckte, die sich wohl zu einem Schrei geöffnet hatten, und musste darüber nachdenken …
… dass er auf mich gewartet hat …
Er hatte sie ausgesucht. Er kannte sie!
Er hatte sie schon vorher beobachtet. Ihre Haare, wenn sie an einer Strähne spielte. Ihre Locken, die auf ihren Schulterblättern tanzten, wenn sie sich umdrehte.
Er kennt mich. Kenne ich auch ihn?
In der Sekunde, in der sie sich diese Frage stellte, fühlte Emma die Zunge. Rau, lang, voller Speichel. Sie leckte

über ihr Gesicht. Besabberte ihr das Nasenbein, die geschlossenen Augen und die Stirn, und das war neu.
Das war bisher noch nie geschehen.
Emma spürte einen feuchten Druck an ihrer Wange, schlug die Augen auf und sah Samson über ihrem Kopf.
Es dauerte eine Weile, bis sie realisierte, dass sie auf dem Wohnzimmerboden vor ihrem Schreibtisch lag.
Sie war wach. Doch der Pfeil der Müdigkeit hatte sie tiefer getroffen als je zuvor. Ihr Körper schien wie mit Blei gefüllt, und sie hätte sich nicht gewundert, wenn die eigene Schwere sie hinab in den Keller gezogen hätte; wenn sie durch das Parkett direkt in die Waschküche gefallen wäre oder in Philipps Arbeitszimmer hinein, das er sich dort unten eingerichtet hatte, um an den Wochenenden nicht immer ins Büro fahren zu müssen.
Aber natürlich brach sie nicht durch den stabilen Parkettboden, sie blieb im Erdgeschoss liegen, zwei Körperlängen vom knisternden Kamin entfernt, dessen Flammen ungewöhnlich heftig flackerten.
Sie wurden bewegt. Als stünden sie im Wind. Gleichzeitig spürte sie einen kalten Hauch in ihrem Gesicht, dann um ihren gesamten Körper.
Emma verkrampfte sich bei dieser Erkenntnis.
Zugluft.
Das in dem kalten Luftstrom tänzelnde Feuer konnte nur eins bedeuten.
Die Haustür!
Sie stand offen.

10. Kapitel

sorry, musste weiter.
machen sies gut!

Ein kleiner Haftzettel, der nur wenig Platz ließ, weswegen Salim seinen Abschiedsgruß in kleinen Druckbuchstaben verfasst hatte.
Mit klammen Fingern löste Emma das gelbe Post-it vom Holzrahmen der Eingangstür und kniff die Augen zusammen. Es hatte wieder zu schneien begonnen. Am anderen Ende der Straße, kurz vor der Kreuzung, spielten Kinder zwischen den parkenden Autos Fangen, aber von dem Postboten und seinem gelben Transporter war nichts mehr zu sehen.
Wie lange war ich weg?
Emma sah auf ihre Armbanduhr. 11.13 Uhr.
Eine knappe Viertelstunde also, in der sie nicht bei Bewusstsein gewesen war.
Und in der die Haustür offen gestanden hatte.
Nicht sperrangelweit, sondern nur wenige Zentimeter, aber immerhin.
Sie erschauerte.
Und jetzt? Was soll ich nur tun?
Samson rieb sich wie ein Kater an ihrem Bein, vermutlich sein Weg, ihr zu sagen, dass es verdammt kalt war, also schloss sie erst mal die Tür.
Dabei musste sie sich gegen das Blatt stemmen, so heftig

drückte plötzlich eine Windböe dagegen. Sie heulte noch einmal auf, versuchte in letzter Sekunde, einige vereinzelte Flocken in die Diele zu wehen, dann fiel die Tür ins Schloss, und es wurde still.
Emma sah nach links, wo der in der Schrankwand eingelassene Spiegel ihre geröteten Wangen zeigen würde, wäre er nicht mit Packpapier verdeckt gewesen.
Vermutlich wäre er auch von ihrem Atem beschlagen.
Und beschrieben ...?
Für einen Moment war Emma versucht, die Hülle von der Scheibe zu reißen, um ihn auf versteckte Nachrichten zu kontrollieren. Aber das hatte sie schon so oft getan, und nie hatte sie eine Inschrift auf dem Spiegelglas gefunden. Kein *»Ich bin zurück«* oder *»Dein Ende ist nah«*. Und nie hatte Philipp sich beschwert, die zerfetzte Verkleidung wieder erneuern zu müssen.
»Es tut mir leid«, sagte Emma zu sich selbst, unsicher, worauf sich ihre Worte bezogen. Ihre Selbstgespräche, von denen sie Dutzende am Tag führte, ergaben immer weniger Sinn.
Tat es ihr leid, dass sie Salim abschiedslos stehen gelassen und ihm kein Trinkgeld gegeben hatte? Dass sie Philipp solchen Kummer bereitete? Auf seine Ratschläge nicht hörte, seine Nähe mied und ihm ihren Körper nun schon seit Monaten verweigerte? Oder tat es ihr leid, dass sie sich so gehen ließ? Natürlich wusste sie als Psychiaterin, dass Paranoia keine Schwäche, sondern eine Krankheit war, für die man sich eigentlich in Therapie begeben müsste. *Wenn man denn die Kraft dazu hat.* Und dass ihre Überreaktionen ein Symptom dieses Leidens waren, das nicht von alleine verschwinden würde, nur weil sie sich »zusammenriss«. Nicht betroffene Menschen standen psychisch Er-

krankten oft mit Argwohn gegenüber. Sie fragten sich etwa, wie ein weltberühmter Schauspieler oder Künstler, der doch »alles hatte«, Selbstmord begehen konnte, trotz seines Ruhms, seines Geldes und seiner vielen »Freunde«, weil sie nichts von den Dämonen verstanden, die sich vorwiegend in sensible Gemüter einnisteten, um ihnen in den Momenten ihres größten Glücks ihre Unzulänglichkeiten ins Ohr zu flüstern. Die seelisch Gesunden rieten einem Depressiven, nicht immer so traurig zu sein, und Paranoiden wie ihr, sich doch nicht so zu haben und etwa bei jedem Knacken im Gebälk die Haustür zu kontrollieren. Aber das war ungefähr so, als bitte man einen Mann mit gebrochenem Schienbein, einen Marathon zu laufen.

Und jetzt?

Unschlüssig schaute sie auf die Post zu ihren Füßen, die Salim ihr gebracht hatte. Das schmale, weiße Päckchen mit den Kontaktlinsen konnte erst einmal im Flur liegen bleiben, ebenso wie die Medikamente und die etwas größere Box mit den Hausschuhen. Nur die Lebensmittel müssten in den Kühlschrank, aber im Moment fühlte sich Emma zu kraftlos, um die Kiste in die Küche zu schleppen.

Ich kann nicht gleichzeitig tragen und Angst haben.

Samson zu ihren Füßen schüttelte sich, und Emma wünschte sich, sie könnte es ihm gleichtun; sich einfach am ganzen Körper schütteln und damit all das, was sie im Moment belastete, abstreifen.

»Du hättest doch angeschlagen?«, fragte sie ihn. Samson spitzte die Ohren und legte den Kopf schräg.

Natürlich hätte er das.

Samson knurrte bei jedem Fremden, der sich dem Haus näherte, so sehr war er auf sein Frauchen bezogen. Nie im Leben würde er einen Einbrecher hereinlassen.

Oder doch?
Einerseits lähmte sie die Vorstellung, sich nicht mehr hundertprozentig sicher sein zu können, ob sie alleine im Haus war. Andererseits konnte sie schlecht Philipp anrufen und ihn wegen nichts und wieder nichts bitten zurückzukommen.
Oder doch wegen »etwas«?
Ihr kam eine Idee.
»Rühr dich nicht vom Fleck!«, ermahnte sie Samson und öffnete den Einbauschrank neben der Haustür, in dem der kleine, weiße Kasten für die Alarmanlage versteckt war. Die Ziffern des Bedienfelds leuchteten schon auf, als ihre Hand nur in seine Nähe kam.
1 – 3 – 1 – 0
Das Datum ihres »Kennenlerntags«. Auf Sylvias Geburtstagsparty.
Die Anlage war so programmiert, dass im Falle eines Einbruchsignals Emma auf ihrem Handy angerufen wurde. War sie nicht erreichbar oder sagte nicht das richtige Codewort *(Rosenhan)*, wurde sofort ein Polizeieinsatz ausgelöst.
Emma drückte auf ein Piktogramm, auf dem ein leeres Haus zu sehen war, und aktivierte damit alle Bewegungsmelder. Mit einer zweiten Taste (EG) schaltete sie die Bewegungsmelder im Erdgeschoss wieder aus.
»So, jetzt können wir. Aber wir bleiben unten, hörst du?«
Sollte sich jemand unbefugt Zutritt verschafft haben, würde sie es hören, sobald er sich in den oberen Bereichen oder im Keller bewegte.
Dass sich jemand im Erdgeschoss versteckt hielt, war eher unwahrscheinlich. Hier gab es keine Vorhänge im Wohnzimmer, keine großen Schränke, Truhen oder sonstige

Schlupfwinkel. Das Sofa stand direkt an der Wand, und die war ohne Schrägen oder Vorsprünge.

Aber sicher ist sicher.

Emma zog ihr Handy aus der Tasche ihres Morgenmantels, öffnete die Favoritenleiste und legte den Daumen auf Philipps Kontakt, um ihn im Notfall sofort in der Leitung zu haben. Dann wollte sie mit Samson zurück ins Wohnzimmer gehen, musste aber noch einmal umdrehen, weil sie sich auf einmal nicht mehr sicher war, ob sie den Schlüssel auch zweimal herumgedreht hatte.

Nachdem sie es erneut überprüft und wieder dem Impuls widerstanden hatte, in den Spiegel zu schauen, folgte sie Samson, der mit lauten Trippelschritten bereits den Weg zu seiner Schlafdecke neben dem Kamin gefunden hatte.

Ich müsste ihm mal die Krallen schneiden lassen, dachte sie, nicht aus Sorge um das Parkett. Das war ohnehin zerschlissen und müsste dringend einmal abgeschliffen werden, sobald sie wieder Gäste im Haus ertrug.

In einem nächsten Leben vielleicht.

Sie schämte sich, dass er so wenig Auslauf bekam. Heute Morgen nur eine Viertelstunde, als Philipp ihn vor dem Aufbruch zur Tagung einmal ums Karree führte. Sie selbst ließ ihn immer alleine in den Garten. Dort verrichtete er neben dem Geräteschuppen beim Rhododendron brav sein Geschäft, während sie hinter der geschlossenen Eingangstür darauf wartete, dass er zurückkam.

Die Tatsache, dass der Hund sich so friedlich verhielt, war ein untrügliches Zeichen, dass sie alleine waren, zumindest hier unten. Samson wurde schon bei einer Fliege nervös und begann heftig mit dem Schwanz zu wedeln. Selbst in Philipps Gegenwart entspannte er sich nie völlig, so sehr war er auf Emma fixiert, die ja auch permanent in seiner

Nähe war, wodurch ihr Mann automatisch die Rolle eines Gastes zugeteilt bekam, den es zwar liebevoll, aber permanent zu beobachten galt.

Emma setzte sich an den Schreibtisch, dessen Schublade immer noch offen stand. Sie schaffte es, das Anzeigenblatt, das den Erinnerungsschub ausgelöst hatte, wieder zurückzustopfen, ohne ein zweites Mal auf die Rasierapparat-Werbung zu schauen. Dann beschloss sie, heute von ihrer herkömmlichen Tagesroutine abzuweichen und sich erst einmal das Paket genauer anzusehen, bevor sie mit ihrer Arbeit begann.

Dazu nahm sie es in beide Hände und drehte es. Es wog nicht mehr als drei Tafeln Schokolade, eher weniger, was es wohl zu einem Päckchen machte, aber so gut kannte Emma sich da nicht aus. Für sie war alles, was einen festen Rahmen hatte und größer als ein Schuhkarton war, ein Paket.

Sie schüttelte es neben ihrem Kopf wie ein Barmann einen Cocktailshaker, aber sie konnte nichts hören. Weder ein Ticken noch ein Summen, nichts, was auf einen elektrischen Gegenstand oder (Gott bewahre) gar auf ein Lebewesen schließen ließ. Sie konnte nur spüren, dass sich in seinem Inneren etwas Leichtes bewegte. Hin- und zurückrutschte. Besonders zerbrechlich fühlte sich das nicht an, auch wenn sie das natürlich nicht mit Bestimmtheit sagen konnte.

Emma roch sogar an dem Paket, stellte aber keine Auffälligkeiten fest. Kein durchdringender, beißender Duft einer ätzenden Chemikalie oder eines Giftes vielleicht. Nichts, was auf einen gefährlichen Inhalt schließen ließe.

Abgesehen davon, dass seine bloße Existenz sich für Emma bedrohlich anfühlte, schien es ein durchschnittliches All-

tagspaket zu sein, wie es in Deutschland am Tage sicher Zehntausenden zugestellt wurde.
Das Packpapier gab es in jedem Schreibwarenhandel oder direkt bei der Post, sollte es da draußen überhaupt noch offizielle Filialen geben. Schon in der Davor-Zeit waren ja mehr und mehr von ihnen geschlossen worden.
Die Paketschnur sah genauso aus wie die, mit der sie schon als Kind gebastelt hatte: graue, grobe Fasern.
Emma studierte den Aufkleber auf der Vorderseite, auf dem merkwürdigerweise nur A. Palandt als Adressat, aber kein Absender vermerkt war. Weder eine Firma noch eine Privatadresse in dem dafür vorgesehenen Feld.
Es musste also über eine öffentliche Automaten-Packstation verschickt worden sein, nur hier war eine anonyme Paketaufgabe möglich. Das hatte Emma im letzten Jahr herausgefunden, als sie ihrer Mutter ein Weihnachtspaket schicken wollte, ohne dass diese sofort erkennen sollte, wer da an sie gedacht hatte. Allerdings hatte Emma damals einen Phantasieabsender eingetragen *(Weihnachtsmann, Santa Gasse 24, Am Nordpol).* Hier aber war das Feld vollkommen unberührt, was sie fast noch mehr beunruhigte als die Tatsache, dass sie einen Nachbarn namens Palandt nicht kannte.
Fast angewidert legte sie das Paket wieder zur Seite und schob es an die äußerste Tischkante, weit weg von ihr.
»Willst du mir wirklich keine Gesellschaft leisten?«, fragte Emma und drehte sich noch einmal zu Samson um. In all den Stunden der Einsamkeit hatte sie sich angewöhnt, mit ihm zu sprechen, als wäre er ein Kleinkind, das ihr normalerweise aufmerksam bei allem zusah, womit sie sich den Tag über beschäftigte. Heute jedoch kam er ihr merkwürdig schläfrig vor, so friedlich zusammengekuschelt, wie er

es sich neben dem Kamin und nicht – wie sonst – zu ihren Füßen unter dem Schreibtisch gemütlich gemacht hatte.
»Na schön«, seufzte Emma, als er weiterhin keine Reaktion zeigte. »Hauptsache, du verpetzt mich nicht. Du weißt ja, dass ich Philipp versprochen habe, es nicht zu tun.«
Aber gerade heute konnte sie es nicht lassen. Egal, wie wütend er werden würde, wenn er es herausfand.
Sie musste es einfach tun.
Mit dem Gefühl, ihren Mann zu betrügen, klappte sie ihren Laptop auf und begann mit der »Arbeit«.

11. Kapitel

Es gab nur ein gemeinsames Foto mit Philipp, auf dem Emma sich nicht hasste, und das hatte ein zweijähriger Dieb geschossen.

Auf dem Weg zu der Ausstellung eines befreundeten Fotografen hatten sie sich vor etwa fünf Jahren vor einem Platzregen in eine Touristenfalle am Hackeschen Markt geflüchtet; ein »Kartoffelrestaurant« mit langen Bänken vor einer tapeziertischartigen Speisetafel, die sie sich mit einem guten Dutzend weiterer Wetterflüchtlingen teilen mussten.

Von der Bedienung genötigt, mehr als nur Getränke zu bestellen, wählten sie Kartoffelpuffer mit Apfelmus, und dieser unspektakuläre Spätnachmittag im April wäre ihnen wohl nie auf Dauer in Erinnerung geblieben, hätte Emma nicht einen Tag später diese merkwürdigen Fotos auf ihrem Handy gefunden.

Die ersten vier waren vollkommen dunkel. Das fünfte zeigte eine Tischkante, wie auch die weiteren sechs Aufnahmen, auf denen zunächst nur der Daumen, später dann der gesamte Urheber dieser verwackelten Bilder zu erkennen war: ein blondes Mädchen mit abstehenden Haaren, grießbreiverschmiertem Mund und einem diabolischen Lächeln, wie es nur Kleinkinder zustande bringen, die einem gerade unbemerkt das Telefon geklaut haben.

Insgesamt sieben blitzlichtlose Aufnahmen zeigten Teile von Philipp und Emma. Auf einem lächelten sie sogar,

aber das schönste Foto war das, auf dem die Zeit in einen anderen Raum geflüchtet zu sein schien. Emma und Philipp saßen nebeneinander und schauten sich in die Augen, während ihre Gabeln beide in demselben Stück Puffer steckten. Die Aufnahme wirkte wie aus einem Film, bei dem die Tonspur mit den wild durcheinanderschreienden Restaurantgästen, dem Kindergeplärr und lautem Besteckklappern auf einmal abreißt und stattdessen ein romantisches Klavierspiel das Standbild untermalt.
Emma hatte gar nicht gewusst, dass sie und ihr Mann überhaupt noch solche liebevollen Blicke austauschten, und die Tatsache, dass diese Aufnahme unbemerkt und frei von jeglichem Verdacht der Inszenierung entstanden war, machte sie für sie umso wertvoller. Auch für Philipp, der das Bild ebenfalls liebte, seine schlaksige Körperhaltung darauf allerdings zu »James-Dean-mäßig« fand, was immer er damit meinte.
Früher, in der Davor-Zeit, hatte Emma das Foto jeden Tag um siebzehn Uhr gesehen, wenn Philipp sie anrief, um ihr zu sagen, ob er zum Abendessen zurück sein würde, denn sie hatte es als Kontaktfoto für seine Handynummer hinterlegt. Ein Abzug des Fotos steckte als Glücksbringer in der Innentasche ihrer Lieblingshandtasche, und eine Zeitlang war es sogar der Bildschirmschoner ihres Notebooks gewesen, bis es nach einem Systemupdate aus unerfindlichen Gründen auf dem Computer verloren gegangen war.
So wie mein Selbstbewusstsein, meine Lebensfreude. Mein Leben.
Manchmal fragte Emma sich, ob der Friseur mit ihr in jener Nacht im Hotel auch einen Systemstart gemacht und ihre emotionale Festplatte auf Werkseinstellungen zu-

rückgesetzt hatte. Und sie war offenkundig ein Montagsmodell: beschädigte Ware, vom Umtausch leider ausgeschlossen.
Emma klickte auf das Outlook-Icon in der unteren Bildschirmleiste, damit der Standard-Bildschirmschoner verschwand und sie sich ihrer unangenehmen, aber notwendigen Tagesaufgabe widmen konnte.
Ihre tägliche »Arbeit« bestand darin, das Internet nach den neuesten Meldungen über den Friseur zu durchforsten.
Etwas, was Philipp ihr ausdrücklich verboten hatte, nachdem die Zeitungen durch eine Indiskretion der Staatsanwaltschaft in den Besitz des von ihm erstellten Täterprofils gelangt waren. Sie hatten es über Tage ausgeschlachtet.
Philipp befürchtete, dass die reißerischen Boulevardmeldungen Emma noch mehr verstören würden, weswegen sie vorsichtig vorgehen musste.
Heimlich, wie eine Ehebrecherin.
Sie surfte in einem privaten Modus über eine Suchseite, die keine URLs speicherte. Und das Archiv, in dem sie alle Meldungen und Dateien über den Fall chronologisch abspeicherte, trug den Namen »Diät« und war passwortgesichert.
Aktuell gab es wieder eine Flut von Spekulationen im Netz, denn erst letzte Woche hatte der Friseur erneut zugeschlagen. Wieder in einem Berliner Fünfsternehotel, diesmal am Potsdamer Platz, und wieder war eine Prostituierte mit einer Überdosis GHB vergiftet worden.
Immerhin, Reste dieses Mittels waren auch in ihrer Blutprobe sichergestellt worden. Die ermittelnden Polizisten sahen dies jedoch nicht als zwingenden Beweis. Emma war Psychiaterin. Noch leichter, als sich selbst die Haare zu scheren, war es für sie, an dieses Medikament zu gelan-

gen, das in niedrigen Dosen aufputschend wirkte und oft als Partydroge missbraucht wurde.
Die Artikel der Boulevardmedien ließen sich mehr über die sexuellen Vorlieben von Natascha W. (22) aus als über den Menschen, der unter foltergleichen Schmerzen sein Leben hatte lassen müssen. Wenn man die Leserkommentare in den Internetforen dazu studierte, konnte man den Eindruck gewinnen, dass die Mehrheit den Frauen eine Mitschuld gab, denn wer gab sich schon wildfremden Männern für Geld hin?
Dass die Opfer fühlende Lebewesen waren, kam den meisten nicht in den Sinn. Die Russin, die in jener Nacht an Emmas Hoteltür geklopft hatte, verfügte über mehr Empathie als alle Kommentatoren zusammen.
Nur Pech, dass die Ermittler sie nicht ausfindig machen konnten. Allerdings war das kein Wunder. Welche Escort-Dame gab an der Rezeption schon ihren richtigen Namen an oder sagte, für welches Zimmer sie gebucht war? Derartige »Mädchen« waren in Luxushotels unvermeidliche, aber unsichtbare Gäste.
Krack.
Ein Holzscheit fiel im Kamin von seinem brennenden Stapel, und während Samson nicht mal mit der Nase zuckte, war Emma vor Schreck zusammengefahren.
Sie sah kurz aus dem Fenster, fixierte die Tanne im Garten, die sie jedes Jahr als Weihnachtsbaum schmückten. Die Zweige wurden vom Schnee nach unten gedrückt.
Der Anblick der Natur war eines der wenigen Dinge, die sie beruhigte. Sie liebte ihren Garten. Ihn wieder betreten und versorgen zu können, war ein wesentlicher Antrieb, diese dumme Störung in ihrem Kopf loszuwerden. Irgendwann würde sie bestimmt auch die Kraft finden, in

Therapie zu gehen und die Selbstmedikation von einem Fachmann überprüfen zu lassen.

Irgendwann, nur nicht heute.

Emma fand in ihrem E-Mail-Fach eine offensichtliche Spam-Mail, die ihr die Sperrung ihrer Kreditkarten androhte, und mehrere News-Alerts zum Stichwort »Friseur«, darunter einen Artikel der *Bildzeitung* und einen der *Berliner Zeitung*, den sie zuerst öffnete. Als sie festgestellt hatte, dass er nichts Neues enthielt, kopierte sie ihn als PDF im Ordner »Friseur_DREI_Ermittlungen_NATASCHA«.

In Wahrheit hielt sie den Platz, den der Friseur für Emma vorgesehen hatte. Natascha war bereits Nummer vier.

Ich bin nur die Frau, die nicht zählt.

Emma hatte für jedes Opfer noch Unterordner für »Privatleben«, »Berufsleben« und »Eigene Theorien«, aber die für die öffentlichen Ermittlungen waren natürlich die wichtigsten.

Hier fand sich auch der *Spiegel*-Artikel über Philipps Erstprofil, in dem der Täter als psychopathischer Narzisst charakterisiert wurde. Wohlhabend, kultiviert, mit höherer Bildung. So sehr in sich selbst verliebt, dass er bindungsunfähig war. Da er sich für perfekt hielt, gab er den Frauen die Schuld an seiner Einsamkeit. Frauen, die die Männer anlockten und doch nur das eine von ihnen wollten: Geld. Sie waren dafür verantwortlich, dass ein solch stattlicher Kerl wie er seine Triebe nicht kontrollieren konnte. Den Vorgang des Scherens begriff er als Dienst, den er der Männerwelt durch das »Hässlich-Machen« der Frau erwies.

Es war möglich, dass es weitere Opfer gab, so wie Emma, denen »nur« die Haare nach der Vergewaltigung entfernt

worden waren. Vielleicht wollte er seine Opfer nicht notwendigerweise töten, sondern nur dann, wenn er sie auch ohne ihr Haupthaar noch immer attraktiv fand.
Diese Überlegung hatte Philipp zu der Vermutung geführt, der Friseur könnte während seiner Taten ein Nachtsichtgerät tragen, um das Ergebnis am Ende zu bewerten. Eine Spekulation, die Emma im Ordner »Theorien« abgelegt hatte, ebenso wie die, dass der Täter sich womöglich vor Blut ekelte. Immerhin hatte er Emma während der Rasur eine Schnittwunde beigebracht. Im Krankenhaus hatten sie die Wunde über der Stirn versorgen und das verkrustete Blut entfernen müssen. Eventuell war das der Grund für ihre Rettung gewesen, denn die Wunde und das Blut hatten sie womöglich so entstellt, dass der Friseur seine Tat als vollendet betrachtete.
Offiziell war Philipp nicht an dem Fall dran, allein wegen seiner persönlichen Verstrickung, wobei »Verstrickung« eine höfliche Umschreibung seines Vorgesetzten für »durchgeknallte Ehefrau mit wahnwitzigen Gewaltphantasien« gewesen war.
Inoffiziell zapfte Philipp natürlich alle seine Quellen an, um sich auf dem Stand der Ermittlungen zu halten. Emma war sicher, dass er ihr nicht alles anvertraute, was er erfuhr, sonst hätte ihr jetzt beim Öffnen der *Bild*-Homepage nicht der Atem gestockt.
Verdammt.
Sie führte die Hand an den Mund. Blinzelte.
Die Schlagzeile zu dem Foto bestand nur aus drei Wörtern, die aber füllten zwei Drittel ihres Monitors:

IST ER DAS?

Darunter prangte eine grünstichige Farbaufnahme, eingefangen von einer Kamera, die sich in einer Fahrstuhldecke befand.
Von der hinteren rechten Ecke aus betrachtet sah man einen Mann mit grauem Kapuzenpulli. Sein Gesicht war zu drei Vierteln verdeckt, und der erkennbare Rest konnte zu ziemlich jedem weißen, erwachsenen Mann gehören, der Jeans und Sneakers trug.
Was Emma zutiefst verstörte, war also nicht der Anblick der schlanken, durchschnittlich großen Gestalt, die in die Lobby des Hotels treten wollte, in dem Opfer Nummer zwei ihr Leben gelassen hatte.
Sondern das, was der Mann beim Verlassen des Fahrstuhls in den Händen hielt.
»Hier sehen Sie einen nicht als Gast registrierten Mann beim Verlassen des Hotels in der Todesnacht von Lariana F.«, hieß es im Text. Da nicht sicher war, ob das wirklich der Täter sei, habe man sich aus datenschutzrechtlichen Gründen bislang vor einer Veröffentlichung gescheut, tue dies jetzt jedoch mangels anderer Alternativen.
Für sachdienliche Hinweise waren die üblichen Telefonnummern aufgelistet und ein direkter Link zur Polizei.
Großer Gott. Irre ich mich? Oder ist das etwa …
Emma suchte auf dem Schreibtisch nach einer Papiertüte, in die sie atmen konnte, fand keine, überlegte, ob sie in die Küche gehen sollte, um sich eine zu holen, entschied sich dann aber dafür, erst einmal das Foto zu vergrößern.
Auf die Hände zu zoomen, die immer noch in Latexhandschuhen steckten.
Auf die Finger.
Auf den Gegenstand, den sie umklammerten.
»Die Behörden gehen davon aus, dass der Friseur hier seine

Trophäen abtransportiert«, verkündete der marktschreierische Text weiter.
Die Haare? In einem Paket!
Emma sah hoch. Ihre Augen wanderten über die Schreibtischplatte. Und wieder zurück zum Bild.
Klein, schmucklos eingepackt, mit ganz normalem, braunem Papier.
Ungefähr so wie das, welches vor ihr lag. Das anonyme Paket, das Salim ihr für ihren Nachbarn gegeben hatte.
A. Palandt.
Dessen Namen sie noch nie zuvor gehört hatte.
Emma fühlte, wie sich ein kleiner Tropfen Schweiß in ihrem Nacken löste, ihr das Rückgrat hinablief, dann hörte sie Samson knurren, noch bevor im Dachgeschoss der Alarm anschlug.

12. Kapitel

W*as war das?*

Nachdem ihr der Schreck in die Glieder gefahren war, zwang sie sich, nicht panisch zu reagieren, sondern der Ursache auf den Grund zu gehen.

Für den schrillen Lärm, den die Bewegungsmelder auslösen würden, war das Geräusch zu leise und zu weit entfernt. Von den Infrarotsensoren erfasst, würde eine einzige Bewegung einen ohrenbetäubenden Intervall-Alarm verursachen, und zwar im gesamten Haus. Nicht nur in einer der oberen Etagen.

Zudem war der Ton zu hell, beinahe melodiös.

Wie ein …

Emma hatte eine Vermutung, konnte sie aber nicht fassen. Ihr Gedanke verschwand beinahe gleichzeitig mit dem Signalton, der so abrupt aufhörte, wie er eingesetzt hatte.

»Was war das?«, fragte sie nun laut, aber Samson blieb regungslos liegen und hob nicht einmal den Kopf von seinen dicken Pfoten, was eher untypisch war und in Emma die Sorge aufkommen ließ, sie habe sich das Geräusch eventuell nur eingebildet.

Leide ich jetzt auch schon an akustischen Halluzinationen?

Sie klappte den Laptop zu, schob ihren Stuhl vom Schreibtisch zurück und stand auf.

Das Parkett knarrte unter ihren Füßen, weshalb sie auf ihrem Weg in ihren Ballerina-Stoffhausschuhen zur Treppe

auf Zehenspitzen ging. An das hölzerne Geländer im Flur gelehnt, lauschte sie; aber da war nichts als ein leises Rauschen in ihrem Ohr; der Tinnitus, den jeder spürte, wenn er sich zu sehr auf sein eigenes Gehör konzentrierte.
Emma schaltete die Bewegungsmelder über die Steuerung an der Haustür ab.
Dann schlich sie sich nach oben, die Stufen zum ersten Stock hinauf, wo das Schlafzimmer, eine Ankleide und ein großes Badezimmer lagen.
Sie hatte vergessen, das Treppenlicht anzuschalten, und hier oben (mittlerweile war sie nur noch zwei Stufen vom ersten Stockwerk entfernt) waren die Rollläden noch nicht hochgezogen (manchmal, wenn die Migräne-Nebenwirkungen der Psychopharmaka einsetzten, ließ sie den ganzen Tag kein Licht herein), weswegen Emmas Aufstieg einem Weg in die Dunkelheit gleichkam.
Verdammt, würde sie in den Keller gehen, könnte sie sich wenigstens mit dem Feuerlöscher bewaffnen, der dort an der Treppenwand hing.
»Samson, komm her!«, rief sie, ohne sich nach unten umzudrehen, weil sie auf einmal Angst hatte, jemand könnte sich aus dem schwarzen Loch schälen und ihr auf der Treppe entgegenkommen. Und tatsächlich, als hätte Philipp zu ihrer eigenen Sicherheit auch einen Stimmbewegungsmelder installiert, löste ihr Befehl den Alarm wieder aus.
Himmel!
Sie biss sich auf die Unterlippe, um nicht laut loszuschreien.
Natürlich konnte es reiner Zufall sein, dass sie es jetzt wieder hörte, aber da war es. Das mysteriöse Geräusch. Und es war keine Einbildung.
Ein heller Signalton, etwas lauter nun, denn sie hatte sich

auf die Quelle zubewegt, die ganz offensichtlich nicht im ersten Stockwerk, sondern noch weiter oben lag, unter dem Dach. Und mit dem Alarm war auch Emmas Gedanke von vorhin wieder zurück. Sie hatte gleich mehrere Assoziationen.

Ein Wecker war die harmloseste, aber auch die unwahrscheinlichste Erklärung, denn auf dem Dachboden gab es nichts außer Farbeimern, teilweise entfernten Bodenbrettern, einer eingerissenen Trockenbauwand und jeder Menge verstreut herumliegender Werkzeuge. Aber keine Uhr! Und wenn, wieso sollte sie heute, ein halbes Jahr nach Bauabbruch, auf einmal zu klingeln beginnen?

Nein, da war kein Wecker auf der Kinderzimmerbaustelle, die Emma heimlich BER nannte, nach dem Hauptstadtflughafen, der wohl auch nie vollendet werden würde. Mit ihren Haaren war an jenem Tag auch ihr Kinderwunsch abgeschnitten worden.

Vorerst, hatte sie Philipp gesagt. *Endgültig,* ihrer Seele.

Aber wenn es keine Uhr war, dann konnte es nur …

… ein Handy sein.

»Samson, komm schon!«, rief Emma erneut, noch lauter und energischer. Der Gedanke an ein Mobiltelefon, das auf dem Dachboden über ihr läutete, war beängstigend. Die unweigerlich damit einhergehende Feststellung, dass es jemandem gehören musste, trieb Emma an die Schwelle zur Panik.

Und diese überschritt sie in dem Moment, als nur wenige Meter von ihr entfernt die Tür des Badezimmers zuschlug.

13. Kapitel

Sie rannte. Ohne nachzudenken, ohne rational eine Entscheidung zu treffen oder gar Optionen abzuwägen, denn dann wäre sie ganz sicher nach unten gelaufen, zu Samson zurück. Zum Ausgang.
So aber sprang sie die letzten Stufen hinauf, durchquerte nahezu blind den engen Flur, verlor dabei einen ihrer Hausschuhe, riss die Schlafzimmertür auf und schlug sie hinter sich wieder zu. Verriegelte sie mit dem einfachen Schlüssel, der – zum Glück – von innen steckte. Schob einen Stuhl zu sich heran, klemmte ihn mit der Lehne unter die Klinke, so wie sie es in Filmen gesehen hatte …
… aber ergibt das überhaupt einen Sinn?
Nein, nichts ergab hier einen Sinn, das tat es schon lange nicht mehr. Seit sie nach der Nacht im *Le Zen* an der Bushaltestelle aufgegriffen worden war.
Ohne Haare.
Ohne Würde.
Ohne Verstand.
Langsam gewöhnten sich Emmas Augen an die Dunkelheit.
In dem wenigen Tageslicht, welches durch die Lamellenfugen des Rollos fiel, erkannte sie nur Schemen. Schatten. Grobe Flächen. Die des Bettes, des Kleiderschranks, der schweren Zimmertür mit den Kassetteneinfassungen aus Eichenholz.
Sie kauerte neben einer Kommode, einem Erbstück ihrer

Großmutter, in der sie ihre Unterwäsche aufbewahrte, und fixierte die Klinke, den einzigen reflektierenden Gegenstand im Raum.
Das, was ihre Augen an Sehstärke eingebüßt hatten, hatten ihre Ohren offenbar an Kraft hinzugewonnen. Neben den Stoßgeräuschen ihres eigenen, viel zu schnell gehenden Atems und neben dem Rascheln ihres Morgenmantels, der sich über ihrem pumpenden Oberkörper hob und senkte, drangen dumpfe, stampfende Laute zu ihr durch.
Schritte.
Schwere Schritte.
Sie kamen die Treppe hoch.
Emma tat das Falscheste, was sie tun konnte.
Sie schrie.
Spitz, schrill. Hörte die eigene Todesangst, die sich ihrer Kehle entrang, und konnte trotz der Gewissheit, dass sie damit nur auf sich aufmerksam machte, nicht aufhören.
Sie sank auf die Knie, presste sich die Hand auf den Mund, biss sich in die Knöchel, wimmerte und verachtete sich für diese Schwäche.
Wie stolz war sie früher gewesen, ihre Gefühle stets unter Kontrolle zu haben, selbst in den emotionalsten Situationen. Etwa als der eifersüchtige Borderliner, den sie an einen Kollegen überweisen wollte, ihr in der Praxis zum Abschied ins Gesicht schlug. Oder als eine elfjährige Patientin an einem Hirntumor gestorben war und sie ihr in der Klinik bis zu ihrem Tode gemeinsam mit der Mutter die Hand gehalten hatte. Immer war es ihr gelungen, den Zusammenbruch hinauszuzögern, bis sie zu Hause war, allein, wo sie ihre Wut oder Trauer zu einem Zeitpunkt, den sie selbst bestimmt hatte, kontrolliert in ein auf das Gesicht gedrücktes Kissen schreien konnte. Doch diese Art

der Selbstbeherrschung war ihr längst nicht mehr gegeben, und dafür hasste sie sich.
Ich bin ein Wrack.
Ein schreiendes, heulendes Stück Elend, das bei jeder Werbung, in der Babys vorkommen, anfängt zu weinen. Bei jedem Mann, der ihr begegnet, an den Friseur denkt.
Und bei einer Türklinke, an der von außen gerüttelt wurde, den sicheren Tod vor Augen hatte.
Das Letzte, was sie sah, war, wie die Tür unter den Schlägen erzitterte, die auf sie einprasselten. Dann schloss sie die Augen, wollte sich an der Kommode hochziehen, rutschte aber kraftlos an ihr ab wie eine Betrunkene, die ihr Gleichgewicht nicht halten kann.
Heulend sank sie wieder auf die Dielen, schmeckte ihre Tränen, roch den Schweiß, der ihr von den Brauen tropfte *(wieso hat er mir die nicht gleich mit abrasiert?)*, und musste an das Rollo denken, *das ich blöde Kuh heute früh nicht geöffnet habe.* Jetzt fehlte ihr die Zeit, das schwere Ding hochzuziehen. Und zu springen.
Aus dem ersten Stock war es nicht allzu hoch, zumal dort unten jede Menge Schnee im Garten lag.
Vielleicht hätte ich es ja geschafft …
Ihr Schreien und ihre Gedanken rissen ab, als die Tür splitterte und gleich darauf ein Luftzug ihr tränennasses Gesicht kühlte.
Sie hörte Keuchen. Schritte. Schreie. Nicht von sich selbst. Sondern von dem Eindringling.
Männerschreie.
Als Nächstes rissen ihr zwei Hände die Arme weg, die sie sich schützend vor den Kopf gehalten hatte, in Kauerstellung, wie ein kleines Kind, in Erwartung einer Bestrafung. *Nein, eher wie eine Frau in Erwartung des Todes.*

Schließlich hörte sie ihren Namen.
Emma.
Wieder und wieder gebrüllt von einer Stimme, mit der sie jetzt, in ihrer vermutlich letzten schmerzfreien Sekunde, am wenigsten gerechnet hätte.
Dann traf sie der Schlag. Mitten ins Gesicht.
Ihre Wange brannte wie von einer Qualle getroffen, und die Tränen bissen ihr die Lider von innen auf. Verschwommen sah sie, dass sie es mit zwei Eindringlingen zu tun hatte.
Die beiden Männer standen dicht beieinander. Und sie erkannte ihre Gesichter trotz des spärlichen Lichts und des Schleiers vor ihren Augen.
Kein Wunder.
Mit einem der beiden war sie verheiratet.

14. Kapitel

Philipp war kein Traummann, jedenfalls nicht gemessen an den Träumen, die durchschnittliche Frauen angeblich träumten. Kein gelackter Prinz, der dreimal am Tag anrief, nur um »Ich liebe dich« zu sagen, bevor er nach der Arbeit einen Stopp bei einem Blumen-, Dessous- oder Schmuckgeschäft einlegte, wo er eine kleine Aufmerksamkeit besorgte, mit der er seine Angebetete überraschte; Tag für Tag, bis zur goldenen Hochzeit und darüber hinaus. Kein Mann, der niemals stritt, keiner anderen hinterhersah, immer nett zu seiner Mutter war und am liebsten ihre Freundinnen bekochte.

Dafür war er ein verlässlicher Partner an ihrer Seite.

Jemand, der seine eigene Meinung vertrat; ein Mann mit Ecken und Kanten, an denen sie sich besser festhalten konnte als an der Hand, die ihr in den Mantel half.

Er bot ihr Sicherheit und Vertrauen. Trotz all der Schwierigkeiten, mit denen ihre Beziehung begonnen hatte.

Er hatte Monate gebraucht, um sich von seiner alten Partnerin zu lösen, und wochenlang eine Doppelbeziehung mit »Kilian« geführt.

Natürlich hieß seine Ex nicht wirklich so, aber Philipp hatte damals Franziskas Nummer in seinem Handy unter dem Namen eines Fußballkumpels abgespeichert, damit Emma nicht misstrauisch wurde, wenn schon wieder ein Anruf oder eine SMS von der Verflossenen einging. Als sie durch Zufall dahinterkam, hatten sie ihren ersten größeren

Streit, an dem ihre Beziehung fast zerbrochen wäre. Am Ende hatte sie Philipp jedoch geglaubt, dass er sich mit diesem Trick keine Hintertür hatte offen halten wollen. Die weinseligen, teils hysterischen Anrufe von Franziska konnte er nicht verhindern und sein Diensthandy nicht einfach so ummelden. So hatte er wenigstens versucht, Emma vor unnötigen Verletzungen zu bewahren, und sich vor unnötigem Streit. Erfolglos.

Am Ende löste sich das Problem, als Franziska einen Neuen fand, mit dem sie nach Leipzig zog. Und »Kilians« Nummer wurde für immer gelöscht.

Ansonsten hatte er die üblichen Männermacken. Philipp blieb gerne mit Freunden länger weg, ohne sie mit SMS auf dem Laufenden zu halten, wenn sie noch einmal die Kneipe wechselten. Er schnarchte, setzte das Bad unter Wasser und stützte beim Essen die Ellbogen auf. Einmal hatte er ihren Hochzeitstag vergessen und bei einem Tobsuchtsanfall eine volle Kaffeetasse an die Küchenwand gepfeffert (der Fleck war noch immer zu sehen), aber noch nie, nie, nie hatte er sie geschlagen.

Allerdings hatte Emma ihm auch niemals zuvor einen so triftigen Grund dafür geliefert.

»Es tut mir leid«, sagte er jetzt, wenige Minuten später. Er hatte sie die Treppe hinunter in die Küche geführt, wo sie an ihrem quadratischen Holztisch Platz genommen hatten, an dem sie früher am Wochenende gerne gemeinsam frühstückten, weil hier der Blick in den Garten so hübsch war. Der Garten des Nachbarhauses war völlig verwildert, weshalb man den Eindruck hatte, in einen Wald hineinzusehen.

Emma nickte und wollte *»Ist schon gut«* sagen, aber ihre Stimme versackte irgendwo auf halbem Weg in ihrer Kehle.

Sie hielt sich an einer bauchigen Kaffeetasse fest, aus der sie nichts trinken würde. Philipp stand an der Kante der Arbeitsplatte neben der Spüle. Hielt Abstand.
Nicht, weil er es wollte, sondern weil er wusste, dass sie den jetzt brauchte. Wenigstens noch für einige Minuten, bis die Stimme der Angst in ihrem Kopf etwas weniger laut schrie.
»Verdammt, es tut mir so leid.« Er knirschte mit den Zähnen und besah sich seine Hände, als könnte er nicht fassen, was er getan hatte.
»Nein.« Emma schüttelte den Kopf, froh, dass sie ihre Sprache wiedergefunden hatte, auch wenn kaum mehr als ein Krächzen aus ihrer Kehle kam. »Das war goldrichtig.«
Der Schlag, von dem ihr immer noch die Wange brannte, hatte die Stichflamme der Panik erstickt. Erst nach der Ohrfeige hatte sie zu schreien aufgehört und sich wieder beruhigt.
»Ich war völlig neben mir«, gestand sie ihm und dachte gleichzeitig: *So also fühlen sich meine Patienten, wenn sie sich mir anvertrauen.*
Merken die auch, wie absurd ihr Verhalten ist, in der Rückschau betrachtet?
Emma hatte geglaubt, ein Fremder hätte die Badezimmertür zugeschlagen, dabei ließ sich das alles mit Philipps unerwarteter Rückkehr erklären.
Er hatte die Unterlagen für den Vortrag im Arbeitszimmer vergessen und war auf der Autobahn wieder umgedreht. Zur Vorwarnung hatte er sie sogar angerufen, doch der Anruf war auf der Mailbox eingegangen, als sie bewusstlos im Wohnzimmer gelegen hatte.
»Ich bin sofort zu dir hoch, als ich dich schreien hörte«, sagte er.

Ihr Mann wirkte um Jahre gealtert, und Emma fürchtete, dass dies nicht nur am Licht der Pendelleuchte lag. Seine Schläfen schienen ergraut, der Haaransatz etwas ausgedünnt und die Stirn zerfurcht, was, wie sie ahnte, weniger seinen vierzig Jahren als vielmehr dem geschuldet war, was sich vor einem halben Jahr komplett verändert hatte: ihrem Leben.

Am liebsten wäre sie aufgestanden, hätte die Hand nach ihm ausgestreckt, wäre ihm über sein heute früh nur hastig rasiertes Kinn gefahren und hätte ihm gesagt: *»Mach dir keine Sorgen, alles ist wieder gut. Wir fahren jetzt nach Tegel, nehmen den allerersten Flieger – zu einem Ziel, das wir beide nicht kennen. Hauptsache, ganz weit weg. Wir lassen das Schicksal hinter uns.«*

Aber das ging nicht. Sie würde es nicht einmal bis zur Haustür schaffen. Verdammt, ihr fehlte ja schon die Kraft, den Küchenhocker zu verschieben. Also sagte sie nur: »Ich dachte, da käme ein Einbrecher.«

»Wer?«

»Keine Ahnung. Irgendjemand.«

Philipp seufzte traurig wie ein kleiner Junge, der gehofft hatte, das Spielzeug, das er mühevoll repariert hatte, funktioniere endlich wieder, und der beim ersten Ausprobieren feststellen musste, dass es immer noch kaputt war.

»Hier ist niemand, Emma. Die Tür vom Bad ist zugefallen, als ich unten aufgemacht habe. Du weißt doch, wie es hier zieht.«

Sie nickte, verzog dabei aber die Lippen. »Das erklärt nicht das Klingeln.«

»Was für ein Klingeln?«

Emma drehte sich zu der Stimme in ihrem Rücken. Jorgo Kapsalos, Philipps bester Freund und Partner beim BKA,

stand in der Küchentür. Er war der zweite Mann, den sie im Schlafzimmer gesehen hatte.
Heute früh, als er Philipp abholte, war Jorgo im Auto sitzen geblieben. Jetzt war er mit hereingekommen und musterte sie so wie immer, wenn sie aufeinandertrafen: wehmütig und mit unterschwelliger Hoffnung.
Philipp übersah die heimlichen Blicke seines Partners, oder er deutete sie falsch, doch Emma ahnte, was in Jorgo vorging, wenn er sie so melancholisch ansah. Benutzte Emma Konrad hin und wieder dazu, um Philipps Eifersucht anzustacheln, würde sie Jorgos Gefühle dafür niemals missbrauchen. Denn im Unterschied zu dem Strafverteidiger war der Partner ihres Mannes alles andere als schwul. Der arme Kerl war hoffnungslos in sie verliebt. Und das war Emma nicht erst seit dem Abend ihrer Hochzeit bewusst, als ihr Jorgo in volltrunkenem Zustand beim Tanzen ins Ohr gelallt hatte, dass sie *Herrgott noch mal* den Falschen geheiratet habe.
»Was für ein Klingeln?«, wiederholte er seine Frage.
»Keine Ahnung. Ein Wecker oder ein Handy. Ich glaube, es kam vom Dachboden.«
Seitdem die beiden ihre Schlafzimmertür aufgebrochen und zu ihr ins Zimmer gedrungen waren, war nichts mehr zu hören gewesen.
»Kannst du mal die Räume checken?«, bat Philipp seinen Partner.
»Nein, bitte nicht!« Emma suchte vergeblich nach Worten, um zu erklären, dass sie das alles schon einmal erlebt hatte.
Schon einmal hatte sie ein Zimmer durchsucht und sich überzeugt, alleine zu sein, und war danach vergewaltigt worden. Natürlich war es völlig irrational und unlogisch,

aber Emma befürchtete, dass sie das Unheil heraufbeschwören und sich mit einer weiteren Durchsuchung auch die Katastrophe im Anschluss wiederholen würde. Als wenn es ein Einmaleins des Bösen gäbe. Eine Gleichung mit einer Unbekannten namens »Gefahr« und einem vorherbestimmten Ergebnis: »Schmerz«.
Der Gedankengang war pathologisch, das wusste sie so gut wie keine Zweite. Und deshalb äußerte sie ihn auch nicht gegenüber den beiden psychisch stabilen Männern, sondern sagte nur: »Ihr müsst los. Ich hab euch lange genug aufgehalten.«
»Ach, Quatsch, kein Problem.« Jorgo winkte ab. Er war ein Schrank von einem Mann, ein kompakter, muskulöser Kerl, den man sich auf dunklen U-Bahnhöfen an seine Seite wünschte, wenn einem eine Horde Betrunkener entgegenkam. »Dann verpassen wir eben das erste Seminar. Das ist eh nicht so wichtig.«
Philipp nickte. »Mein Vortrag ist auch entbehrlich. Vielleicht fährst du besser ohne mich, Jorgo.«
»Wenn du meinst.« Jorgo zuckte mit den Achseln und sah wenig erfreut aus. Emma ahnte, weshalb. Lieber wäre *er* mit ihr alleine geblieben. Der beste Freund ihres Mannes hatte ihr mehrere E-Mails geschickt, in denen er seine Hilfe angeboten hatte, ihr nach dem schweren Schicksalsschlag zur Seite zu stehen. Sie hatte sie alle gelöscht, die letzten, ohne sie überhaupt zu lesen.
»Ja, ich denke, es ist besser, ich bleibe hier.« Philipp nickte wieder. »Du siehst doch, sie ist völlig aufgelöst.«
Er zeigte auf Emma und sprach so, als wäre sie gar nicht im Raum. Auch eine seiner Anti-Traummann-Angewohnheiten. »Ich kann sie hier nicht alleine lassen.«
»Doch, doch. Kein Problem«, widersprach Emma, ob-

wohl *»Kein Problem«* so ziemlich das Gegenteil ausdrückte von dem, was sie fühlte.

Philipp trat zu ihr und nahm ihre Hand. »Ach, Emma, was hat dich denn heute nur so durcheinandergebracht?«

Gute Frage.

Das Anzeigenblatt mit dem Rasierapparat? Ihre Ohnmacht?

Salims Abschied? Das Foto des Friseurs im Fahrstuhl?

Oder halt, nein …

»Was für ein Paket?«, hörte sie Philipp fragen, und da wurde ihr bewusst, dass sie schon zum zweiten Mal an diesem Vormittag einen Gedanken laut ausgesprochen hatte.

»Die Lebensmittelkiste im Eingang?«, hakte er nach.

»Nein, tut mir leid, die habe ich noch nicht einsortiert.«

Daran, dass sie fast vergessen hätte, ihrem Mann von dem fremden Paket auf ihrem Schreibtisch zu erzählen, merkte Emma, wie durcheinander sie war. Tief in ihrem Innersten spürte sie, dass sie gerade noch etwas anderes, etwas Wesentliches übersah, aber das wollte ihr in diesem Moment nicht einfallen. Und vermutlich war das Paket auch sehr viel wichtiger.

»Salim hat mich gebeten, etwas für unseren Nachbarn anzunehmen.«

»Und?« Jorgo und Philipp fragten wie aus einem Mund.

»Aber von dem Namen habe ich noch nie etwas gehört«, ergänzte Emma.

Verdammt, wie hieß er noch? Emma hatte es in der Aufregung tatsächlich vergessen, aber dann fiel es ihr doch wieder ein. »Kennst du einen A. Palandt?«

Philipp schüttelte den Kopf.

»Siehst du. Ich auch nicht.«

»Vielleicht ist er neu hier in der Gegend?«, schlug Jorgo vor.
»Das wüssten wir«, antwortete Emma beinahe trotzig.
»Und das hat dich so aufgeregt, Kleines?« Philipp drückte ihre Hand fester. »Ein Paket für einen Nachbarn?«
»Einen *fremden* Nachbarn. Schatz, ich weiß, ich reagiere über …«
Sie ignorierte Philipps leisen Seufzer.
»… aber wir kennen hier doch wirklich jeden, und …«
»… und womöglich ist es ein Untermieter, vielleicht ein Schwiegersohn, der für eine Weile bei den Eltern seiner Verlobten lebt und sich hier die Post zustellen lässt«, schlug Philipp vor. »Es gibt tausend harmlose Möglichkeiten.«
»Ja, du hast wahrscheinlich recht. Aber mir wäre es dennoch lieb, wenn du einmal einen Blick auf das Paket werfen könntest. Du kennst doch sicher die Aufnahme der Überwachungskamera im Hotelfahrstuhl des …«
Philipps Miene verfinsterte sich, und er ließ ihre Hand los.
»Hast du etwa wieder im Internet gesurft?«
Als hätte er ein Stichwort gegeben, passierte es wieder.
Zwei Stockwerke über ihnen.
Es klingelte.
Der traurige Blick, mit dem Jorgo, gegen den Türrahmen gelehnt, der Unterhaltung zugehört hatte, verschwand, und ein Ausdruck höchster Konzentration legte sich über sein Gesicht.
Auch Philipp hatte das aufgesetzt, was Emma seine »Polizistenmiene« nannte: zusammengekniffene Augen, krausgezogene Stirn, den Kopf schräg geneigt, die Lippen einen Tick geöffnet, die Zunge gegen die oberen Schneidezähne gepresst.

Nach einem kurzen Blickkontakt, in der Pause zwischen zwei Alarmintervallen, nickten die beiden Männer einander zu, dann sagte Jorgo: »Ich geh nachsehen.«
Und noch bevor sie protestieren konnte, verschwand Philipps Partner im Flur. Mit selbstbewussten Schritten stieg er die Stufen nach oben, die Hand am Gürtel, an dem das Holster für die Dienstwaffe befestigt war.

15. Kapitel

So kann es nicht weitergehen, Emma«, flüsterte Philipp, als hätte er Angst, Jorgo könnte ihn zwei Stockwerke weiter oben noch hören. »Du musst eine Entscheidung treffen.«
»Wie bitte?«
Das ferne Klingeln zerrte an Emmas Nerven, und sie konnte sich nicht auf die Stimme ihres Mannes konzentrieren. Zudem kam sie nicht gegen die schrecklichen Bilder in ihrem Kopf an. Bilder von dem, was Jorgo dort oben zustoßen könnte – wie zum Beispiel das einer aufgeschlitzten Kehle, die sich öffnete und schloss und aus der sich mit jedem Schrei, den der Polizist vergeblich auszustoßen versuchte, ein Schwall Blut auf den Boden des ewig unfertigen Kinderzimmers ergoss.
»Wovon redest du, Philipp?«, fragte sie erneut.
Ihr Mann trat ganz nah an sie heran, beugte sich zu ihr herunter, so dicht, dass seine Wange ihre geschlagene berührte. »Von einer Therapie, Emma. Ich weiß, du willst damit alleine klarkommen, aber du hast heute eine Linie überschritten.«
Emma erschauerte, als sie seinen Atem am Ohrläppchen spürte. Für einen Moment glaubte sie sich an eine Zunge zu erinnern, die sich in der Dunkelheit ihres Hotelzimmers in ihr Ohr grub, während sie, zur Unbeweglichkeit verdammt, nur stumme Schreie ausstoßen konnte, doch dann sagte Philipp sanft: »Du musst endlich einen Thera-

peuten aufsuchen, Emma. Ich habe darüber mit Frau Dr. Wielandt gesprochen.«
»Mit der Polizeipsychologin?«, fragte Emma entsetzt.
»Sie kennt deine Akte, Emma. Viele kennen die. Wir mussten doch den Wahrheitsgehalt …« Er stockte, offenbar, weil er merkte, dass er den Satz nicht vollenden konnte, ohne Emma zu verletzen.
»… den Wahrheitsgehalt meiner Aussage überprüfen. Schon klar. Und was denkt Frau Dr. Wielandt? Dass ich eine krankhafte Lügnerin bin, die sich zum Spaß Vergewaltigungen ausdenkt?«
Philipp atmete schwer. »Sie befürchtet, dass du als Kind zutiefst traumatisiert wurdest …«
»Ach hör doch auf!«
»Emma. Du hast eine blühende, überschäumende Phantasie. Du hast schon einmal Dinge gesehen, die es nicht gab.«
»Da war ich sechs!«, schrie sie ihn an.
»Ein vom Vater vernachlässigtes Kind, das seine fehlende Nähe durch eine imaginäre Ersatzperson kompensierte.«
Emma lachte auf. »Hat Frau Dr. Wielandt dir das aufschreiben müssen, oder hast du es gleich beim ersten Mal auswendig gelernt?«
»Emma, bitte …«
»Du glaubst mir also nicht?«
»Das habe ich nicht gesagt …«
»Jetzt denkst also auch du, ich leide an Halluzinationen, ja?«, unterbrach sie ihn zischend. »Das war alles nur Einbildung? Der Mann im Hotelzimmer, die Injektion, die Schmerzen? Das Blut? Ach, was rede ich, vielleicht war ich ja noch nicht einmal schwanger. Vielleicht hab ich das auch nur phantasiert? Und den Alarm im Dachgeschoss, den gibt es auch nur in meinem Kopf …«

Sie verstummte abrupt.
Oh Gott.
Das Klingeln existierte nicht einmal mehr in ihrem Kopf.
Es hatte aufgehört.
Emma hielt den Atem an. Sah nach oben zur Zimmerdecke, die dringend einen neuen Anstrich vertragen konnte.
»Sag mir bitte, dass du es auch gehört hast«, sagte sie zu Philipp und presste sich die Hand vor den Mund. Nach ihrem Ausbruch empfand sie die plötzliche Stille wie einen Vorboten grauenhafter Nachrichten.
»Du hast es doch gehört, oder?«
Philipp antwortete ihr nicht, stattdessen vernahm sie Schritte, die die Treppe herunterkamen. Emma drehte sich zur Tür, in der Jorgo mit hochrotem Kopf erschien.
»Habt ihr Batterien?«, fragte er.
»Batterien?«, wiederholte sie verwirrt.
»Für den Brandmelder«, sagte Jorgo und präsentierte einen kleinen 9-Volt-Block auf seiner Handfläche. »Alle fünf Jahre sollte man so etwas spätestens mal wechseln, sonst fängt es nämlich bald überall so an zu piepen wie bei euch unterm Dach.«
Emma schloss die Augen. Froh darüber, dass es auch für das Klingeln eine so harmlose Erklärung gab, aber gleichzeitig auf eine irrationale Art enttäuscht. Im Grunde hatte sie wegen eines einfachen Brandmeldersignals einen Nervenzusammenbruch erlitten, und diese Überreaktion hatte die Zweifel ihres Mannes an ihrer Auffassungsgabe sicher noch einmal verstärkt.
»Merkwürdig«, sagte Philipp und kratzte sich am Hinterkopf. »Das kann eigentlich nicht sein. Ich hab die Dinger doch erst letzte Woche überprüft.«
»Anscheinend nicht gründlich genug. Also, Emma?«, hörte

sie Jorgo fragen, und für einen Moment wusste sie nicht, worauf er hinauswollte.
»Batterien?«, wiederholte er, und sie nickte.
»Warte, ich schau mal nach.« Sie schob sich an Jorgo und Philipp vorbei ins Treppenhaus und ging zum Wohnzimmer, als ihr auf einmal bewusst wurde, was sie vorhin vergessen hatte.
Samson!
An ihn hatte sie in der Aufregung gar nicht mehr gedacht, und erst jetzt, wo ihr Blick auf seine Schlafdecke neben dem Kamin fiel, erkannte sie, was ihrem Unterbewusstsein keine Ruhe gelassen hatte.
Wieso ist er nicht gekommen, als ich ihn gerufen habe?
Samson hob nur müde den Kopf und schien zu lächeln, als er sein Frauchen sah. Emma erschrak über seinen trüben Blick. Er atmete flach, die Nase war trocken.
»Hast du Schmerzen, mein Kleiner?«, fragte sie ihn und ging zum Regal, wo in der untersten Schublade das elektronische Fieberthermometer lag. Dabei fiel ihr Blick auf den Schreibtisch, und von einer Sekunde auf die nächste war sie nicht mehr in der Lage, über Samsons Gesundheitszustand nachzudenken.
Nicht beim Anblick der Arbeitsplatte.
Auf der das Paket lag, das Salim ihr vorhin gegeben hatte.
Falsch.
Auf der es hätte liegen müssen.
Denn dort, wo sie es abgestellt hatte, kurz bevor sie ihr Notebook öffnete, um sich das Fahrstuhlfoto des Friseurs noch einmal anzusehen, war nichts mehr zu sehen.
Das Paket für A. Palandt war verschwunden.

16. Kapitel

Drei Wochen später

Und dann haben sie dich alleine gelassen?«

Konrad hatte sich beim Zuhören kaum bewegt, nicht einmal die übereinandergeschlagenen Beine gewechselt oder auch nur die im Schoß verschränkten Hände gelockert. Emma wusste, wieso: Er hatte es ihr erklärt, als sie ihn einmal auf seine Körperbeherrschung angesprochen hatte.

Bei schwierigen Mandanten, solchen, die etwas zu verbergen hatten, genügte die geringste Ablenkung, und ihr Redefluss wurde gestört.

Das bin ich nun also für ihn.

Keine tochtergleiche Freundin mehr, sondern eine schwierige Mandantin, deren Schilderungen man akribisch hinterfragen musste.

»Trotz des spurlos verschwundenen Pakets ist Philipp mit seinem Kollegen gegangen?« Konrad schnipste mit den Fingern. »Einfach so?«

»Nein, natürlich nicht *einfach so.*«

Emma wandte den Blick zum Fenster. Der See lag unter einer dünnen Schneeschicht begraben. Von weitem betrachtet lud die Decke zum Schlittschuhfahren ein, aber Emma wusste, wie trügerisch der Anblick sein konnte. Jedes Jahr brachen Menschen ein, die die Tragfähigkeit des Wannsees überschätzten. Zum Glück sah sie heute keine Wagemutigen, die ihr Schicksal heraufbeschworen, gewiss auch wegen des trüben Wetters. Der See und seine Umgebung waren menschenleer. Nur einige Enten und Schwäne hatten sich am Uferrand zusammengerottet und trotzten dem mittlerweile vorherrschenden Schneeregen, der die Umgebung in ein tristes Grau tauchte.

»Ich hab Philipp angelogen«, setzte Emma mit ihrem Erklärungsversuch an. »Hab ihm gesagt, dass mir meine Nerven einen Streich gespielt haben mussten und ich wohl viel zu wenig getrunken habe. Daher meine Ohnmacht und die Halluzinationen von einem Paket, das es nie gab.«

»Und *das* hat er geglaubt?«, fragte Konrad zweifelnd.

»Nein, aber als ich vor seinen Augen eine Diazepam schluckte, wusste er, dass ich den halben Tag lang schlafen würde.«

»Das ist gegen Angststörungen?«, fragte Konrad, und Emma fiel ein, dass er ja Anwalt und kein Arzt war. Im Geiste sah sie ihn schon an seiner Theorie einer Schuldunfähigkeit infolge übermäßigen Tablettenkonsums arbeiten. Dabei hatte er noch sehr viel mehr in den Händen als einen läppischen Medikamentenmissbrauch, um bei ihr auf Unzurechnungsfähigkeit zu plädieren. Aber dazu würden sie ja gleich kommen.

»Ja, eigentlich wäre Lorazepam das Mittel der Wahl gewesen. Es ist neuer, wirkt schneller und sediert nicht so stark wie Diazepam, von dem man unglaublich müde wird. Das war aber leider das Einzige, was ich noch im Haus hatte.«

»Also hast du deine Pille geschluckt, und dann sind die beiden nach Bad Saarow zu dem Meeting gefahren?«

»Nachdem sie zuvor in jedem Raum die Bewegungsmelder überprüft und somit das gesamte Haus inklusive Keller durchsucht hatten, ja.«

Emma konnte nicht sagen, woran sie es festmachte, an seinen zusammengepressten Lippen oder an dem Schnarren in seiner Stimme, aber sie spürte deutlich, wie sehr Konrad das Verhalten ihres Ehemanns missbilligte. Die beiden waren einander noch nie grün gewesen, was natürlich auch daran lag, dass Emma nie etwas gegen die Sugar-Daddy-Kommentare von Philipp unternommen, ja, seine Eifersucht sogar gepflegt hatte. Konrad wiederum hatte sich oft über den ungehobelten »Bauern« gewundert, der grußlos das Telefon weiterreichte oder ihm bei den seltenen Begegnungen kaum die Hand gab.

Doch in diesem konkreten Fall waren Konrads Rüpel-Vorwürfe unberechtigt. Wäre er an Philipps Stelle gewesen und hätte sie ihn auf dieselbe Art beschworen, wäre es ihm auch schwergefallen, ihre Bitte abzuschlagen.

»Ich brauche meine Ruhe, Philipp. Es würde mich viel mehr stressen, wenn ich wüsste, du verpasst nur meinetwegen deinen Vortrag. Ich hab jetzt das Medikament genommen. Ihr habt alles gecheckt, und außerdem kommt Sylvia am Nachmittag vorbei, um nach mir zu sehen, also tu mir und euch den Gefallen und lass mich allein, okay?«

Nichts davon war gelogen, und trotzdem war nichts davon ehrlich.

»Und das Mittel hat gewirkt?«, wollte Konrad wissen.

Er schenkte ihr etwas Tee nach. Das Teelicht im Stövchen musste bald erneuert werden. Der Docht schwamm schon fast gänzlich im Wachs.

»Ja, und wie es gewirkt hat.«

»Du wurdest müde?«

Emma nahm die ihr angebotene Tasse und nippte daran. Die Assam-Mischung schmeckte zartbitter und pelzig, als hätte sie etwas zu lange gezogen.

»Das Diazepam hat mich beinahe umgehauen. Ich wurde schläfrig wie vor einer Operation.«

»Und angstfrei?«
»Erst einmal nicht, nein. Aber das lag auch daran, dass ...«
»Was?«
»Es ... es ist etwas passiert. Bei der Verabschiedung.«
Konrad zog die Augenbrauen hoch und wartete darauf, dass sie weiterredete.
»Jorgo. Er gab mir die Hand ...«
»Und?«
»Und er legte etwas in sie hinein.«
»Was?«
»Einen Zettel.«
»Was stand drauf?«
»Das Schönste, was ein Mann seit langer, langer Zeit zu mir gesagt hatte.«
»Ich liebe dich?«, fragte Konrad.
Emma schüttelte den Kopf.
»Ich *glaube* dir«, sagte sie und machte eine Pause, in der sie die Worte wirken ließ.
Konrad schien nicht überrascht, aber das hatte bei seinem trainierten Pokergesicht nicht viel zu bedeuten.
»Ich glaube dir«, wiederholte er leise.
»Das hatte Jorgo auf einen winzigen Notizzettel gekritzelt. Und dass ich ihn anrufen solle. Ich war sprachlos, als ich die Nachricht las, kaum dass die beiden weg waren.«
»Und dann?«
Emma erschauerte, bevor sie Konrad antwortete. »Du weißt doch, was passiert ist.«
»Ich will es aus deinem Mund hören.«
»Ich, ich ...«
Sie schloss die Augen. Stellte sich ihre Haustür vor. Von innen. Sah, wie sie die Hand nach der Klinke ausstreckte, den Schlüssel zweimal umdrehte.

»Ich hab das Undenkbare getan«, vervollständigte sie ihren Satz.

Konrad nickte kaum merklich. »Zum ersten Mal seit sechs Monaten?«

»Ja.«

Konrad beugte sich nach vorne. »Weshalb?«

Sie hob den Kopf. Sah ihm direkt in die Augen. Erkannte sich selbst als winziges Spiegelbild in seinen Pupillen.

»Wegen des Blutes«, flüsterte sie. »Plötzlich war da überall Blut.«

17. Kapitel

Drei Wochen zuvor

Emma kniete in einer roten Lache in der Mitte des Wohnzimmers, auf halber Strecke zwischen dem Kamin und ihrem Schreibtisch, und fühlte sich seltsam ruhig. Das Blut war in einem Schwall herausgebrochen, vollkommen unerwartet, trotz des vorausgegangenen Röchelns und Keuchens.

Ein tiefer Atemzug, ein spastischer Krampf der oberen Brustmuskeln. Ein Geräusch, als würde etwas Lebendiges aus dem Körper herausgeatmet, dann hatte sich Samson vor ihre Füße erbrochen.

»Mein armer Liebling, was ist denn nur los mit dir?«

Sie strich ihm über den Kopf, spürte, wie er unter ihrer Berührung zitterte, als wäre ihm genauso kalt wie ihr selbst.

Philipp und Jorgo waren keine halbe Stunde fort, und sie hatte die Zeit damit verbracht, das Haus ein zweites Mal auf den Kopf zu stellen, auf der Suche nach dem Paket, das tatsächlich verschwunden war.

Aber das ist unmöglich!

Unendlich müde, den Rücken klatschnass vom Schweiß, war sie vom Hauseingang, den sie noch einmal abgesucht hatte, zurück ins Wohnzimmer gekehrt. In einem Anflug purer Verzweiflung hatte sie zuletzt noch unter Samsons Decke nachsehen wollen, ob der Hund vielleicht auf die Idee gekommen war, das Paket zu seinem Schlafplatz zu schleppen. Stattdessen hatte sie ihn in diesem erbärmlichen Zustand vorgefunden.

»Samson, hey. Hörst du mich?«
Der Husky begann wieder zu würgen.
Unter normalen Umständen wäre Emma zu Tode erschrocken und hätte sich erst einmal die Hände vor den Mund gepresst, aus Angst, von der Notlage überfordert zu sein. Nun aber glättete die eben erst geschluckte Diazepam die höchsten Angstwellen, ohne sie vollends zu beseitigen. Es war vergleichbar mit einer Betäubung beim Zahnarzt. Man spürte die Stichflammen des Schmerzes nicht mehr, wohl aber einen allgegenwärtigen, dumpfen Schwelbrand, der tief im Innersten nur darauf wartete, erneut aufzulodern, sobald die Wirkung der Spritze nachließ.
Und jetzt?
Sie sah nach draußen. Eine Silberkopfkrähe setzte sich auf eine kahle Magnolie und schien ihr zuzuzwinkern, aber das war natürlich Einbildung. Noch immer fiel dichter Schnee. Emma konnte die Augen des Tieres nicht erkennen.
Es war eher ihr Unterbewusstsein, das ihr sagen wollte, was sie zu tun hatte.
»Du musst das Haus verlassen!«
»Nein!«, sagte sie laut, aber sie konnte sich selbst kaum hören, denn Samson erbrach sich erneut. Diesmal kam etwas weniger Blut, aber das machte es nicht besser.
»Doch, und du weißt es. Du musst hier raus, Samson braucht Hilfe!«
»Auf gar keinen Fall.« Emma schüttelte den Kopf und ging zum Schreibtisch, auf dem ihr Handy lag.
»Und wen willst du anrufen?«
»Wen wohl, den tierärztlichen Notdienst.«
»Sicher?«
»Na klar, schau ihn dir doch an.«

Sie blickte zu Samson.

»Ich verstehe dich«, sagte die Stimme in ihrem Kopf, die sich wie eine altkluge Ausgabe ihrer eigenen anhörte. *»Viel Zeit bleibt ihm vermutlich nicht mehr. Aber willst du das wirklich?«*

»Ihn retten?«

»Dich gefährden«, antwortete die Stimme.

Wie vom Donner gerührt brauchte Emma eine Weile, bis sie die Worte verdaut hatte. Dann legte sie ihr Telefon wieder auf den Schreibtisch.

»Du hast recht.«

Ich kann niemanden anrufen.

Denn es würde ja nicht bei dem einen Anruf bleiben. Irgendwann stünde ein Fremder vor ihrer Tür. Ein fremder Tierarzt, den sie hereinlassen musste, denn sie konnte Samson ja schlecht für seine Untersuchung hinaus in die Kälte schicken. Und am Ende müsste sie dann doch in die Tierklinik mitfahren, wenn sich herausstellte, dass man ihn nicht vor Ort behandeln konnte.

»Verdammt«, fluchte sie.

Samson lag mittlerweile seitlich, fast in einer Embryonalstellung, und hechelte. Seine Zunge hing blass aus dem Maul, die Nase war völlig trocken. Ein Blutfaden zog sich von seinen schwarzen Lefzen bis zum Parkett.

»Was ist denn nur los mit dir?«

Und was soll ich nur tun?

Sie konnte keine Fremden ins Haus lassen, nicht in ihrem Zustand. Die einzig logische Alternative jedoch, das Haus zu verlassen, war mindestens genauso furchterregend.

Einen Moment lang überlegte Emma, ob sie Philipp anrufen sollte, doch dann könnte er sein Meeting endgültig vergessen, und das wollte sie ihm nicht antun.

Vielleicht nur ein Virus?
Emma strich Samson übers weiche Fell und spürte kaum noch, wie sich seine Rippen hoben, wenn er atmete. Eine Lungenentzündung war möglich, aber dafür waren die Symptome zu drastisch und zu plötzlich aufgetreten.
Auf jeden Fall erklärte sich jetzt, weshalb Samson schon die ganze Zeit über so schlapp gewesen war.
Mein armer Bär, das sieht mir eher danach aus, als ob dich jemand …
Ruckartig stand sie auf, elektrisiert von dem schockierenden Gedanken.
… als ob dich jemand vergiftet hat!
Das Bild von Salim, der sie fragte, ob es in Ordnung sei, und der Samson ein Leckerli reichte, wollte ihr nicht mehr aus dem Kopf.
Nein, nein, nein. Das ist Blödsinn.
Emmas Gedanken flossen mit halber Kraft im Strom ihres Bewusstseins, die typische Wirkung des Beruhigungsmittels. Sie konnte noch Schlussfolgerungen anstellen, aber alles dauerte doppelt so lange.
Doch nicht Salim. Samson bekommt jedes Mal etwas von ihm, und noch nie ist etwas passiert.
Draußen vor dem Fenster war die Krähe verschwunden. Emma konnte gerade noch ihre Schwanzfedern sehen, als sie exakt in die Richtung davonflog, in die sie sich jetzt auch bewegen müsste.
Der Tierarzt Dr. Plank hatte seine Praxis nur eine Querstraße weiter Richtung Heerstraße.
Dafür müsste sie sich etwas Warmes anziehen, Samson anleinen, ihn eventuell sogar tragen, aber das war nicht das, was ihr so große Sorgen bereitete.
Das größte Problem war die Tatsache, dass sie die Tür öff-

nen und zum ersten Mal seit fast sechs Monaten den Schutz ihrer eigenen vier Wände aufgeben müsste.

»Nein, das geht nicht. Das ist undenkbar«, sagte sie, was natürlich ein Paradoxon war, hatte sie doch eben erst daran gedacht. Auch daran, dass sie es niemals schaffen würde, die Wand, die sich zwischen ihr und der Außenwelt aufgebaut hatte, wieder einzureißen und nicht nur einen, sondern gleich mehrere Schritte in eine Welt zu setzen, mit der sie nichts mehr zu tun haben wollte.

Nein, das schaffe ich nicht.

Auch wenn Dr. Plank der nächste Arzt in Reichweite war, nicht einmal fünf Minuten Fußweg entfernt, und er am Samstag seine Praxis bis achtzehn Uhr geöffnet hielt, während die meisten anderen Tierärzte in Berlin am Wochenende gar keine Sprechstunde hatten.

Dennoch, ich kann das nicht.

Das ist undenkbar.

Eine Viertelstunde lang verharrte Emma reglos neben dem leidenden Tier auf dem Fußboden, bis sie ihre Entscheidung getroffen hatte, es fürs Erste ohne Hilfe von Außenstehenden zu versuchen.

Dann hatte Samson seinen ersten Atemstillstand.

18. Kapitel

Angst frisst sich in die Seele und höhlt den Menschen von innen aus. Dabei ernährt sie sich von der Lebenszeit ihrer Opfer: Um sich etwas Warmes anzuziehen, brauchte Emma eine halbe Stunde, allein für das Binden der Senkel ihrer Schnürstiefel benötigte sie mehrere Anläufe, bevor sie mit klammen Fingern den Reißverschluss ihrer Daunenjacke hochzog und schweißgebadet die Tür aufmachte, was ihr eine weitere gefühlte Ewigkeit abverlangte.

Das Diazepam, das sie mit einem Schluck Leitungswasser heruntergespült hatte, zeigte im Augenblick noch mehr Neben- als Hauptwirkungen. Emma war unendlich müde, aber der Eisenring um ihre Brust wollte sich noch nicht lockern.

Samson hatte glücklicherweise wieder zu atmen begonnen, konnte sich aber keinesfalls mehr lange auf den eigenen Pfoten halten. Deshalb musste Emma zu allem Unglück einen Umweg zum Schuppen auf sich nehmen, einer kleinen, grauen Metallbaracke, die im hinteren Teil des Gartens stand. Wenn sie sich nicht irrte, hing hier noch der Rodelschlitten an der Wand, den Philipp zum Einzug gekauft hatte, in der irrigen Annahme, sie würden ihn häufig benutzen, wo sie doch jetzt so nah am Teufelsberg wohnten.

Nun, heute machte er sich vielleicht als Transportschlitten für Samson bezahlt.

Emma atmete schwer und konzentrierte sich auf den Weg über den verschneiten Rasen. Zaghaft schlurfend, wie man es von Patienten kennt, die nach einer schweren Operation die ersten Gehversuche unternehmen, stakste sie voran.
Jeder Schritt war eine Mutprobe.
Der Weg war so beschwerlich, als müsste sie ihn mit Taucherflaschen auf dem Rücken und Flossen zurücklegen. Ihre Füße versanken bis über die Knöchel, und mehr als ein Mal musste sie innehalten und nach Luft ringen.
Wenigstens zitterte sie nicht, was aber daran liegen mochte, dass ihre Seele ohnehin schon so heftig fror, dass für ein körperliches Kälteempfinden gar kein Platz mehr war.
Oder ich leide schon an »Kälteidiotie«. So nennt man das psychologische Phänomen, dass manche Erfrierende kurz vor dem Tod denken, ihnen wäre furchtbar heiß. Der Grund, weshalb man Frostleichen manchmal nackt im Freien auffindet. Die armen Seelen haben sich im Sterben die Kleider vom Leib gerissen.
Ach, wäre Angst doch ein Hemd, ich würde es zu gerne abstreifen, dachte Emma und wunderte sich, dass sie hier im Garten überhaupt nichts roch. Keinen Schnee, keine Erde, nicht einmal den eigenen Schweiß.
Der Wind stand ungünstig und wehte das Rattern der S-Bahn vom nahe gelegenen Bahnhof Heerstraße über die Gärten. Sie hörte etwas besser als sonst, dafür sah sie schlechter.
Mit jedem Schritt voran schien der Garten schmaler zu werden. Es dauerte eine Weile, bis sie begriff, dass die Panik ihr Blickfeld verengte.
Zuerst verschwanden die Hecken, dann die Knupperkirsche und der Rhododendron, schließlich führte nur noch ein langer schwarzer Tunnel direkt auf den Schuppen zu.

Visuelle Störungen.
Emma kannte die Symptome einer nahenden Panikattacke: trockener Mund, Herzrasen, eine veränderte Farb- und Formwahrnehmung.
Vor lauter Sorge, nie wieder weiterzugehen, wenn sie jetzt erneut stehen blieb, stolperte Emma voran, bis sie endlich den Schuppen erreicht hatte.
Sie riss die Tür auf und griff blind nach dem Schlitten, den Philipp ordentlich direkt an die Eingangswand gehängt hatte.
Ein leichtes, knallrotes Plastikteil von breiter, schaufelartiger Form und zum Glück nicht eines von den altmodischen, schweren Holzdingern mit Kufen, von denen Samson sehr leicht wieder runtergefallen wäre.
Auf dem Rückweg ging es Emma etwas besser. Das Erfolgserlebnis, den Schlitten sofort gefunden zu haben, verlieh ihr etwas Selbstbewusstsein.
Auch ihr Blickfeld war wieder erweitert. Die Hecken standen an ihrem Platz, bewegten sich dafür völlig unnatürlich. Nicht seitwärts, wie vom Wind bewegt, sondern auf und ab wie eine Ziehharmonika.
Das war unangenehm, längst jedoch nicht so furchteinflößend wie die Fußspuren, die Emma auf dem Hinweg gar nicht wahrgenommen hatte.
Sie betrachtete die schweren Stiefelabdrücke vor sich im Schnee. Es waren nicht ihre eigenen, dafür waren sie mindestens drei Nummern zu groß. Sie liefen nur in eine Richtung.
Zum Schuppen.
Emma drehte sich zurück zu dem grauen Gartenhaus, dessen Tür sie offen stehen gelassen hatte.
Bewegte sie sich?

War da jemand drin?
Hatte sie in der Dunkelheit womöglich nach dem Schlitten gegriffen und dabei nur knapp einen Mann verfehlt, der hinter dem Rasenmäher kauerte?
Emma konnte nichts und niemanden erkennen, trotzdem blieb das Gefühl, beobachtet zu werden.
HAU AB!
»Samson«, rief sie und lief schneller. »Samson, komm! Mein Armer, bitte, komm!«
Das leidende Tier tat ihr tatsächlich den Gefallen und rappelte sich mit keuchhustenartigen Lauten von der Fußmatte hoch, auf der er am Fußende der Eingangstreppe auf sie gewartet hatte.
»Danke, mein Lieber. Braver Hund.«
Er schleppte sich auf die Sitzfläche des Plastikschlittens, auf die sie geklopft hatte, und sank schnaufend in sich zusammen.
»Hab keine Angst«, sprach Emma sich selbst und dem Tier Mut zu. »Ich helfe dir.«
Sie tätschelte ihm den Kopf, biss die Zähne zusammen und zog Samson mit Hilfe einer Schlittenleine Richtung Straße.
Unvernünftigerweise drehte sie sich noch einmal um und meinte, einen Schatten hinter dem kleinen Türfenster zu sehen.
Hatte sich der Vorhang eben bewegt?
Nein, er hing ruhig, und es brannte auch kein Licht dahinter, das einen Schatten hätte werfen können.
Und dennoch. Emma fühlte sich von unsichtbaren Blicken verfolgt.

HAU AB.
BEVOR ES ZU SPÄT IST.

Und die Blicke rissen Wunden, aus denen all ihr Mut heraussickerte.
Wäre mein Lebenswille flüssig, würde ich eine rote Spur hinter mir herziehen, dachte sie. *Was praktisch wäre, ihr müsste ich nur folgen, um den Rückweg zu finden.*
Sie griff nach der Schlittenschnur, die ihr kurz aus den Händen geglitten war, und zwang sich wieder voran. Zum Tierarzt.
Fort von dem dunklen Haus in ihrem Rücken, aus dem sie glaubte, von toten Augen hinter dem Fenster beobachtet zu werden. Die auf sie warteten, bis sie zurückkam.
Falls sie das je tat.

19. Kapitel

Wie lange ist er schon in diesem Zustand?«, fragte Dr. Plank, während er Samson abhorchte.
Die arme Kreatur hing an einem Tropf, der ihn mit Elektrolyten und einem Mittel versorgte, das in wenigen Minuten ein Erbrechen herbeiführen sollte. Seitdem der Tierarzt ihn gemeinsam mit Emma auf den Behandlungstisch gehievt hatte, war Samson kaum noch bei Bewusstsein. Hin und wieder erzitterte er beim Ausatmen, aber das waren die einzigen Lebenszeichen.
»Wie lange? Ich, also, ich glaube ...« Emmas Stimme zitterte ebenso wie ihre Knie.
Sie fühlte sich, als wäre sie um ihr Leben gerannt und nicht nur dreihundert Meter um die Ecke gegangen. Dreihundert Meter kamen in ihrer Verfassung einem Marathon gleich.
Das erste Mal allein vor die Tür, und dann mit einem Hund, der dem Tode so nahe ist wie ich dem Irrsinn.
Im Licht der grellen Halogenlampe betrachtet, die über Samson schwebte, konnte sie es selbst kaum fassen, dass sie es geschafft hatte. Hierher zu dem breiten Reiheneckhaus mit der cremefarbenen Fassade und den grünen Fensterläden, dessen Garage vor Jahren schon zum Wartezimmer der Praxis umgebaut worden war. Zum Glück hatte Emma dort nicht lange ausharren müssen. Mit Ausnahme eines kleinen Mädchens, das mit verweinten Augen einen Katzenkorb auf dem Schoß gehalten hatte, war sie die ein-

zige Patientin. Und wegen Samsons schwerer Symptome war sie sofort an die Reihe gekommen.

»Ich bin mir nicht sicher, er wirkt seit heute früh schlapp«, gelang Emma es endlich, ihren Satz zu vollenden. »Ich glaube, es ging so gegen elf Uhr los.«

Der Arzt grunzte, und Emma konnte nicht sagen, ob das ein zufriedenes oder ein besorgtes Grunzen war.

Er war fülliger geworden, seitdem sie ihn zum letzten Mal gesehen hatte, allerdings war das auch schon eine Weile her, in der Davor-Zeit auf dem Nachbarschaftsfest, das jeden Sommer vom Siedlerverein organisiert wurde. Sein frisch gestärkter Kittel spannte etwas um den Bauch des Ein-Meter-neunzig-Mannes. Er hatte ein leichtes Doppelkinn und dickere Wangen angesetzt, was ihn gutmütiger wirken ließ als früher. Plank erinnerte jetzt an einen großen Teddybären mit hellbraunen, verwuschelten Haaren, einer breiten Nase und melancholischen Knopfaugen.

»Hat er etwas Ungewöhnliches gefressen?«

Emma tastete nervös nach dem Kopftuch, das ihre kurzen Haare verdeckte. Wenn Plank sich darüber wunderte, dass sie es nicht abgenommen hatte, ließ er es sich nicht anmerken.

»Ja, also, ich meine, nein. Sie kennen doch Salim.«

»Unseren Paketboten?«

»Er gibt Samson immer einen Hundekuchen, heute auch.«

»Hm.«

Plank kratzte sich die Stirn, und Emma wünschte, sie hätte das nicht gesehen, steckten seine Finger doch in Behandlungshandschuhen aus Latex, ähnlich denen, die ihren Schädel gestreichelt hatten. Damals, in der Dunkelheit des Hotelzimmers.

»Wie geht es jetzt weiter?«, fragte sie den Tierarzt, eine

Hand auf Samsons Brustkorb, den Blick starr auf einen weißen Vitrinenschrank gerichtet, in dem sie mehrere Packungen Mullbinden und Halskrausen fixierte, als wären sie so interessant wie ein Kunstwerk.

»Erst einmal müssen wir abwarten«, antwortete Plank und kontrollierte mit kritischem Blick den Tropf. Er zeigte auf die Abflussrinne des Tisches. »Wir behandeln ihn auf Verdacht, vieles spricht für eine Vergiftung. Sobald er erbrochen hat, geben wir ihm Aktivkohle, um etwaige Schadstoffe zu binden. Meine Assistentin bestellt gerade den Laborkurier. Sobald sie das erledigt hat, legen wir Samson einen Harnkatheter, damit wir eine Rückresorption des Giftes durch die Blasenwand verhindern, und dann gibt's natürlich noch den üblichen Medikamentencocktail.«

Emma nickte. So würde man auch beim Menschen vorgehen.

»Alles auf Verdacht, solange uns kein Blutbild vorliegt.«

»Könnte es noch etwas anderes als eine Vergiftung sein?«

Plank brachte das Kunststück fertig, gleichzeitig zu nicken und mit den Achseln zu zucken. »Unwahrscheinlich. Genaueres wissen wir, sobald die Laborwerte da sind.«

Er tätschelte das Pflaster über der Einstichstelle am Hinterlauf, wo er das Blut abgenommen hatte.

»Ich hab gute Kontakte zur Tierklinik in Düppel, ich krieg die Ergebnisse spätestens morgen früh.«

Emma merkte, wie sich ihre Augen mit Tränen füllten. Sie hätte nicht sagen können, ob vor Erschöpfung oder aus Furcht, es könnte zu spät sein und das Gift sich bereits irreparabel durch Samsons Körper gefressen haben.

»Das Beste wird sein, Sie lassen ihn die nächsten vierundzwanzig Stunden zur Überwachung hier, Frau Stein.«

Plank machte eine kurze Pause, in der er flüchtig, wie aus Versehen, ihre Hand berührte und sie für einen Moment gemeinsam über Samsons Kopf streichelten. »Hier ist er besser aufgehoben als zu Hause.« Dann schob er eine verwirrende Frage hinterher.

»Apropos zu Hause. Ist Ihr Keller wieder trocken?«

»Wie bitte?«

»Der Wassereinbruch im letzten Monat. Hatten wir hier auch mal. Hat eine Ewigkeit gedauert, bis die Heizlüfter wieder abgebaut werden konnten. Ich dachte noch, *Mannomann, die arme Frau Stein.* Ich meine, erst das mit Ihrer Erkrankung und dann noch so was. Braucht ja kein Mensch. Ihr Mann hat mir von dem ganzen Schlamassel mit den geplatzten Leitungen erzählt.«

»Philipp?«

Die Tür zum Behandlungszimmer ging auf, eine korpulente, ältere Frau im Schwesternkittel trat ein. Sie lächelte Emma aufmunternd zu, während sie mit quietschenden Birkenstocksandalen an den Medikamentenschrank trat, vermutlich, um alles Weitere für Samsons Behandlung vorzubereiten.

Plank sprach unbekümmert weiter.

»Ich hab ihn zufällig in der Stadt getroffen. Muss ziemlich genau vor vier Wochen gewesen sein. Ein verrückter Zufall. Ich hatte Notdienst und wurde am Abend in ein Hotel gerufen. Der Chihuahua, weißt du noch?«, rief er der Schwester zu, die müde nickte.

Plank grinste kopfschüttelnd. »Das Spielzeug einer Amerikanerin hatte sich eine Glasscherbe eingetreten. Beim Rausgehen hab ich Ihren Mann in der Lobby sitzen sehen.«

Emma hörte die Worte des Tierarztes und spürte eine Hitzewelle von innen gegen ihren Brustkorb branden.

»Meinen Mann? In der Lobby?«, wiederholte sie wie in Trance.

»Ja. Ich dachte noch: ›Nanu, was macht denn Herr Stein hier?‹, da sah ich die zwei Getränke auf dem Tisch, und als ich ihn begrüßte, klärte er mich auf, dass sie beide hier die Nacht verbringen mussten, bis das Schlimmste vorbei wäre.«

Es klingelte an der Tür, und Planks Assistentin verschwand noch einmal zum Empfang.

»Also nicht, dass ich neugierig gewesen wäre oder ihm etwas unterstellt hätte, aber im Nachhinein dachte ich mir, man hätte schon auf falsche Gedanken kommen können. Ich meine, wer schläft schon in der eigenen Stadt im Hotel, wenn er …?«

»… keine Handwerker im Haus hat«, ergänzte Emma tonlos.

Die sich um das Kinderzimmer kümmern.

Das nie gebraucht wird.

Oder um einen Wasserschaden.

Den es nie gegeben hat.

»Nun ja, ich hoffe, die Pumpen sind abgebaut und Ihr Estrich wieder trocken. Frau Stein?«

Emma löste ihre verkrampfte Hand aus Samsons Fell und begriff, dass sie Plank schon eine geraume Zeit ausdruckslos angeglotzt haben musste. Ohne das Beruhigungsmittel hätte sie vermutlich laut aufgeschrien, so aber hatte das Diazepam ihren Emotionen einen Schalldämpfer verpasst.

»Ist alles okay mit Ihnen?«

Sie rang sich ein Lächeln ab. »Ja, alles in Ordnung. Ich bin nur wegen Samson etwas aus der Fassung.«

»Das verstehe ich.« Plank berührte sanft ihre Hand. »Machen Sie sich um ihn keine Sorgen. Er ist in den besten

Händen. Und lassen Sie sich draußen am Empfang eine Karte mit meiner Handynummer geben. Für den Fall, dass Sie Fragen haben, können Sie mich jederzeit anrufen.«

Emma nickte. »Eine Frage habe ich jetzt schon«, sagte sie, halb im Gehen.

»Die wäre?«

»Das Hotel.«

»Ja?«

»Das, in dem Sie meinen Mann getroffen haben. Erinnern Sie sich noch an den Namen?«

20. Kapitel

Emma öffnete den Mund und wartete darauf, dass sie ihre Kindheit schmecken würde, sobald sich ihr die Schneeflocken auf die Zunge legten.
Doch das sinnliche Erlebnis blieb aus.
Der Duft des Winters, der Geruch des Windes, der Geschmack des Schnees und alle anderen Empfindungen, die man nicht beschreiben, sondern nur erleben konnte und die einen an die erste Schlittenfahrt, an beschwerliche Fußmärsche mit nassen Socken und einen Sturz mit dem Fahrrad erinnerten, aber auch an das wohlig heiße Bad am Abend, die warme Milch auf der Fensterbank, in die man seinen Lebkuchen tunkte, während man die Meisen dabei beobachtete, wie sie das ausgestreute Futter aus dem Vogelhaus pickten – an nichts davon konnte Emma sich entsinnen.
Ihr war einfach nur kalt. Der Rückweg lang und mühsam, auch ohne den Schlitten, den sie in der Praxis zurückgelassen hatte. Vorsichtig tastete sie sich Schritt für Schritt auf dem zum Teil vereisten Bürgersteig voran, lauschte dem Knirschen ihrer Schuhe.
In ihrem ersten Dezember hier in der Teufelssee-Allee hatte Emma noch gedacht, die Siedlung wäre wie für Weihnachten geschaffen. Kleine, gemütliche Häuser mit dicken Kerzen in den Fenstern, immergrünen Tannen in den Vorgärten, die nicht mehr als eine Lichterkette benötigten, um weihnachtlich geschmückt zu wirken. Kaum Autos, die

mit ihrem Lärm die Atmosphäre trübten und vor denen sich die Füchse in Acht nehmen müssten, die am frühen Nachmittag aus dem Grunewald auf die Straße huschten. Selbst die meist etwas älteren Anwohner passten ins Bild. Beschürzte Frau-Holle-Damen, die mit ihren Einkaufstrolleys vom Wochenmarkt in der Preußenallee kamen, weißhaarige Männer in aufgeplusterten Cordhosen, die mit einer Pfeife im Mund den Gehweg vom Schnee befreiten und bei denen man sich nicht gewundert hätte, wenn sie einem »Ho, ho, ho« zur Begrüßung zugerufen hätten.

Im Moment aber war, abgesehen von einem Jugendlichen, der von seinen Eltern wohl dazu verdonnert worden war, die Einfahrt zu streuen, keine Menschenseele zu sehen.

Wenigstens etwas.

Emma hätte es nicht ertragen, von einem Nachbarn aufgehalten und in einen Smalltalk verwickelt zu werden.

»Na, Frau Stein, das nenn ich aber eine Überraschung. Wir haben Sie ja schon lange nicht mehr gesehen! Sie haben mindestens vier Gemeindefrühstücke verpasst.«

»Ja, tut mir leid. Ein Vergewaltiger hat mir seinen Penis in meine viel zu trockene Vagina gesteckt und mir danach meine Haare abgeschnitten. Seitdem bin ich etwas durcheinander, aber wenn es Ihnen nichts ausmacht, dass ich während des Essens plötzlich schreiend aufstehe, meinen Kopf gegen die Tischkante schlage oder mir einzelne Haarbüschel vom Kopf reiße, nur weil ich für eine Sekunde denke, der Mann, der mir gegenübersitzt, könnte der Urheber meiner paranoiden Panikattacken sein, dann komme ich das nächste Mal sehr gerne wieder zum Frühstück vorbei und würde auch ein paar Croissants mitbringen. Wie hört sich das an?«

Emma lächelte kurz über diesen absurden inneren Dialog, dann fing sie an zu weinen. Tränen rannen ihr übers schneefeuchte Gesicht. Sie ging um die Ecke, bog nach rechts in ihre eigene Straße, dann, nach einigen kurzen Schritten, musste sie sich atemlos an einem Zaun festhalten.

Verdammt, Emma. Du blöde Kuh.

Sie konnte, nein, sie *wollte* nicht fassen, wie weit es mit ihr gekommen war. Noch vor wenigen Monaten hatte sie eine exzellent gehende Praxis geleitet. Heute konnte sie die einfachsten Alltagstätigkeiten nicht mehr verrichten und scheiterte an einem lächerlichen Fußweg von wenigen hundert Metern.

Und das alles nur, weil ich damals nicht zu Hause übernachtet habe.

Selbstmitleid. Selbstvorwürfe. Selbstmord.

Emma kannte den tragischen Dreiklang, und sie müsste lügen, wenn sie behaupten würde, dass sie an die letzte Option noch nie gedacht hätte.

Wie lächerlich, sagte ihr Verstand.

Wie unvermeidlich, sagte der Teil des menschlichen Systems, der im Grunde alle Entscheidungen bestimmte und der sich weder kontrollieren noch heilen ließ, sondern immer nur verletzen: die Seele.

Das Problem mit psychischen Erkrankungen war die Unmöglichkeit von Selbstdiagnosen. Sein Gehirn mit dem eigenen Gehirn verstehen zu wollen, war in etwa so erfolgversprechend wie der Versuch eines einarmigen Chirurgen, die eigene Hand wieder anzunähen. Es kann nicht funktionieren.

Emma wusste, dass sie überreagierte. Dass es unter Garantie eine harmlose Erklärung dafür gab, weshalb der Tierarzt Philipp in dem Hotel getroffen hatte.

»Le Zen. *Ein Asia-Kitsch-Palast, finden Sie nicht?*«
Und vermutlich löste sich auch das Rätsel um das Paket mit einer lächerlich einfachen Begründung.
Es war sinnlos, Stunden darüber nachzugrübeln, ob Salim ihr wirklich eine Sendung für den Nachbarn gegeben hatte, denn die Alternative, nämlich, dass sie den Verstand verloren hatte, würde ihr eigenes Gehirn niemals als Erkenntnis akzeptieren. Möglicherweise war sie Salim heute gar nicht begegnet, vielleicht hatte nicht der Postbote bei ihr geklingelt, sondern ein Fremder, der Samson kein Leckerli gab, *sondern Gift?*
Vielleicht war sie eben auch gar nicht beim Tierarzt gewesen, sondern lag festgeschnallt auf der geschlossenen Abteilung der Bonhoeffer-Nervenheilanstalt?
Emma hielt dies für nicht sehr wahrscheinlich. Derartige schwere, audiovisuelle schizophrene Schübe waren äußerst selten und wurden nicht durch ein einziges traumatisches Ereignis ausgelöst. Ihnen gingen langjährige, schwerste Schädigungen voraus. Aber dieser Gedanke konnte auch eine Schutzbehauptung sein, die sie denken *musste!*
Im Grunde war sie sich sicher, dass sie zwar ihre Selbstbeherrschung und sämtliche sozialkommunikativen Fähigkeiten verloren hatte, nicht aber den kompletten Bezug zur Realität. Eine hundertprozentige Sicherheit konnte es jedoch nie geben, schon gar nicht, wenn die Seele so schwere Verletzungen erlitten hatte wie ihre.
»Das Paket war da!«, sagte sie laut, um sich aus dem Teufelskreis ihrer Gedanken zu reißen. Sie wiederholte den Satz noch einmal, wie um sich selbst Mut zuzusprechen. »Das Paket war da. Ich hatte es in der Hand.«
Sie sagte es noch drei weitere Male, und mit jeder Wiederholung fühlte sie sich etwas besser. Mit wiedergefundener

Entschlusskraft zog sie ihr Handy aus der Tasche und wählte die Nummer ihres Mannes.
Es tutete einmal, dann ging die Mailbox ran.
Auf der A10 war stellenweise schlechter Empfang, vielleicht fuhren sie auch gerade durch einen Tunnel. Jedenfalls war Emma ganz dankbar, dass sie ihre Nachricht ohne kritische Zwischenfragen loswerden konnte.
»Schatz, ich weiß, es klingt komisch, aber es könnte sein, dass unser Postbote nicht ganz koscher ist. Salim Yüzgec. Kannst du seinen Hintergrund irgendwie überprüfen?«
Sie erklärte ihm den Grund ihres Verdachts und schloss mit den Worten: »Und dann ist da noch was. Der Tierarzt meinte, er hätte dich im *Le Zen* getroffen. Du hättest ihm etwas von einem Wasserschaden erzählt. Kannst du mir erklären, was es damit auf sich hat?«
Dann steckte sie das Telefon zurück in ihre Hosentasche und wischte sich den Schnee von den Augen.
Erst als sie einen Schritt zurücktrat, registrierte sie, an welchem Zaun sie sich die ganze Zeit über festgehalten hatte.
Die Gartenpforte hatte schon bessere Tage gesehen und hing windschief an einem verrosteten Eisengestänge. Sie war mit Maschendraht ausgefüllt, der weitaus größere Löcher zeigte, als üblich waren. Ein Briefkasten fehlte, und statt eines Namensschilds hatte jemand einen einfachen Streifen Klebeband an die Türkante geklebt und mit einem wasserfesten Textmarker beschrieben.
Die Buchstaben waren schon etwas verwaschen, und Emma sah zur Sicherheit noch einmal hoch zu dem altertümlichen Emaille-Schild, das in ortsüblicher Weise zwischen Küchenfenster und Gästetoilette direkt am Haus angebracht war: Teufelssee-Allee 16a.
Kein Zweifel.

Ihr Blick wanderte zurück zum Zaun. Für einen winzigen Augenblick hatte sie Angst, die Buchstaben auf dem Klebestreifen könnten sich ebenso in Luft aufgelöst haben wie das Paket auf ihrem Schreibtisch, aber da standen sie immer noch, unverändert:

A. P.

Wie für »A. Palandt«.

Im Bruchteil der nächsten Sekunde traf Emma eine folgenschwere Entscheidung.

21. Kapitel

Der Gedankengang war simpel:
Gibt es die Karte, gibt es auch das Paket.
Ein einfacher Beweis.
Sollte Salim, wie von ihm angekündigt, bei A. Palandt eine Benachrichtigungskarte eingeworfen haben, hatte er Emma zuvor auch das Paket ausgehändigt.
So einfach, so logisch.
Das Naheliegendste, was Emma hätte tun können, um Gewissheit zu erlangen, war, an der Haustür zu klingeln und Palandt danach zu fragen, sollte er in der Zwischenzeit zurückgekommen sein. Doch das kam nicht in Betracht. Nicht nach dem, was Emma heute Vormittag im Internet gesehen hatte. Allein bei der Vorstellung, die Tür könnte sich öffnen und ein Mann, der auch nur vage dem Kerl aus dem Fahrstuhl ähnelte, würde vor ihr stehen, wurde ihr schlecht vor Angst.
Nein, das Einzige, was gerade noch in Frage kam, war, einen raschen Blick in den Briefkasten zu werfen, der – und vor diesem Problem stand sie nun – bei diesem Haus anscheinend gar nicht vorhanden war. Und auch sonst schien hier in letzter Zeit so einiges abhandengekommen zu sein.
Emma erinnerte sich daran, dass die zierliche Witwe, die hier alleine wohnte, das Heim immer in Schuss gehalten hatte. Nun fehlten in den Außenlampen die Leuchtmittel, die kleinen Gartenkunstwerke aus Ton waren verschwun-

den. Soweit Emma das sehen konnte, gab es auch keine Vorhänge mehr hinter den Fenstern, weswegen das schlichte graue Haus mit dem groben, pockennarbenartigen Putz nicht nur ungemütlich, sondern geradezu verlassen schien.
Ich denke, hier ist niemand.
Die Gartentür, an der sie gelehnt hatte, klemmte, dafür stand die Zufahrt zum Carport daneben sperrangelweit offen. Sie sollte ihren Plan aufgeben und nach Hause gehen. Aber Emma fühlte sich wie magisch von den offen stehenden Toren angezogen. Und, wenn sie ehrlich war, wusste sie auch, was der Grund dafür war: Es ging ihr nicht allein darum, die Existenz des Pakets zu beweisen. Sie wurde von dem paranoiden Zwang getrieben, sich Gewissheit über die Identität A. Palandts zu verschaffen.
So unwahrscheinlich es auch sein mochte, dass dieser Mensch irgendetwas zu tun hatte mit dem Friseur und dem, was ihr angetan worden war, so sicher war es, dass sie der Gedanke an diesen Fremden und daran, was sich womöglich in dem Paket befand, in den Wahnsinn treiben würde, sollte sie ihrem Verdacht nicht nachgehen.
Und so versank Emma auf ihrem Weg zum Haus in dem knöchelhohen Schnee der Zufahrt. Die Nässe, die ihr durch die Schnürsenkellöcher in die Stiefel kroch, machte ihr nichts aus, auch nicht, dass ihr Kopftuch vom Schnee immer mehr durchfeuchtet wurde und ihr die kurzen Haare auf dem Kopf platt drückte.
Unangenehmer waren die bohrenden Blicke, die sie in ihrem Rücken zu spüren glaubte. Nachbarn, die am Fenster standen und beobachteten, wie sie sich auf den Weg zum Hauseingang machte. Der lag nicht wie üblich nach vorne zur Straße raus, sondern führte seitlich ins Haus. Er war mit Wellblech überdacht und ruhte im Schatten einer Vor-

gartentanne, die ihre Zweige wie einen Vorhang über die zur Haustür führende Klinkertreppe warf.
Sie stieg die vier Stufen nach oben und sah zur Straße zurück, konnte aber niemanden erkennen. Keinen, der sie aus dem Auto heraus oder von einem Nachbargrundstück beobachtete, und auch keinen Passanten, der sich fragte, weshalb die Frau, die sich ein halbes Jahr lang nicht in der Öffentlichkeit hatte blicken lassen, auf einmal vor einer fremden Haustür in die Hocke ging.
Wie sie es befürchtet hatte, wurde bei A. P. die Post direkt durch einen dafür vorgesehenen Schlitz in der Tür geworfen.
Verdammt.
In einem Briefkasten hätte sie mit ihren schmalen Fingern vielleicht noch die Karte ertasten können, *aber so?*
Emma hob das Metallscharnier an, spähte durch den Schlitz und sah natürlich nichts. Drinnen im Haus war es dunkler als draußen.
Sie zog ihr Handy heraus und aktivierte mit klammen Fingern die Taschenlampen-Funktion.
In weiter Ferne bellte ein Hund, und das Geräusch vermischte sich mit dem allgegenwärtigen Rauschen der Heerstraße, das ihr gewöhnlich nur noch auffiel, wenn Bekannte, die sie das erste Mal besuchten, in ihrem Garten saßen und sie darauf ansprachen.
Oder wenn die Furcht ihre Sinne schärfte.
Nicht nur die Furcht vor einer Entdeckung (denn was sollte sie sagen, wenn plötzlich die Tür aufging?), sondern auch die Angst davor, sich psychisch vollkommen zu übernehmen. Bis heute Vormittag noch war ihr die Welt vor der eigenen Haustür wie ein tosender Ozean erschienen, mit ihr als Nichtschwimmerin am Strand, und jetzt

war sie im Begriff, sich viel zu weit aufs offene Meer hinauszuwagen.

Aber ich kann nicht anders.

Der Schein der Telefontaschenlampe brachte keine weiteren Erkenntnisse. Emma konnte in dem schmalen Ausschnitt und dem schrägen Winkel, der ihr zur Verfügung stand, nur wenige Dielenbretter ausmachen und etwas, was tatsächlich wie Papier oder Briefe aussah, die verstreut darauf herumlagen – aber ob sich die Paketkarte darunter befand? Unmöglich zu sagen.

Okay, das war's dann.

Emma fühlte sich erleichtert, als sie wieder aufstand. Ihr Gehirn hatte einen akzeptablen Grund gefunden, weshalb sie ihren Plan nicht vollenden konnte. Es war ein gutes, ein gesundes Zeichen, dass sie noch nicht so impulsgesteuert war, unter der Fußmatte nach versteckten Ersatzschlüsseln zu suchen, an dem Seitenfenster zum Gäste-WC zu rütteln oder einfach nur an dem Türknauf zu drehen, der …

… sich problemlos bewegen lässt!

Emma zog die Hand zurück. Es knarzte laut, als das Türblatt sich schleifend über den dunklen Dielenboden bewegte und dabei die Post vor sich her nach innen schob. Emma warf einen Blick über die Schulter, aber da war niemand hinter ihr; wenigstens niemand, den sie sehen konnte. Als sie sich wieder umdrehte, stellte sie fest, dass es im Haus gar nicht so dunkel war, wie sie anfangs gedacht hatte. Schales, gelbstichiges Licht fiel aus einem der hinteren Zimmer in den Flur, und in dessen Schein sah Emma, dass sich die Eingangstür mit einer Postwurfsendung verkeilt hatte.

Und dann war da noch etwas.

Etwas, was sie dazu brachte, zwei Schritte in das fremde Haus hineinzugehen, obwohl der schlanke, kindshohe Gegenstand, auf den sie sich zubewegte, eher abstoßend als anziehend auf sie wirkte.
Doch da Emma nicht glauben konnte, was hier im Flur herumstand, direkt neben einem kahlen Garderobenständer, und da sie Angst hatte, es könnte pure Einbildung sein, eine Vision, die ihr paranoides Gehirn produzierte, um den Verfolgungswahn weiter anzufüttern, *musste* sie sich aus nächster Nähe davon überzeugen.
Emma streckte die Hand aus.
Spürte ihren eigenen Atem, denn hier drinnen war es nur unwesentlich wärmer als draußen.
Berührte das kalte Styropor.
Und fühlte einen Klebestreifen an der Nachbildung des menschlichen Kopfes, an dem sich einige Haare verfangen hatten.
Kein Zweifel.
Das ist ein Perückenständer.
Gleichzeitig mit dieser Erkenntnis, die ein eigentümliches Taubheitsgefühl in Emmas Händen auslöste, begann ihr Handy zu summen.
Zum Glück hatte sie auf Vibrationsalarm gestellt, sonst wäre das Läuten wie Kirchenglockenschläge durch den Flur gehallt.
»Hallo?«, nahm sie das Gespräch an, als ihr klarwurde, dass die Tierarztpraxis am anderen Ende der Leitung war. Neben dem Perückenständer war die Sorge um Samson ein weiterer Grund, das Haus so schnell wie möglich zu verlassen.
»Frau Stein, Praxis Dr. Plank hier, entschuldigen Sie die Störung. Aber wir haben ein Problem mit der Anzahlung

für die Laboruntersuchung. Die Tiernotstelle Düppel behauptet, Ihre Kreditkarte sei gesperrt.«

»Das muss ein Irrtum sein«, flüsterte Emma auf dem Weg nach draußen, der ihr plötzlich versperrt war. Nicht durch einen Menschen und auch nicht durch einen Gegenstand, sondern wegen des Lichts.

Helles, weißes Xenonlicht, das die Zufahrt ausleuchtete bis in das Haus hinein, in das sie gerade unbefugt eingedrungen war.

Breite Scheinwerferkegel tasteten die Zaunhecke ab, als der Wagen mit blubberndem Motor im Schritttempo in die Einfahrt zum Carport bog.

22. Kapitel

H*interausgang.*
Das war das Einzige, woran sie denken konnte, kaum dass sie das Gespräch weggedrückt hatte.
Emmas Körper hatte in den Fluchtmodus geschaltet, jede Müdigkeit für den Moment unterdrückt, und sie fühlte sich sogar klar bei Sinnen. Die Angst, entdeckt zu werden, hatte den Nebel zerrissen, durch den sie dank Diazepam gewatet war.
Wenigstens für den Moment.
Es muss hier einen Hinterausgang geben, dachte sie.
Unter gar keinen Umständen wollte sie vorne hinaus. Wieder über die Post hinweg, die Klinkertreppe hinab und dem Besitzer des Perückenständers in die Arme laufen, während der gerade aus seinem Auto stieg.
Also nach hinten.
Und nichts wie weg.
Wenn das Haus wie die meisten in der Siedlung aus den zwanziger Jahren des vorherigen Jahrhunderts stammte, hatte es einen ähnlichen Grundriss mit einem zu einer Terrasse führenden Wohnzimmer.
Emma eilte den Flur hinab und öffnete die erste Tür rechts zu einem größeren, noch dunkleren Raum.
Erst befürchtete sie, die Außenjalousien könnten herabgelassen sein, aber es waren nur schwere, nach Staub und kaltem Rauch miefende Vorhänge, die sie von den großen Fenstertüren reißen musste.

Tatsächlich führten sie zum Garten, der sich vor ihr wie ein langes, schmales Handtuch erstreckte.
Die Fenster waren alt, durch die welligen Scheiben erschien die Welt wie durch ein Fischaugenobjektiv. Die verzerrte Aussicht auf eine gewaltige Trauerweide, mehrere knochige Obstbäume und verstreut herumliegende, schneebedeckte Findlinge interessierten Emma jedoch nicht im Geringsten.
Sie hörte Schritte im Eingang, sog die partikelgeschwängerte Luft ein, unterdrückte ein Husten und versuchte, so wenig Geräusche wie möglich zu machen, während sie den Griff der Fenstertür langsam gegen den Uhrzeigersinn drehte.
Das Schrillen, als sie an der verklemmten Tür zog, zerrte schmerzhaft an ihren Trommelfellen. Lauter als eine Schulklingel, die zur großen Pause läutet, hallte der Lärm durchs gesamte Haus.
Eine Alarmanlage?
Palandt hatte doch wohl nicht die Haustür offen stehen gelassen, den Ausgang zum Garten aber elektronisch gesichert?
Das ergab keinen Sinn, zumal es hier nichts zu sichern gab, wenn man von der Ärmlichkeit des Wohnzimmers ausging.
Das Sofa zu Emmas Linken war zur Hälfte mit alten Zeitungen bedeckt, auf der anderen schälte sich eine Sprungfeder durch den Stoffbezug. Als Couchtisch musste ein umgedrehter Bierkasten herhalten. Naiv gezeichnete Pferdeköpfe glotzten von den Wänden herab, es gab keinen Esstisch, keine Bücherregale, keine Teppiche oder Stühle. Dafür eine hässliche Hundestatue auf einem Fußabtreter direkt neben der Tür. Ein sitzender Porzellanlabrador, der

als Schirmständer benutzt werden konnte. Sie musste an Samson denken.
Wie gerne hätte ich dich jetzt an meiner Seite!
Ansonsten stand nur noch eine leere Spanholzvitrine schräg im Raum, wie nach einem Umzug von den Packern hastig abgestellt.
Definitiv nichts, was für einen Einbrecher interessant wäre, und doch hatte eben ein durchdringendes Klingeln die Stille zerrissen.
Emma schwitzte, und ihr Mund war wie ausgetrocknet, aber das Diazepam und ihr Adrenalin leisteten gute Teamarbeit. Die Angst beflügelte sie, die Müdigkeit pausierte. Ihr fiel sogar auf, dass es nur ein Mal geschellt hatte, was ebenfalls ungewöhnlich für einen Überfallalarm war.
Emma ließ den Griff los und wollte sich gerade mit der Schulter gegen die offenbar verklemmte Fenstertür drücken, als sie Stimmen hörte.
Ausländische Stimmen.
Albaner, Slowenen, Kroaten?
Sie konnte es nicht sagen, nur, dass keine von ihnen zu A. Palandt gehören konnte, denn die beiden Männer, die offenbar erst an der Haustür geklingelt hatten und sich jetzt mit aggressiven, lauten Rufen den Flur hinabbewegten, brüllten immer wieder den Nachnamen des Hausbesitzers.
»PAAALANDT??? PAAAAALANDT!!!!«
Einer von ihnen hörte sich an wie nach einer Kehlkopfoperation, heiser und rasselnd. Die andere, bellende Stimme schien direkt aus dem Magen eines Bullterriers zu kommen.
Zwischen ihren Rufen zischten sie einander etwas in ihrer Landessprache zu, was alles andere als freundlich klang.
»AAANTON???!!!!«

Jetzt kannte sie also seinen Vornamen, nicht aber den Weg hier raus.
Emma zog und drückte erfolglos an der Terrassentür. Die saß fest, wie verleimt oder zugenagelt, im Gegensatz zu der Wohnzimmertür, durch die sie gerade den Raum betreten hatte. Die wurde aufgetreten, mit einer Wucht, die sie beinahe aus den Angeln hob.
Hätte der erste der beiden Männer sich nicht wegen einer unverständlichen Bemerkung zu seinem Begleiter nach hinten umgedreht, wäre Emma sofort entdeckt worden. So aber blieb ihr ein Moment, um zur Seite zu huschen, an der leeren Vitrine vorbei, hinter der sie sich eigentlich verstecken wollte, die ihr aber, wie sie jetzt feststellte, die Sicht auf etwas versperrt hatte, das für den ersten Moment ihre Rettung war: eine Durchgangstür.
Sie stand offen, und Emma schlich sich hindurch, während hinter ihr die Männer in ihrer Landessprache zu fluchen schienen.
Haben sie mich gesehen?
Sie verlor keine Zeit mit Nachdenken, schaute nicht zurück, nur nach vorn, und da lag eine Treppe.
Sie führte die Innenwand der Doppelhaushälfte nach oben.
›Oben‹ ist gut …
… Zumindest besser als unten … *zum Keller,* in den man nur in Horrorfilmen hinabstieg, wenn man in Gefahr war.
Nicht aber in einem fremden Haus, auf der Flucht vor fremden Männern, die einen fremden Nachbarn suchen, um mit ihm etwas zu machen, wofür sie sich vermutlich keine heimlichen Zeugen wünschen.
Also hielt sich Emma an einem schmalen Geländer fest und bemühte sich, die alten, ausgetretenen Holzstufen so leise wie möglich nach oben zu steigen.

Hinter ihrem Rücken gab es einen Knall, wahrscheinlich hatten die Typen die Vitrine umgeworfen. Glas klirrte, doch das lauteste Geräusch war ihr eigener Atem.
Im ersten, weiterhin sehr düsteren Obergeschoss angekommen, tastete sich Emma an der Raufasertapete der Flurwand entlang zu einer Tür.
Abgeschlossen. Genauso wie die zweite, direkt gegenüber.
Das gibt es doch nicht.
Sie lief weiter, auf einen hellen Schlitz am Ende des Flurs zu. Eine weitere Tür, unter der das Licht nach draußen in den ansonsten dunklen Gang fiel, der ihr wie ein Tunnel vorkam. Aber auch die ließ sich nicht öffnen.
Emma wollte schreien vor Wut, Angst und Verzweiflung, doch das taten bereits die Männer im Erdgeschoss.
»PAAALAAANDT!«
Nicht nur ihr Gebrüll, sondern auch ihre Schritte kamen näher. Harte, schwere Stiefel, die um einiges schneller die Stufen nahmen, als sie es eben getan hatte.
Sie wandte sich nach links, hatte komplett die Orientierung verloren, ob sie zur Garten- oder Straßenseite stand, und rüttelte an einer weiteren Klinke.
Nichts.
Mit der Kraft der Verzweiflung warf sie sich schließlich in einem letzten Versuch dagegen – und flog beinahe in das Zimmer.
Sie strauchelte, rutschte an der Klinke ab, schlug mit den Knien auf den Boden, der mit Teppich ausgelegt war, und verhinderte mit den Ellbogen, dass sie sich den Kopf aufschlug.
Mist.
Sofort stand sie wieder auf und schloss die Tür von innen.
Haben die mich gehört?

Von einem Schwindelgefühl erfasst, suchte sie nach einer Möglichkeit, sich festzuhalten, und stieß dabei auf eine kleine Kommode, neben der sie in die Knie ging, wobei ihr nicht bewusst war, dass sie sich erst vor wenigen Stunden in exakt der gleichen Haltung versteckt gehalten hatte.
Den Rücken an der Wand, den Blick auf ein großes Bett gerichtet.
Es war etwas wärmer als im Rest des Hauses, sie roch Schweiß und einen anderen, leicht fauligen Geruch.
Entweder waren die Vorhänge hier oben nicht so dicht wie im Wohnzimmer, oder die Aufregung hatte ihre Sinne mittlerweile geschärft. Jedenfalls sah Emma nun mehr als nur Schatten und Schemen.
Palandts Schlafzimmer, in dem sie sich ganz offensichtlich befand, wurde von einem altertümlichen Baldachinbett dominiert.
Es war frisch gemacht, eine Patchwork-Tagesdecke wölbte sich über dicke Daunendecken, deren Zipfel am Fußende herausschauten.
Kissen verschiedener Größen standen ordentlich in drei Reihen geschichtet vom Kopfende an auf dem oberen Drittel des Bettes.
Wie in einem Hotel, musste Emma denken und hasste diesen Vergleich.
»PAAALAAAANDT?«
Die Männer, oben angekommen, rüttelten an denselben Türen wie sie vorhin, nur dass sie dabei weniger zimperlich vorgingen.
Holz splitterte, Angeln knirschten.
Und Emma wusste nicht, wohin.
Unter das Bett?
Nein. Hier würden sie als Erstes nachsehen!

Große Schränke gab es nicht, nur eine rollbare Kleiderstange, einen stummen Diener neben dem Fenster und einen Nachttisch, direkt vor ihr, auf dem eine halbe Apotheke an Pillendosen, Sprays, Tablettenfolien und anderen Medikamenten stand.
Plötzlich hörte sie nichts mehr, nur noch das ständige Angstrauschen in ihrem Ohr, dann war die sprichwörtliche Ruhe vor dem Sturm vorbei. Die Schlafzimmertür krachte auf, prallte an die Kante der Kommode, neben der sie kauerte, und sie wurde geblendet.
Hell, gleißend. Licht.
Viel zu hell strahlte es von der Decke, gnadenlos auf das Bett und alles andere herab.
Also auch auf mich.
Emma schloss die Augen – nicht in einer Art kindischem Reflex in der Hoffnung, nicht gesehen werden zu können, nur weil sie selbst blind war, sondern weil sie sich geirrt hatte.
Das Ding neben dem Fenster war kein stummer Diener, sondern ein weiterer Kopfständer. Und der war nicht nackt, so wie unten im Flur, sondern das Styropor trug die stumpf wirkende, blonde Langhaarperücke einer Frau.
Was hab ich blöde Kuh nur getan? Wo bin ich hier hineingeraten?
Zwischen die Fronten zweier Schläger und einem Perversen?
Sie hörte, wie ein Paar Stiefel in den Raum trat, traute sich immer noch nicht, die Augen zu öffnen ... und auf einmal klingelte ihr Handy.
Scheiße.
Laut, durchdringend. Wie der Alarm gerade eben.
Scheiße, scheiße, scheiße!

Der Schweiß trat ihr aus den Poren, als wäre die Zimmertemperatur auf die einer Sauna hochgeschnellt.
Sie wusste, dass es jetzt aus war. Dass sie nicht einmal mehr die Zeit haben würde, um Hilfe zu schreien, sobald sie ihr Handy aus der Hosentasche gezogen und den Anruf entgegengenommen hatte, und dennoch versuchte sie es.
Zu spät.
Sie hielt das Telefon in der Hand. Starrte auf ein dunkles Display. Verfluchte den Anrufer, der es nur zweimal hatte klingeln lassen, um sie zu verraten, und hörte den Mann mit dem Bullterrierbass dreckig lachen.
Sie schlug die Augen auf, in der festen Gewissheit, ihrem Tod ins Gesicht zu sehen, doch da war niemand.
Und auch das Lachen wurde leiser, entfernte sich vom Schlafzimmer, den Gang hinunter, gemeinsam mit den Geräuschen, die das Stiefelpaar des zweiten Mannes auf den Dielen erzeugte.
Erst als die beiden die Treppe wieder hinabstiegen, wurde Emma klar, dass nicht ihr Telefon, sondern das des Bullterriers geklingelt hatte.
Eingestellt auf den identischen Standardton, mit dem auch ihr Handy läutete. Angerufen von irgendjemandem, der den Mann zum Lachen gebracht und ganz offensichtlich etwas gesagt hatte, das die beiden dazu brachte, ihre Suche abzubrechen.
»Haut ab, wir haben Palandt gefunden.«
oder
»Vergesst den Nachbarn, es gibt einen anderen Auftrag.«
oder
»Hi, ich bin's, Anton Palandt. Man nennt mich auch den Friseur. Ich weiß, wir waren bei mir zu Hause verabredet,

aber könnt ihr kurz mal woanders hinkommen? Ich hab hier gerade Probleme mit einer sterbenden Nutte.«
Was auch immer es gewesen war, Emma fühlte sich, als hätte der Anrufer ihr das Leben gerettet.
Vorerst.
Sie rappelte sich auf, hielt sich an der Kante der Kommode fest, überlegte, ob sie sich eine der Pillendosen vom Nachttisch schnappen sollte, die, wie sie jetzt im grellen Licht der Deckenlampe erkannte, alle mit kyrillisch anmutenden Schriftzeichen beschrieben waren. Aber dann blieb ihr keine Zeit mehr, diesen Entschluss in die Tat umzusetzen.
Direkt vor ihr ging ein Ruck durch die Kissen.
Die Tagesdecke wölbte sich, buchtete sich an einigen Stellen unförmig aus, wie der Bauch einer Schwangeren, in der das Ungeborene herumtritt.
Dann schob sich ein Arm unter der nun freigelegten Daunendecke hervor, und ein kahlköpfiger, spindeldürrer Mann setzte sich auf.

23. Kapitel

Sein Oberkörper war nackt und knochig, er sah aus wie ein Hunger leidender Gefangener.
Seine Augen waren weit aufgerissen, sie schwammen in einem Tränenbad. Er blinzelte kein einziges Mal.
Nicht, als er den Kopf zu ihr drehte.
Nicht, als er sie unverwandt anglotzte.
Nicht einmal, als sie einen spitzen Schrei ausstieß und aus dem Zimmer rannte. Den Flur entlang, die Treppe hinunter zum Ausgang, wo sie erst glaubte, den Männern in die Arme zu laufen. Dabei war es nur der Perückenständer in der Diele, den sie umriss, wodurch sie selbst zu Fall kam. Sofort stand sie wieder auf und rannte zur Straße, ohne einen Gedanken an Nachbarn und andere Beobachter zu verschwenden. Sie rutschte mehrfach auf dem vereisten Kopfsteinpflaster weg, aber nie so schlimm, dass sie ein zweites Mal fiel.
Emma rannte, rannte und rannte … Erschrak vor knirschendem Schotter, den sie selbst aufwirbelte. Vor dem Keuchen, das ihre eigenen Lungen verursachten.
Sie presste ihre Hand auf die Stelle, wo das Seitenstechen am schlimmsten war, rannte weiter, bis sie endlich vor ihrem Haus stand. Dem einzigen frei stehenden Objekt in der Gegend, von Philipp gesichert wie eine Bank, mit elektronischen Sperrschlössern, für die sie einen Transponder brauchte. Einen runden, münzförmigen Chip, den man unter das Schloss halten musste, bis es zweimal piepte, und

den Emma jetzt aus ihrer Jeans zog, während sie die Klinkertreppe nach oben stieg.
Und den sie beinahe fallen ließ, als sie sah, dass die LED-Lampe des Schlosses grün leuchtete. Zudem fiel ein matter Schein durch den Vorhang hinter der kleinen Scheibe in der Tür nach draußen.
Nein. Das kann nicht sein, schrie Emma in Gedanken.
Das *darf* nicht sein!
Irgendjemand hatte die Alarmanlage ausgeschaltet, die Tür geöffnet und von innen das Licht angemacht.
Und es war nicht Philipp, denn sein Auto stand nicht auf der Straße.

24. Kapitel

»Wo willst du hin?«

Emma, die auf dem Absatz kehrtgemacht und dabei erfolglos nach ihrem Handy getastet hatte, um notfalls die 110 zu wählen, war grenzenlos erleichtert, die Stimme ihrer besten Freundin in ihrem Rücken zu hören.

Sie drehte sich zur mittlerweile geöffneten Haustür herum. »Mein Gott, Sylvia. Hast du mich erschreckt.«

Statt einer Entschuldigung oder wenigstens einer ordentlichen Begrüßung ließ ihre Freundin sie einfach auf der Treppe stehen und verschwand wortlos im Haus.

Emma folgte ihr mit einem Gefühl tiefer Erschöpfung. Samson, der Einbruch in Palandts Haus, die Eindringlinge, der Rückweg, auf dem sie sich völlig verausgabt hatte – all das hatte sie an ihre Grenzen geführt. Auf ein weiteres Problem – und darauf deutete das merkwürdige Verhalten ihrer Freundin hin – konnte sie getrost verzichten.

Sie schloss die Tür.

Mit zittrigen Fingern hängte Emma ihren Mantel an die Garderobe, streifte sich die schneenassen Schuhe von den Füßen und trat ins Wohnzimmer. Das Blut schoss ihr durch den plötzlichen Temperaturumschwung in die Wangen.

»Alles okay mit dir?«

Sylvia schüttelte wütend den Kopf. Ihre sonst stets zu einer Hochsteckfrisur drapierten, dunklen Locken hingen ihr kraftlos auf die Schultern.

Normalerweise machte sie es sich bei ihren Besuchen regelmäßig mit angezogenen Beinen auf dem Sofa bequem. Meist bat sie Emma um einen Latte macchiato, bevor sie fröhlich über die meist belanglosen Ereignisse der vergangenen Woche plapperte. Heute trug sie statt dem üblichen Designerkleidchen einen mausgrauen Jogginganzug und saß statuensteif auf der Kante der Couch. Dabei fixierte sie die ausglühenden Holzscheite im Kamin.
»Nein. Nichts ist okay«, bestätigte sie ihren ungewöhnlichen Aufzug und ihr seltsames Verhalten.
Sylvia Bergmann war nicht nur ihre beste, sondern auch ihre größte Freundin. Selbst in Emmas weitestem Bekanntenkreis fand sich keine, die sich mit ihr auf Augenhöhe befand, und das nicht nur im übertragenen Sinne. Allein, dass sie Schuhe der Größe zweiundvierzig trug, sagte einiges aus; auch der Fakt, dass sie beinahe Profibasketballerin geworden wäre, wenn ihre konservativen Eltern nicht auf einem ordentlichen Beruf bestanden hätten, wobei diese wohl eher an ein Medizinstudium als an eine Ausbildung zur Physiotherapeutin gedacht hatten. Die Patienten in Sylvias Praxis am Weinberg liebten sie wegen ihrer großen, magischen Hände, die wie mit einem Tiefensonar ausgestattet Verspannungen und Blockaden erst ertasteten, um sie dann durch das Drücken nur ihr bekannter Energie- und Reflexpunkte in Luft aufzulösen. Heute allerdings wirkte Sylvia so, als könnte sie selbst eine ihrer Behandlungen vertragen. Alles an ihr schien verkrampft und angespannt.
»Setz dich!«, befahl sie schroff, als wäre sie hier zu Hause und Emma ein einbestellter Gast.
Emma kämpfte gegen eine Welle der Müdigkeit an, die sie regelrecht schwanken ließ, jetzt, da sie sich wieder in den

eigenen vier Wänden wusste. Auch wenn ihr Haus sich nicht mehr so sicher anfühlte wie heute Morgen noch. Und das lag unter anderem daran, dass Sylvia sich selbst die Tür aufgemacht hatte.

»Sylvie, ich will ja nichts sagen, aber du weißt schon, dass ich dir den Schlüssel nur für den Notfall gegeben habe?«

»Setz dich!«, widerholte Sylvia noch einmal mit kalter Stimme. »Das hier *ist* ein Notfall.«

»Was ist denn los mir dir?«, fragte Emma und entschied sich, stehen zu bleiben. Trotz ihrer wackligen Knie erschien es ihr auf einmal wichtig, Distanz zu halten. Zur Not würde sie sich am Kaminsims festhalten müssen.

»Was los ist, fragst du?« Sylvia schaffte das Unmögliche und versteifte sich noch einmal mehr. »Wieso tust du mir das an?«, presste sie hervor.

»Wovon redest du?«

»Hiervon!«

Ihre Freundin zog aus der Tasche ihrer Trainingsjacke eine weiße Pillendose mit einem roten Deckel.

»Du weißt, was das ist?«, fragte sie.

Emma nickte. »Sieht nach dem Progesteron aus, das ich dir gegeben habe.«

Ein Mittel, das die Chancen auf eine Schwangerschaft erhöht. Der Wirkstoff fördert die Durchblutung der Gebärmutter. Frauen mit unerfülltem Kinderwunsch wird das Sexualhormon bereits vor der Befruchtung empfohlen. Später dann, damit das Kind nicht wieder abgeht. Emma hatte es sich von ihrem Frauenarzt nach dem ersten Ultraschall verschreiben lassen und die angebrochene Packung ihrer besten Freundin überlassen.

Nach den Blutungen, *nach der Nacht im Hotel,* hatte sie keine Verwendung mehr dafür gehabt.

»Wieso tust du mir das an?«, wiederholte Sylvia und stellte die Pillendose auf den Couchtisch.
»Wovon zum Teufel redest du?«
»Gönnst du mir keine Kinder?«
»Bitte?«
»Wünschst du mir das gleiche Schicksal wie dir?«
»Was zum Teufel ist denn in dich gefahren?« Emma hob beide Hände, öffnete und schloss die Finger, knetete die Luft wie einen unsichtbaren Teig, hilflos, ohne zu wissen, wie sie auf diesen ungeheuerlich verletzenden Vorwurf reagieren sollte. »Wieso sollte ich so etwas denken?«, fragte sie mit Tränen in den Augen. »Ich liebe dich, Sylvie. Eine Nacht mit dem Friseur würde ich meinem schlimmsten Feind nicht wünschen.«
Sylvia sah sie eine Weile lang stumm an und nickte dann verächtlich, als habe sie mit einer derartigen Lüge gerechnet. »In den letzten Wochen litt ich permanent unter Übelkeit, Kopfschmerzen und Müdigkeit«, sagte sie tonlos.
Willkommen im Club.
»Zuerst hab ich mich gefreut, weil ich dachte, es hat endlich geklappt. Aber die Tests blieben negativ, und ich bekam meine Periode. Also bin ich zum Arzt gegangen. Und der hat mich gefragt, ob ich irgendwelche Medikamente nähme. *Nur Utrogest*, hab ich geantwortet und wurde dafür gelobt. *Ja, das kann helfen.*«
Sylvias Blicke wanderten über Emmas Gesicht und fühlten sich an wie Akupunkturnadeln. Ihre beste Freundin öffnete den Mund, und Emma wich unwillkürlich einen Schritt zurück, wie vor einem knurrenden Hund, der die Zähne bleckt.
»Vorausgesetzt natürlich, in der Packung, die einem die liebe Freundin geschenkt hast, *ist* Progesteron. Und nicht

Levonor-irgendwas«, sagte Sylvia mit einer viel zu leisen Stimme für diese ungeheuerliche Anschuldigung.
»Levonorgestrel?« Emma wurde heiß. Zum ersten Mal an diesem Tag schwitzte sie. »Das ist unmöglich«, presste sie hervor. Sie wankte zum Kaminsims, und ihr wurde noch heißer.
»Was hast du dir dabei gedacht?«, fragte Sylvia. »Als die Blutungen immer stärker wurden, hat Peter sich die Pillen angeschaut. Seine Ex-Frau hat sie nämlich auch mal genommen, und er sagte, ihre Pillen hätten ganz anders ausgesehen.«
Peter!
Sylvias nachnamenloser Freund. Zumindest kannte Emma seinen Nachnamen nicht, was auch daran liegen mochte, dass sie ihrer besten Freundin kaum zugehört hatte, wenn sie über ihn sprach. Sylvia hatte ihn erst in der Danach-Zeit kennengelernt, in der Emma nach allem der Sinn stand, nur nicht nach Beziehungsgeschichten. Sie hatte noch nicht einmal ein Foto von ihm sehen wollen. Alles, was sie von Peter wusste, war, dass er angeblich »der Richtige« war; der Traummann, mit dem sie Kinder bekommen wollte.
»Also hab ich die Tabletten zu einem Apotheker gebracht. Und der hat sie analysiert.«
Ihre beste Freundin fing an zu weinen. Unter Tränen griff sie nach der Packung auf dem Tisch und schleuderte sie in Emmas Richtung. Sie verfehlte ihren Kopf mit weitem Abstand und prallte gegen das Regal hinter ihr. Beim Aufprall auf dem Boden öffnete sich die Dose, und die Pillen kullerten wie winzige Spielzeugmurmeln über das Parkett, während Sylvia sie anschrie: »Du hast sie vertauscht. Du verrückte Ziege hast mir die Pille danach gegeben!«

25. Kapitel

Emma starrte aus einiger Entfernung die Packung an, die genauso aussah wie die, die sie Sylvia vor gut drei Monaten gegeben hatte.

Die Pille danach?

»Dafür muss es eine logische Erklärung geben«, sagte Emma, ohne auch nur im Ansatz zu wissen, welche das sein könnte.

»Wieso überrascht es mich nicht, dass du jetzt mit einer deiner Geschichten um die Ecke kommen willst?«

»Sylvia, du kennst mich.«

»Tue ich das?«

Ich weiß nicht. Ich weiß ja nicht einmal, ob ich mich selbst kenne.

Emma kratzte sich nervös den Unterarm. Sie spürte plötzlich ein Jucken am ganzen Körper. »Wenn es stimmt, was du sagst, dann muss die Pillen jemand anderer ausgetauscht haben.«

»Ach ja, wieder ein ominöser Jemand. Wie der Jemand, der dich angeblich vergewaltigt hat.«

Rums.

Jetzt war es raus. *Angeblich.*

Ein einziges Wort. Mehr brauchte es nicht, um ihre Freundschaft in die Mülltonne zu stopfen und den Deckel draufzuschlagen.

»Das hab ich nicht sagen wollen«, krächzte Sylvia. Sie sah aus, als wäre sie gerade aus einem schlimmen Traum aufgewacht. Mit verändertem, etwas weicherem Blick hielt sie sich bedauernd die Hand vor den Mund.

»Du hast es aber gesagt«, antwortete Emma tonlos.

Angeblich.

»Ich weiß. Aber versetz dich bitte in meine Lage. Was soll ich denn denken?«

»Die Wahrheit.«

»Aber was ist die Wahrheit, Emma?«

Die kurze Atempause war vorbei. Sylvia redete sich wieder in Rage, und jedes Wort brachte sie näher zum alten Zorn zurück.

»Ein Hotelzimmer, das es nicht gibt? Eine Zeugin, die sich nicht auffinden lässt? Himmel, du passt noch nicht einmal ins Beuteschema. Der Friseur tötet Nutten. Du bist die treueste Ehefrau, die ich kenne. Und du lebst.«

»Ich wurde geschoren und vergewaltigt. Da war ein Mann in meinem Zimmer …«

»Ja. So wie Arthur in deinem Schrank …«

Rums und weg.

Die Mülltonne, in der ihre Freundschaft verrottete, war bereit, auf die Deponie gefahren zu werden.

»Was fällt dir ein, du … du …« Emma fehlten in ihrem Schmerz die Worte. Sie schloss die Augen und drohte sich in einem Strudel aus Erinnerungen zu verlieren.

Buchstaben auf einem Spiegel blitzten auf.

HAU AB.

Sie hörte die Stimme ihres Vaters.

HAU SOFORT AB. ODER ICH TU DIR WEH!

Hörte die vibrierenden Klingen.

SRRR.

Hörte, wie eine Tür ins Schloss schlug. So heftig, dass das ganze Wohnzimmer erzitterte.

»In dieser Nacht habe ich nicht nur meine Haare und mein Selbstbewusstsein verloren, sondern auch mein Kind«, schrie Emma mit geschlossenen Augen. Dabei schlug sie sich wütend in den Bauch. Einmal, zweimal. Immer fester. Bis der Schmerz so heftig war, dass sie auf die Knie sank. Sie würgte, röchelte, stand kurz davor, sich zu übergeben. »Hilf mir«, sagte sie, und die Worte waren einfach so aus ihrem Mund gekommen. »Hilf mir, ich weiß nicht, was mit mir geschieht.«
Sie öffnete die Augen, streckte die Arme aus, tastete nach ihrer Freundin.
Doch da war niemand mehr, der ihr helfen konnte.
Sylvia war längst gegangen.

26. Kapitel

Emma schleppte sich zum Sofa und hustete.
Ihre Kehle brannte von dem Würgen, ihr Magen fühlte sich nach den Schlägen wie entzündet an. Sie musste an den armen Samson denken, dem es bestimmt noch viel schlechter ging und der jetzt hoffentlich gut versorgt wurde.
Mit Pillen.
Du hast sie vertauscht! Du verrückte Ziege …
Sylvia war fort, hatte ihre Stimme aber in Emmas Kopf zurückgelassen, wo sie weiterhin Anschuldigungen erhob, auf die sich Emma keinen Reim machen konnte.
Sie hatte noch nie die Pille danach genommen, geschweige denn einen Vorrat davon angelegt, den sie hätte weitergeben können. Als Ärztin fühlte sie sich dem Leben verpflichtet. Niemals würde sie ihrer besten Freundin absichtlich ein falsches Medikament unterjubeln. Gerade sie nicht, die zum Protest gegen Patientenmissbrauch sogar die Rosenhan-Experimente wieder hatte aufleben lassen.
Und dennoch, so schlimm Sylvias Anschuldigungen auch waren und so tief sie ihr Argwohn verletzt hatte, so unwichtig war diese Auseinandersetzung, verglichen mit dem, was ihr zuvor in Palandts Haus widerfahren war.
Emma stemmte sich wieder aus dem Sofa hoch.
Sie musste Philipp anrufen.
Natürlich war klar, dass er ihr Vorhaltungen machen würde, sobald er von ihrem Alleingang erfuhr. Aber er würde ihr am Ende recht geben müssen: Anton Palandt war ein

höchst merkwürdiger Nachbar, den man einmal unter die Lupe nehmen sollte.

Sie schlurfte zur Garderobe.

»Hallo, Philipp? Kannst du bitte den Ermittlern den Tipp geben, sich den Bewohner der Teufelssee-Allee 16a einmal genauer anzusehen? Ein Glatzkopf, der Berge von Medikamenten schluckt, in einem abgedunkelten Haus lebt, offenbar von irgendjemandem bedroht wird und, jetzt kommt es, sein Haus mit Perückenständern vollgerammelt hat. Auf dem Ding im Schlafzimmer befinden sich sogar die Haare einer Frau, und jetzt frag besser nicht, wie ich das herausgefunden habe.«

So oder so ähnlich wollte sie es ihm am Telefon sagen, aber das war ihr nicht möglich, wie sie entsetzt feststellte, als sie ihre Jackentasche abtastete. Denn ihr Handy war verschwunden.

Nein! Nein, nein, nein …

Entsetzt ließ Emma die Hände sinken.

»Verschwunden« war das falsche Wort für das, was mit ihrem Mobiltelefon geschehen war.

Ich habe es verloren, dachte sie und fluchte laut, als ihr klarwurde, dass es nur eine naheliegende Möglichkeit gab, wo es ihr aus der Tasche gefallen sein konnte.

Bei A. Palandt.

Als ich auf der Flucht aus dem Haus über den Perückenständer gestürzt bin.

27. Kapitel

Emma hatte das Gefühl, von einem kalten Luftzug getroffen zu werden, eine psychosomatische Stressreaktion. Ein Teil ihres Verstands sagte ihr, dass sie noch einmal zurückmusste, um ihr Telefon zu holen, der andere fragte, ob sie im Ernst so wahnsinnig wäre, in die Höhle des Löwen zurückkehren zu wollen.
Sie fröstelte und nahm sich ihren himmelblauen Morgenmantel aus dickem Frottee aus dem Garderobenschrank. Er roch nach dem Parfum, das sie erst vorgestern wieder herausgekramt hatte, in der Hoffnung, der Duft, den Philipp ihr an ihrem ersten Hochzeitstag in Barcelona gekauft hatte, würde sie an die glücklichsten Tage der Davor-Zeit erinnern. In diesem Moment jedoch bestätigte die Komposition aus Cassis, Amber und Lotus nur die Überzeugung, das Glück der Vergangenheit unwiederbringlich verloren zu haben.
Mit trägen Schritten schleppte sie sich zur Küche, wo sie das schnurlose Haustelefon aus der Ladestation neben der Kaffeemaschine nahm.
Mit dem Rücken an den vibrierenden Kühlschrank gelehnt, sah sie in den Hintergarten hinaus und tippte Philipps Handynummer in die Tastatur.
Bitte geh ran. Bitte geh ran …
Eine Krähe landete in der Mitte des Gartens auf dem zersplitterten Stamm einer kopflosen Birke, in der vor Jahren einmal der Blitz eingeschlagen hatte und den sie längst

hätten entfernen müssen. Draußen dämmerte es bereits, und zwischen den Bäumen schimmerten die Lichter der Nachbarhäuser heimelig wie kleine Schwefellampen.
In der Davor-Zeit hätte sie sich um diese Uhrzeit am Wochenende einen Tee aufgegossen, eine Kerze angezündet und klassische Musik aufgelegt, so aber war der einzige Soundtrack, der ihre depressive Stimmung untermalte, das endlos lang klingelnde Telefonzeichen.
Sie rechnete schon mit der Mailbox, als es in der Leitung knackte und sie ein Husten hörte.
»Ja? Hallo?«
Emma rückte von dem Kühlschrank ab, aber die Vibrationen in ihrem Rücken blieben. Sie wurden sogar stärker, als sie registrierte, wer da an das Handy ihres Mannes gegangen war.
»Jorgo?«
Der Polizist flüsterte. »Alles okay bei dir?«
»Ja. Wo ist Philipp?«
»Der ist … warte kurz.« Sie hörte etwas rascheln, dann Schritte, schließlich so etwas wie ein Türschlagen. Jorgo sprach jetzt lauter, seine Stimme klang merkwürdig verhallt, als stünde er in einem leeren Raum.
»Er kann jetzt nicht.«
»Aha.«
»Er hält gerade seinen Vortrag. Ich hab sein Handy so lange.«
War das eine Ausrede?
Emma presste sich den Hörer dichter ans Ohr, konnte aber keine Hintergrundgeräusche ausmachen, die Jorgos Behauptung bestätigten oder widerlegten.
»Und du hattest keine Lust auf den Vortrag deines besten Freundes?«

»Ich bin extra deinetwegen aus dem Saal gegangen. Gibt es ein Problem?«

Ja. Mein Leben.

»Wie lange spricht er denn noch?«, fragte sie ihn.

»Noch eine Weile. Hör mal, es geht mich zwar nichts an, aber wenn es noch mal um seinen Besuch im *Le Zen* geht …«

In Emmas Magen öffnete sich ein Eisfach.

»Woher weißt du davon?«, keuchte sie.

Die Erklärung war ebenso einfach wie peinlich. »Philipp hatte das Telefon im Auto auf Freisprechanlage, als er vorhin die Mailbox abgehört hat.«

Sie blinzelte nervös.

Verdammt.

Ihren ersten Anruf hatte sie ganz vergessen. Und Jorgo hatte alles mitbekommen.

Emma ging aus der Küche zurück ins Wohnzimmer.

»Philipp war vor vier Wochen beruflich in diesem Hotel. Ich weiß das, denn ich habe ihn begleitet. Wir haben uns noch einmal alle Zimmer im neunzehnten Stock zeigen lassen. Was hätte er denn sagen sollen, als dieser Tierarzt auf einmal vor ihm stand? ›Hallo, ich warte auf den Hoteldirektor? Wir wollen das Zimmer finden, in dem meine Frau vergewaltigt wurde?‹«

Emma nickte unwillkürlich.

Das ergab Sinn.

Das Eisfach in ihrem Magen schloss sich wieder.

»Hast du deine Mailbox nicht abgehört?«, hörte sie Jorgo nach einer kurzen Pause fragen.

»Wie bitte?«

»Philipp hat dich mehrfach zurückgerufen. Aber du bist weder an dein Handy noch ans Festnetz gegangen.«

Weil ich da gerade bei Palandt eingebrochen bin, wobei

ich mein Telefon verloren habe, hätte Emma beinahe gesagt.
So ein verdammter Mist.
Sobald ihr Nachbar es in seinem Flur finden würde, war es nur eine Frage der Zeit, bis er herausfand, wer bei ihm eingedrungen war.
Außerdem hat er mich in seinem Schlafzimmer gesehen!
Emma fröstelte bei der Erinnerung an die weit aufgerissenen, starren Augen.
»Kannst du Philipp bitte ausrichten, dass ich jetzt wieder erreichbar bin. Er soll mich auf dem Festnetz anrufen. Und danke für den Zettel.«
Im Hintergrund wurde es lauter, als hätte Jorgo die Freisprecheinrichtung aktiviert.
»Welcher Zettel?«, fragte er.
»Na den, den du mir vorhin in die Hand gedrückt hast. Danke, dass du mir glaubst.«
»Entschuldige, aber ich weiß gerade nicht, wovon du sprichst.«
»Wie bitte?«
Emma fühlte sich, als wäre sie zu schnell gerannt. Ihr wurde schummrig. Sie setzte sich an den Schreibtisch und starrte hinaus in den Garten, suchte einen Fixpunkt, an dem sich wenigstens ihr Blick festhalten konnte, wenn ihr Verstand schon aus der Bahn geworfen war.
Dabei sah sie erneut zu der zersplitterten Birke im Garten. Die Krähe war nicht mehr da.
»Aber du hast … du hast mir doch …«
Der Zettel!
Hastig griff sie sich in die Hosentaschen, konnte ihn dort aber nicht mehr finden. Sie versuchte, sich zu konzentrieren, aber ihr fiel nicht mehr ein, wo sie Jorgos Nachricht

hingelegt hatte. Viel zu viel war in der Zwischenzeit passiert, womöglich hatte sie ihn beim Tierarzt, auf dem Weg zu Palandt oder sogar in dessen Haus gemeinsam mit dem Handy verloren.
»Ich habe dir keinen Zettel gegeben«, hörte sie Jorgo sagen, dessen Stimme auf einmal seltsam genervt klang.
»DU LÜGST!«, wollte sie gerade brüllen, aber da blieb ihr Blick an einem Gegenstand vor ihr auf dem Schreibtisch hängen, der so groß war, dass man ihn eigentlich gar nicht übersehen konnte. Wie den sprichwörtlichen Wald, dem man vor lauter Bäumen zunächst gar keine Beachtung schenkte. Emma erschauerte.
»Gibt es sonst noch etwas?«, hörte sie Jorgo wie aus weiter Entfernung fragen.
Ohne dass sie irgendetwas dagegen hätte tun können, ging ihr Frösteln in ein heftiges Zittern über.
»Nein«, krächzte sie tonlos und legte auf, obwohl sie eigentlich *»JA. DA IST NOCH ETWAS. ETWAS GANZ SCHLIMMES!«* hatte schreien wollen.
Sie zitterte jetzt so heftig, dass ihr das schnurlose Telefon aus der Hand fiel, doch diese extreme Reaktion lag weder an Palandts Augen noch an der Flucht aus seinem Haus.
Sondern an dem Paket.
Das, was Salim ihr heute früh für den mysteriösen Nachbarn anvertraut hatte.
Es lag wieder da.
Auf dem Schreibtisch.
An Ort und Stelle.
Dort, wo sie es vorhin abgelegt hatte.
So, als wäre es niemals woanders gewesen.

28. Kapitel

So wie ein Alkoholiker weiß, was er tut, wenn er das Glas zum ersten Schluck ansetzt, wusste Emma, was sie tat, als sie die Paketschnur löste. Sie brach auf zu der gefährlichsten Etappe ihrer selbstzerstörerischen Reise, tief hinein in die Elendsviertel ihrer sinnlosen Existenz.
Eines der ersten Dinge, die sie in ihren Psychiatrievorlesungen gelernt hatte, war die Bedeutung des Wortes »Paranoia«, das aus dem Griechischen stammt und das man am besten mit »wider jeglichen Verstand« übersetzt. Und genau so handelte sie: wider jeglichen Verstand. Es war sogar eine Straftat, wobei die Verletzung des Briefgeheimnisses ihr die geringsten Sorgen bereitete. Sie fürchtete sich vielmehr vor sich selbst. Was, wenn sie alle recht hatten? Die Polizeipsychologin, wenn sie behauptete, Emma habe sich die Vergewaltigung nur ausgedacht, um Aufmerksamkeit zu bekommen. Jorgo, der meinte, er habe ihr nie einen Zettel gegeben.
Dafür war nun das Paket wiederaufgetaucht.
Emma war sich sicher, dass in ihm der Schlüssel zur Lösung all der rätselhaften Ereignisse der letzten Stunden, wenn nicht gar Wochen lag.
Aber wie viele Menschen hatte sie schon kennengelernt, die eine völlig verzerrte Wahrnehmung der Wirklichkeit hatten? Wie viele Patienten hatte sie schon behandelt, selbstverlorene Seelen, die den ganzen Tag nichts anderes taten, als ihre Beobachtungen und Erlebnisse so lange im Geiste

zu verdrehen, bis sie schließlich als Beweis für die bösartigsten Verschwörungs- und Verfolgungstheorien taugten? Hatte sie die Seiten gewechselt und tat es ihnen gleich? Emma wusste, dass man die Dinge auch anders sehen konnte. Dass sie in den letzten Stunden zwar viele »Unstimmigkeiten« aufgedeckt, aber nicht den geringsten Beweis dafür gefunden hatte, dass dieses Paket in einem Zusammenhang mit dem stand, was ihr angetan worden war. Und dennoch schnitt sie sich gerade an der Kante des Packpapiers den Daumen blutig, als sie es herunterriss. Sie riss die Falzlaschen auseinander. Brach das Paket förmlich auf und wühlte mit der rechten Hand zwischen den freigelegten Styroporkügelchen, die als Transportschutz über dem Inhalt lagen. Und grub Schachteln aus, so groß wie Tablettenverpackungen, die mit einem ausländischen Schriftzug auf der Vorderseite versehen waren:
МОРФЕЙ N60 ТАБЛ
Es waren mindestens zehn Packungen, eine weiße Kartonage mit einem himmelblauen Streifen, und Emma öffnete eine von ihnen.
Medikamente, tatsächlich.
Tränengroße, ockerfarbene Pillen in einem transparenten Streifen.
Aber was für welche?
Emma hatte Englisch und Latein in der Schule gelernt, kein Russisch. Sie nahm die geöffnete Schachtel wieder zur Hand.
МОРФЕЙ N60 ТАБЛ
Dass es sich bei dem Zusatz um einen Hinweis auf die Dosierung der Tabletten handelte, konnte sie sich noch selbst erschließen. Nicht aber den Handelsnamen des Medikaments oder gar, welche Wirkstoffe es enthielt.

Emma entdeckte einen Beipackzettel, der nicht sehr professionell gefaltet in die Packung gequetscht war. Sie faltete ihn auseinander, und die kyrillischen Schriftzeichen erinnerten sie an die Medikamente auf Palandts Nachttisch. Sie wühlte weiter zwischen den Transportkügelchen und stieß auf etwas, was ihr seltsamerweise keinen Schrei entlockte, obwohl sie eine tödliche Waffe in der Hand hielt.
Ein Plastikskalpell.
Der Atem stockte Emma erst, als sie die bereits beschädigte Zellophanverpackung löste und eine verfärbte Klinge freilegte.
Ist das Blut?
Sie hatte das surreale Gefühl, als ob jemand hinter ihrem Rücken die Hand nach ihr ausstrecken würde, und drehte sich herum, doch da war niemand. Auch kein Samson mehr, den sie in diesem Moment so gerne um sich gehabt hätte.
Angewidert legte sie das Messer zur Seite und durchsuchte weiter das Paket.
Dabei stieß sie auf eine braune Flasche mit einem Etikett ohne Logo und ohne Farbdruck, dafür mit der Hand beschriftet:
гамма-гидроксимасляная кислота
Emma rieb sich die Augen und musste sich zwingen, sie nicht länger als nur für einen Moment zu schließen. Sie fühlte sich wie ein Autofahrer, der gegen den Sekundenschlaf ankämpft.
Eigentlich müsste ich rechts ranfahren und Pause machen.
Gute Idee.
Sie sehnte sich nach ihrem Sofa *(ach ja, nur kurz hinlegen, das wäre wunderbar),* aber das war ausgeschlossen. *Was, wenn Palandt kommt, um das Paket zu holen?*

Emma griff nach dem Skalpell mit der verschmierten Klinge und steckte es in die Tasche ihres Morgenmantels.
Trotz der Waffe fühlte sie sich vollkommen schutzlos, denn abgesehen davon, dass sie momentan wohl kaum in der Lage wäre, im Notfall eine Klinge zu führen, wäre diese gegen den grausamsten aller Feinde wirkungslos.
Gegen die Dämonen, die meinen Verstand zersetzen.
Denn was, wenn sie sich zur Ruhe legte und das Paket wieder verschwunden wäre, sobald sie das Diazepam ausgeschlafen hätte?
Emma spielte mit dem Gedanken, ein Beweisfoto von den Medikamentenpackungen zu schießen, die quer über ihren Tisch verstreut lagen, *aber womit?*
Ihr Handy lag bei A. Palandt, dessen ausländischer Schläger-Besuch sich so angehört hatte, als wäre er in der Lage, diese Hieroglyphen zu lesen, die Emma nicht entziffern konnte … *Moment mal …*
Ihr Blick blieb auf ihrem Laptop haften.
… wohl aber mein Computer!
Sie klappte das Notebook auf, öffnete die Systemsteuerung und setzte in den Landeseinstellungen einen Haken neben »Russland«.
Das ging schnell.
Weitaus mehr Zeit verbrauchte sie damit, auf ihrer Tastatur die entsprechenden Zeichen zu finden. Es ging nur mit der Trial-and-Error-Methode, und erst nach einigen Minuten war sie so weit, dass sie
МОРФЕЙ & гамма-гидроксимасляная кислота
in den Google-Übersetzer getippt hatte.
Als sie auf die rechte Spalte mit den Ergebnissen sah, wünschte sie sich, sie hätte es nicht getan:
Morphium & Gamma-Hydroxybuttersäure

Ersteres kannte jedes Kind. Letzteres jeder Arzt.
GHB. Ein flüssiges Narkotikum, das den Patienten in höheren Dosen nicht nur willen- und wehrlos machte, sondern auch sein Erinnerungsvermögen beeinträchtigte, weswegen GHB in der Presse unter der Bezeichnung K.-o.-Tropfen traurige Berühmtheit erlangte, nachdem zahlreiche Vergewaltiger es ihren Opfern unbemerkt in ihre Drinks gerührt hatten.
Emma keuchte, rang nach Luft.
Das Paket enthielt das Mittel, mit dem der Friseur all seine Opfer vergiftete.
Vor ihrem Sichtfeld flimmerte es, als starrte sie auf den heißen Asphalt einer Straße im Hochsommer.
Nun war der Zeitpunkt erreicht, an dem sie aufhören musste, ihre Nachforschungen auf eigene Faust weiterzuverfolgen. Streng genommen war er längst überschritten.
Unendlich einsam, unsagbar müde und mit einer nahezu schmerzhaften Kraftlosigkeit stand sie vom Schreibtisch auf, schleppte sich zum Sofa und sank erschöpft in die Kissen.
Sie dachte nach.
Über das Paket und seinen Inhalt, von dem sie sich gewünscht hatte, dass er ihre morbiden Zweifel zerstreuen würde, und der das Gegenteil bewirkt hatte.
Über A. Palandt, der, von Schlägern bedroht, lautlos in der Dunkelheit seines Schlafzimmers weinte, und über Philipp, der sie mit sich und ihrer inneren Leere alleine gelassen hatte und den sie jetzt nicht mehr anrufen konnte.
Nicht, weil ihr Mobiltelefon neben Palandts Perückenständer auf dem Flur lag, denn sie hatte ja auch noch das Festnetz. Auch nicht, weil sie sich vor seinem Zorn fürchtete, dass sie heute gleich drei Straftaten begangen hatte:

Hausfriedensbruch, Verletzung des Briefgeheimnisses und Sachbeschädigung an einem Paket.
Nein, Emma konnte aus einem ganz einfachen Grund nicht mehr mit ihrem Mann telefonieren – ihr fielen die Augen zu.
Das Letzte, was sie von ihrer Umgebung wahrnahm, war ein Schatten, der sich halbrechts in einiger Entfernung an der Wohnzimmertür bewegte. Ein Schatten, der sich als eine dunkle, männliche Gestalt zu manifestieren schien, dessen Erscheinung sie zwar zutiefst beunruhigte, aber nicht mehr wachzurütteln vermochte. Mit jedem Schritt, den er sich auf sie zu bewegte, entfernte Emma sich von ihrem eigenen Bewusstsein. Selbst das schlurfende Geräusch seiner schweren Stiefel konnte nicht verhindern, dass sie in einen traumlosen Schlaf hinüberglitt.

29. Kapitel

Drei Wochen später

Emma öffnete die Augen und hatte Schwierigkeiten, sich zu orientieren. Sie wusste, wo sie war (in Konrads Kanzlei), wer sie war (eine paranoide Patientin auf der Anklagebank) und weshalb sie hier war (um eine Aussage zu machen, bei der sehr viel auf dem Spiel stand). Sie hatte allerdings keine Ahnung, wohin die letzten Minuten verschwunden waren. Der Zeiger der Uhr im Regal war eine Viertelstunde vorgesprungen, und der Assamtee in der Tasse, den Konrad eben erst nachgeschenkt hatte, dampfte nicht mehr, dabei hatte sie doch nur einmal geblinzelt.

»Was ist passiert?«, fragte sie Konrad und gähnte.

»Du bist eingeschlafen«, stellte er fest. Er hatte die Beine nicht mehr übereinandergeschlagen, aber das war die einzige Veränderung seiner ansonsten perfekten Körperhaltung. Kerzengerade saß er in seinem Sessel, ohne im Geringsten angestrengt zu wirken. Emma wusste, dass er seit Jahren ein glühender Verfechter von autogenem Training war und die geistige Haltung, in sich selbst zu ruhen, perfektioniert hatte.

»Ich bin eingeschlafen? Während unserer Unterhaltung?«, fragte sie ihn ungläubig und massierte sich den verspannten Nacken.

»Mitten im Satz«, bestätigte er ihr. »Die Medikamente machen dich müde, außerdem ist es hier sehr heiß. Ich habe den Kamin heruntergedreht.«

Wie schade.
Sie sah zu der Glasscheibe in der Wand, hinter der die Gasflammen deutlich flacher züngelten, und musste erneut gähnen.
Konrad zog die Augenbrauen hoch und fragte sanft: »Wollen wir für heute lieber Schluss machen, Emma?«
»Muss ich dann wieder zurück?«
Sie schluckte. Allein der Gedanke an ihre »Zelle« erzeugte einen Kloß im Hals.
»Leider ja, aber ich garantiere dir, dass sie dich heute Nacht nicht ruhigstellen werden.«
Wow, was für ein Fortschritt!
»Ich glaube, ich mag noch etwas bleiben.«
»Sehr gerne, aber ...«
»Nein, ist schon gut. Müdigkeit ist keine Krankheit, oder? Ich habe noch Kraft, also sollten wir die Zeit nutzen. Es tut mir gut, wenn ich dir alles erzähle.«
»Alles?«, hakte Konrad nach.
»Worauf willst du hinaus?«
Er atmete tief ein und zögerte kurz. »Nun, ich merke, dass es Dinge gibt, die du nur flüchtig streifst, um dann schnell zu einem anderen Thema zu wechseln.«
»Zum Beispiel?«
»Zum Beispiel das Geld.«
»Was für Geld?«
Konrad lächelte verschmitzt, als wäre diese Frage der Beweis für seine vorangegangene These.
»Hast du nicht gesagt, der Tierarzt habe sich über die Sperre deiner Kreditkarte beschwert?«
»Ach so, das.« Emma verschränkte die Hände im Schoß.
»Was hatte es damit auf sich? War das ein Fehler der Bank?«
»Nein«, gestand sie leise.

»Also war sie wirklich gesperrt?«
»Ja.« Sie nickte.
»Und die E-Mail vorhin, die du so nebenbei erwähnt hast. Die Sperrung deines Kontos, von der du dachtest, sie sei Spam …«
»War echt, ja.«
Konrads Augen verengten sich. »Hattet ihr Geldprobleme?«
»Nein.«
»Sondern?«
Emma räusperte sich verlegen, dann gab sie sich einen Ruck. »Du hast gefragt, ob *wir* Geldprobleme hatten. Ich sagte nein, weil nur ich sie hatte.«
Dass Philipp jemals in eine finanzielle Schieflage geriet, war auch kaum vorstellbar. Seine Eltern hatten ihm ein Vermögen hinterlassen, das sie mit dem Bau von Autobahnraststätten verdienten, bevor sie der Krebs dahinraffte.
»Ich hatte zu viel bestellt, jede Menge Quatsch im Online- und Teleshopping, von teuren Kosmetikprodukten bis zu Mikrowellen-Hausschuhen. Unnützer Krempel, mit dem ich mich abzulenken versuchte. Zeitgleich lagen die Einnahmen aus meiner Praxis brach.«
»Aber Philipp hätte dich doch nicht hängen gelassen?«, erkundigte sich Konrad.
»Nein, du kennst seine Großzügigkeit. Wir haben ja nicht einmal einen Ehevertrag, obwohl er das Vermögen in die Ehe einbrachte. Aber er zahlte doch schon den Kredit für meine Praxis. Für meine Kaufsucht habe ich mein eigenes Konto genutzt.«
»Und als es leer war, hast du dich geschämt, es ihm zu sagen.«
Emma senkte den Blick. »Ja.«

»Okay«, sagte Konrad, als würde er einen Punkt von einer Liste abhaken, und tatsächlich wechselte er das Thema. »Reden wir über das, was du mir über Sylvia anvertraut hast. Was hat dich mehr aufgeregt? Als sie dir unterstellte, die Pillen vertauscht zu haben. Oder als Sylvia von der ›angeblichen‹ Vergewaltigung sprach?«
Emma schluckte. »Ich weiß es nicht. Ich glaube, das ist ein und dasselbe. Sie hat mich als eine verrückte Lügnerin bezeichnet, die ihr Schaden zufügen will.«
»Hat sie das?« Konrad legte den Kopf schräg. »Hat sie nicht eher an deiner Wahrnehmungskraft gezweifelt?«
Emma runzelte die Stirn. »Wo liegt da der Unterschied?«
»Oh, der ist gewaltig. Du weißt doch, dass drei Zeugen eines Autounfalls manchmal vier verschiedene Versionen des Unfallhergangs schildern. Keiner lügt, aber manchem spielt das Gehirn in Stresssituationen eben einen Streich.«
»Mag sein, aber ich werde ja wohl noch wissen, ob ich absichtlich ihre Pillen vertauscht habe und ob ich vergewaltigt wurde oder nicht.«
Konrad nickte, und dabei geschah etwas Unheimliches. Er veränderte sich, und zwar in einer Geschwindigkeit, als wäre ein Schalter umgelegt worden. Sein väterliches Lächeln verschwand ebenso schnell wie die Lachfalten um die Augen. Sein Blick wurde fest, nahezu starr, spitz wie die Papiernadel auf seinem Schreibtisch. Die Knochen seiner Unterkiefer traten vor, und seine Atmung wurde ganz ruhig.
So sieht ein Fuchs aus, kurz bevor er das Kaninchen anspringt, dachte Emma, und in der Tat war aus ihrem fürsorglichen Mentor der berüchtigte Staranwalt geworden, dessen Kreuzverhöre Zeugen und Staatsanwälte in ganz Deutschland fürchteten.

»Du bist dir also sicher?«, fragte er.
»Ja.«
Emma faltete unter der Kaschmirdecke die Hände zu Fäusten.
»So sicher, wie du im Zuge der Rosenhan-Experimente zwangsbehandelt wurdest?«
»Konrad, ich …«
»Immerhin hast du das den Zuhörern deines Vortrags erzählt. Du hast ihnen ein Video gezeigt. Die Frau hatte zwar eine andere Haarfarbe, aber du hast dem Publikum erklärt, das wärst du gewesen, der man die Elektroschocks verpasst hat.«
»Ja, aber …«
Und damit war es raus. Das »Aber«, das alles veränderte. Emma rieb sich die Augen in dem vergeblichen Versuch, ihre Tränen aufzuhalten.
»Aber ich weiß doch auch nicht, wieso ich in diesem Punkt geflunkert habe«, sagte sie – und korrigierte sich sofort wieder. »Oder doch. Ich wollte einem Kollegen, er heißt Stauder-Mertens, einem hochnäsigen Arsch, der mich mit seinen Zwischenfragen lächerlich machen wollte, den Wind aus den Segeln nehmen. Das war eine große Dummheit. Aber …«
Das zweite »Aber« ließ sie in der Luft hängen, denn es gab nichts, was ihre Schwindelei ungeschehen machen konnte.
»Die kritische Nachfrage eines Kollegen mag der Auslöser für deine Lüge gewesen sein. Nicht aber die Ursache«, sagte Konrad.
»Das weiß ich selbst.«
Sie wandte sich zum Fenster. Betrachtete den Schnee auf dem See. Wünschte sich nach dort draußen. Leblos treibend, unter dem Eis.

»Natürlich weißt du das«, hörte Konrad nicht auf, sie mit Worten zu bedrängen. »Dein Spezialgebiet ist die Pseudologie. Du kennst die Umstände, die pathologisch zwanghaftes Lügen auslösen können.«
»Konrad, bitte …«
Sie wandte sich zu ihm. Sah ihn flehend an, doch der Strafverteidiger kannte keine Gnade und zählte die Symptome auf: »Vernachlässigung in der Kindheit. Zurückweisung durch die Eltern, zum Beispiel den Vater. Eine überdurchschnittliche Phantasie, die eine Flucht in eine Scheinwelt ermöglicht, in der man sich mit einem imaginären Freund eine Ersatzbezugsperson schafft, die man zum Beispiel Arthur nennen könnte.«
»HÖR AUF!«
Emma riss sich die Decke von den Knien. »Wieso reden wir denn überhaupt noch, wenn du mir ohnehin kein Wort glaubst?«, schrie sie und wollte von der Couch aufspringen. Dabei überschätzte sie ihre Kräfte, taumelte wieder zurück und riss dabei ihre Teetasse um.
Dicke Tropfen perlten vom Couchtisch ausgerechnet auf den weißen Teil des Teppichs. Auf den einst tiefschwarzen, nun mit der Zeit ohnehin leicht bräunlichen, ausgeblichenen Fasern am Rand wäre ein Fleck gar nicht so aufgefallen.
»Das tut mir leid, Konrad. Verdammt, das wollte ich nicht.«
Weitere Tränen füllten ihre Augen, und sie kämpfte nun auch nicht mehr dagegen an.
»Kein Problem«, hörte sie Konrad sagen, der reflexartig aufgesprungen war, und damit hatte er im Grunde recht. Der Fleck war lächerlich und würde in der Reinigung sicher problemlos wieder rausgehen, dennoch fühlte sie sich so, als hätte sie sein Allerheiligstes beschmutzt.

Ausgerechnet der O-Teppich!

Sie wusste, was ihm das alte, kreisrunde Ding bedeutete. Konrad hat ihn vor Jahrzehnten als Student von einer Reise aus Tibet mitgebracht. Es war seine erste größere Anschaffung gewesen; sein Glücksbringer – und sie hatte ihn befleckt.

»Wo willst du hin?«, fragte Konrad, als sie erneut versuchte, von der Couch aufzustehen.

Sie zeigte auf die Tür neben dem Ausgang, die zu Konrads privatem Waschraum führte.

»Wasser und Seife holen.«

Er schüttelte sanft den Kopf, wieder ganz der alte Freund und Mentor. Die Veränderung war erneut in Bruchteilen von Sekunden geschehen, und auch wenn er nicht lächelte, klangen seine Worte so warm und freundlich wie zuvor: »Der Teppich ist überhaupt nicht wichtig, Emma. Wichtig ist, dass du mir die Wahrheit sagst.«

»Das versuche ich doch, aber du machst mir Angst.«

Konrad zuckte mit den Achseln, als wollte er sagen: *»Ich weiß, aber was soll ich tun?«*

»Lass dich von mir doch nicht einschüchtern«, bat er Emma sanft und setzte sich wieder. »Ich spiele hier nur den Advocatus Diaboli. Die Staatsanwaltschaft wird versuchen, dich in der Verhandlung mit ganz anderen Tricks aus der Fassung zu bringen.«

Emma schluckte und wünschte sich, er würde sie in die Arme schließen oder wenigstens ihre Hand nehmen, aber er sah ihr einfach nur dabei zu, wie sie sich wieder setzte. Erst dann stand er auf, zog ein großes Taschentuch aus seiner Hosentasche und wischte damit den Glastisch trocken. Den dunklen Fleck auf dem Fußboden ignorierte er. »Der Staatsanwalt wird all deine dunklen Geheimnisse ans

Licht zerren, und das muss er auch. Immerhin will er dich lebenslänglich im Gefängnis sehen.«
»Ich weiß.«
Emma kratzte sich am Haaransatz über der Stirn, widerstand dem Impuls, die Länge ihrer Haare zu überprüfen. Sie putzte sich mit einem Taschentuch die Nase, dann sagte sie: »Ich habe das alles nicht gewollt, glaubst du mir das?«
Konrad tippte sich an die Lippen, kniff sie einmal fest zusammen und antwortete nach kurzer Überlegung: »Normalerweise sage ich an dieser Stelle immer, dass es darauf nicht ankommt. Dass es für mich unerheblich ist, ob mein Mandant lügt oder die Wahrheit spricht. Aber in diesem Fall ist es anders.«
»Weil wir befreundet sind?«
»Weil ich noch nicht die ganze Geschichte kenne, Emma. Erzähl sie mir! Und zwar nicht nur das, was ich ohnehin aus den Akten weiß. Du musst in die Tiefe gehen. Und dabei auch über die Dinge sprechen, die dir weh tun.«
Emmas Augen wurden glasig.
Sie sah durch ihn hindurch und verstand natürlich, was er meinte. Er wollte von den Leichen hören.
Also gut …
Ihr Blick fokussierte sich wieder, wanderte über den Kamin und den mächtigen Schreibtisch zum Fenster, hinter dem ein See lag, an dem sie vermutlich nie wieder in ihrem Leben würde spazieren gehen können.
Dafür hatte sie Bilder im Kopf, die sie überallhin mitnehmen würde, ganz gleich, wie schnell sie vor sich selbst davonrannte.
Die Tonne mit den abgehackten Gliedmaßen, zum Beispiel.

Ach ja, gute Idee.
Wieso erzähle ich ihm nicht von der Tonne?
Doch zuvor musste sie noch erklären, wie sie überhaupt in den Schuppen gelangt war und wieso sie das Haus ein zweites Mal hatte verlassen müssen, ohne zu bemerken, dass sie dabei von dem Postboten beobachtet worden war ... Also alles schön der Reihe nach.
Und so lehnte sich Emma ins Sofa zurück und tat Konrad den Gefallen, dorthin zu gehen, *»wo es am meisten weh tut«*.
Zurück in das alte Haus in der Teufelssee-Allee, in dem sie bald alles verlieren sollte, was ihr einmal wichtig gewesen war.

30. Kapitel

Drei Wochen zuvor

Sie blieb ganz ruhig.
Emma war im Sitzen eingeschlafen, ihr zur Seite gerutschter Kopf ruhte auf der Kante des Sofakissens, mit ihm war das Zimmer um etwa fünfundvierzig Grad gegen den Uhrzeigersinn gekippt.
Die Teetasse auf dem Couchtisch, die Fotorahmen auf dem Kaminsims, die Vase mit den Trockenblumen im Fenster – alles im Wohnzimmer schien der Schwerkraft zu trotzen.
Auch der Mann, drei Schritte von ihr entfernt.
Für einen Moment glaubte sich Emma in einem Traum gefangen, und zunächst wunderte sie sich, dass das Schlafmittel Träume überhaupt zuließ. Dann wunderte sie sich, dass sie sich wunderte, denn normalerweise neigte sie nicht dazu, im Schlaf über ihr Bewusstsein zu reflektieren. Schließlich wurde ihr klar, dass sie die Augen geöffnet hatte und alles um sie herum real war: der Staub auf dem Couchtisch, die ausgebrannten Holzscheite im Kamin, der Morgenmantel, den sie in ihrer kurzen, aber intensiven Schlafphase völlig durchgeschwitzt hatte. Und der Mann mit den groben Winterstiefeln, von denen Tauwasser auf die Dielen tropfte.
Der Mann!
Emma richtete sich auf, so schnell, dass ihr für einen Moment schwindelig wurde und die Welt sich zu drehen begann.

Sie griff nach dem Schalter der Stehlampe und knipste sie an. Warmes, weiches Licht flutete das Wohnzimmer, das bis eben noch im Dämmerschein gelegen hatte.
»Hallo«, sagte der Mann und hob die Hand.
»Was wollen Sie?«, sagte Emma und tastete nach dem Skalpell in ihrer Manteltasche. Seltsamerweise war sie weit weniger verängstigt, als sie sich eigentlich hätte fühlen müssen bei dem Anblick eines Fremden, der in ihr Heim eingedrungen war, während sie schlief.
Sie war aufgeregt, nervös, fühlte sich wie vor einer Prüfung, für die sie nicht gelernt hatte, aber sie war weit davon entfernt, in Schockstarre zu verfallen oder gar zu schreien. Was weniger daran lag, dass sie sich resigniert in ihr Schicksal fügte, als vielleicht daran, dass der Mann weit weniger angsteinflößend wirkte als in jenem Moment, in dem sie ihn zum ersten Mal gesehen hatte.
Vor nicht einmal einer Stunde.
Weinend in seinem Schlafzimmer.
»Herr Palandt?«, fragte sie, und der Eindringling nickte stumm.
Vorhin hatte er eine Glatze gehabt, jetzt trug er eine dunkelbraune Kurzhaarperücke, die vom Schneeregen schwarz verfärbt war.
Er war groß, fast so wie Sylvia, und schlank, hager sogar. Seine schwarze Regenjacke hing ihm wie eine Plane über den eingefallenen Schultern. Sie hatte gelbe Knöpfe, die seltsam modisch wirkten für jemanden, der ansonsten nicht auf sein Äußeres zu achten schien. Die für das Wetter ebenfalls viel zu dünne Cordhose war drei Nummern zu groß, so als müsste Palandt die Sachen eines älteren Bruders auftragen. Dabei ging er mindestens auf die sechzig zu.

Das Auffälligste an ihrem Nachbarn war seine Brille. Ein beigefarbenes Plastikungetüm mit Gläsern, die so dick waren, dass seine Augen dahinter kaum zu erkennen waren. Konnte er ohne das Gestell überhaupt etwas sehen?
»Was wollen Sie?«, fragte Emma in der Hoffnung, dass Palandt sie im Schlafzimmer gar nicht erkannt hatte. »Wie sind Sie hier reingekommen?«
Emma drückte sich aus den Sofakissen hoch und hatte das Gefühl, sich entschuldigen zu müssen, dabei war es doch der Nachbar, der in ihr Haus eingedrungen war, *und Hausfriedensbruch wiegt ja wohl schwerer als Sachbeschädigung, oder?*
»Es tut mir leid. Ich hoffe, ich habe Sie nicht erschreckt, aber Ihre Haustür stand offen.«
Die Haustür?
Emma erinnerte sich daran, wie sie heulend auf dem Boden gelegen und gehört hatte, wie Sylvia wütend die Tür zugeschlagen hatte. So stark, dass die Erschütterung im Wohnzimmer noch zu spüren gewesen war.
Möglicherweise war sie wieder aus dem Schloss gesprungen.
Ich dumme Kuh hab das nicht kontrolliert!
Palandt wandte sich von ihr ab und sah zum Schreibtisch.
Zu dem Paket!
Aufgerissen wie von einem ungeduldigen Kind an Weihnachten, lag sein Inhalt zwischen den Styroporkügelchen verstreut auf der Arbeitsplatte.
»Es tut mir leid«, sagte sie schuldbewusst und zeigte zum Tisch. »Ich bin … also … mir geht es nicht gut. War eine dumme Idee, die Post durchzuschauen, nachdem ich ein Schlafmittel genommen hatte. Ich dachte, das Paket wäre für mich. Tut mir leid.«

»Kein Problem«, sagte Palandt. Die Wörter klangen freundlich und warm, wenn auch mit schwacher Stimme gesprochen. »Wie gesagt, ich bin es, der sich entschuldigen muss.«
Emma schüttelte unbewusst den Kopf, weshalb Palandt ergänzte: »Doch, doch. Ich hätte hier nicht so einfach reinplatzen dürfen, um das Paket zu holen.« Er griff in die hintere Tasche seiner Cordhose und zog Salims Benachrichtigungskarte hervor. »Ich hab geklopft, aber keine Klingel gefunden …«
»Die ist vorne an der Gartenpforte.«
»Ach so, ja, zur Gartenpforte bin ich nicht noch einmal zurückgegangen, nachdem ich schon die Treppe erklommen habe. Wissen Sie, ich bin etwas schwach auf den Beinen.« Er sah an sich selbst hinunter, als wollte er sichergehen, dass seine dürren Beine überhaupt noch mit seinem ausgemergelten Körper verwachsen waren.
»Wie dem auch sei, als sich keiner meldete, machte ich mir Sorgen, hier wäre ebenfalls eingebrochen worden.«
»Ebenfalls?«, fragte Emma, und auf einmal war sie doch da, die Angst. Denn natürlich wusste sie, wovon Palandt sprach.
»Oh, ich bin schon mehrfach überfallen worden, gerade heute erst«, sagte ihr Nachbar und kratzte sich am Hinterkopf.
»Heute waren sie sogar in meinem Schlafzimmer und haben mich beobachtet.«
Emma wurde kalt. Sie öffnete den Mund, wollte die Fragen stellen, die ein Unverdächtiger sofort gestellt hätte: »Von wem reden Sie? Was wollen die von Ihnen? Haben Sie die Polizei verständigt?«, aber sie bekam keinen Ton heraus.

Nicht, als sie sah, wie sich auf Palandts Kopf die Perücke verschob, während er sich unablässig die Haare kratzte. Er murmelte etwas, das sich wie »dieses verdammte Jucken ...« anhörte, und gleichzeitig verwandelte sich seine monströse Brille in ein Tränenaquarium.
Palandt hatte angefangen zu weinen.

31. Kapitel

»Würde es Ihnen ...?« Palandt zog die Nase hoch und sah sich um, als suche er etwas Bestimmtes im Wohnzimmer, dann schien er es gefunden zu haben, denn er wandte sich von Emma ab und ging einen Schritt nach rechts. »Würde es Ihnen etwas ausmachen, wenn ich mich setze?«

Ohne die Antwort abzuwarten, ließ er sich in den Sessel fallen, der schräg zum Sofa stand und auf dem Philipp sonntags gerne die Wochenzeitung las. Er war aus dunkelgrünem Leder mit betonfarbenen Armlehnen, ein hässlicher Industrielook, wie Emma fand, der so gar nicht in das ansonsten eher ländlich eingerichtete Haus passte. Aber es war ein Erbstück von Philipps Mutter, und er hing an ihm. Palandt schien sich auch wohl darin zu fühlen, jedenfalls seufzte er erleichtert, wischte sich mit dem Handrücken die Tränen von der Wange und schloss die Augen.

Emma, die unschlüssig vor dem Couchtisch stand, befürchtete schon, ihr Nachbar würde einschlafen, da schlug Palandt die Augen auf: »Es ist mir sehr peinlich, Frau Stein, aber mir geht es nicht so besonders, wie Sie vielleicht merken.«

Frau Stein.

Emma überlegte kurz, woher der Nachbar ihren Namen kannte, denn er stand nicht an der Tür, dann fiel ihr ein, dass Salim ihn bestimmt auf die Abholkarte geschrieben hatte.

»Was haben Sie denn?«, fragte sie, während sie eigentlich nach ganz anderen Antworten suchte. Ob er das Handy gefunden hatte, zum Beispiel. Was mit seinen Haaren los war. Ob er ein Katz-und-Maus-Spiel mit ihr spielte, bei dem sie sich gerade in der »Beruhigungsphase« befanden, in der Emma denken sollte, von dem schwachen, leidenden Palandt ginge keine Gefahr aus, während er in Wahrheit nur auf den geeigneten Moment wartete, um ihr an die Gurgel zu springen.

»Ich habe Krebs«, sagte er knapp. »Ein Tumor in der Leber. Metastasen in der Lunge.«

»Deswegen die Medikamente?« Sie sahen beide zum Schreibtisch.

»Morphium und GHB«, gestand Palandt freiheraus. »Das eine nimmt mir die Schmerzen, das andere putscht mich auf oder hilft mir einzuschlafen, je nach Dosis. Heute hatte ich wohl zu viel intus, deshalb habe ich den Paketboten verschlafen.« Er lachte traurig. »Hätte nie gedacht, dass ich einmal zum Junkie werde. Wissen Sie, mein ganzes Leben lang hab ich Sport gemacht, hab mich gesund ernährt, nie getrunken, das durfte ich ja auch nicht in meinem Beruf.«

Palandt sprach schnell, mit der für einsame Menschen typischen Mischung aus Aufregung und Scham, wenn sie nach langer Zeit endlich eine Gelegenheit finden, sich mit jemandem zu unterhalten, und sei es mit einem vollkommen Fremden.

»Ich war beim Zirkus«, erzählte er ihr. »Daddy Longbein nannten sie mich, vielleicht haben Sie ja mal von mir gehört. Nein? Na ja, ist ja auch schon ein Weilchen her. Jedenfalls Daddy Longbein, wie die Spinne, weil ich auch so lange Beine habe, mich aber ganz klein machen konnte.

Gott, war ich beweglich, für die Koffer-Nummer bekam ich den meisten Applaus.«
»Koffer-Nummer?«, fragte Emma.
»Ja, ich konnte mich so verbiegen, dass ich in einen kleinen Handgepäckskoffer passte.« Palandt lächelte traurig. »Damals hatte ich Gummiknochen. Heute tut es mir weh, wenn ich mir nur die Schnürsenkel binde.«
Emma schluckte. Der Gedanke an einen Menschen, der sich in die hinterste Ecke eines Raumes quetscht, um nicht gefunden zu werden, bevor sein Bewohner sich zum Schlafen legt, ließ sich nicht verdrängen.
Aber im Le Zen *hat es keinen einzigen Winkel gegeben. Selbst für einen Schlangenmenschen nicht.*
Emma sah zum Fenster. Unter dem Kopf der Straßenlampe wirbelten Schneeflocken wie ein Mückenschwarm im Sommer um das Licht. Sie fühlte einen dumpfen Schmerz, der von innen gegen die Stirn presste. Emma musste daran denken, dass nur eine halbe Pille von dem Zeug, das da auf ihrem Schreibtisch lag, ausreichen würde, um sie schmerzfrei zu stellen, ganz gleich, wie schwer die Migräne, die sich gerade ankündigte, heute noch werden würde.
Sie merkte, dass Palandt ihrem gedankenverlorenen Blick zum Paket gefolgt war, und sagte: »Es geht mich ja nichts an, aber ich bin Ärztin, wissen Sie.«
Palandt lachte kieksend. »Sie wollen wissen, weshalb ich mir diese billigen Schwarzmarktkopien bestelle?«
Sie nickte.
»Ja, das war eine blöde Idee«, erklärte Palandt. »Wissen Sie, ich war früher nie krankenversichert. Wieso auch? Ich war mein Leben lang gesund, und wenn es schlecht läuft, dachte ich, lebe ich halt von meinem Ersparten im Haus meiner Mutter.«

»Frau Tornow?«
»Das war ihr Mädchenname. Nach der Scheidung hat sie ihn wieder angenommen. Sie haben sie gekannt?« Palandt schien hocherfreut zu sein und lächelte sanft.
»Wir sind uns hin und wieder auf der Straße begegnet, eine nette Frau«, antwortete Emma. »Ich habe sie lange nicht mehr gesehen.«
»Sie ist in Thailand«, erklärte er. »In einem Pflegeheim, direkt am Strand.«
Emma nickte. Das ergab Sinn. Immer mehr deutsche Rentner verbrachten ihren Lebensabend in Asien, wo man für sehr viel weniger Geld eine bessere Krankenversorgung bekam. Und wo es im Winter nicht so kalt wurde wie daheim.
»Ich soll mich in ihrer Abwesenheit um das Haus kümmern.« Palandt wollte noch etwas ergänzen, schlug sich dann aber unvermittelt die Hände vor den Mund. Ein jäher Hustenanfall schüttelte seinen Körper.
»Entschuldigung …« Er versuchte, etwas zu sagen, musste sich aber immer wieder unterbrechen und schien kaum noch Luft zu bekommen.
Emma holte ihm ein Glas Wasser aus der Küche. Als sie zurückkam, hatte er einen hochroten Kopf und röchelte kaum verständlich: »Würde es Ihnen etwas ausmachen, mir bitte eine Tablette zu geben?«
Sie reichte ihm das Morphium vom Schreibtisch.
Gierig schluckte er zwei Pillen auf einmal. Dann hustete er noch eine halbe Minute weiter, bis er sich endlich beruhigt hatte, und entspannte sich.
»Es tut mir leid«, sagte er mit fahrigen Augenlidern. Die Brille hatte er kurz abgenommen und trocknete sich mit dem Handrücken die Tränen. »Manchmal wache ich mit so großen Schmerzen auf, dass ich weinen muss.«

Er setzte sich die Gläser wieder auf den Nasenrücken und lächelte entschuldigend. »Ich weiß, mit dem Gestell sehe ich aus wie eine Vogelscheuche, aber ohne das Ding könnten Sie aufstehen und aus dem Raum gehen, und ich würde mich weiterhin mit dem Sofakissen unterhalten.«

Emma zog unwillkürlich die Stirn kraus und setzte sich wieder aufs Sofa.

Ist das wahr?

Dann war das vermutlich die Erklärung, weshalb er sich so unbefangen ihr gegenüber verhielt. Zumal er nach dem Aufwachen vielleicht unter den erwähnten Schmerzen gelitten hatte. Ohne Brille und mit Tränen in den Augen hatte er sie nicht am Bett stehen sehen können.

Vielleicht hat er mein Handy auch noch nicht gefunden?

Emmas paranoides Ich wollte die Dinge natürlich in einem anderen Lichte betrachten, in dem Anton Palandt ein begnadeter Schauspieler war, der ihr seine Krankheit nur vorgaukelte, um sie in Sicherheit zu wiegen, *immerhin trägt er eine Perücke!,* aber sie sehnte sich geradezu nach einer harmlosen, logischen Erklärung für all die mysteriösen Dinge, die sie heute erlebt und beobachtet hatte, weswegen Emma ihren Nachbarn ganz unverblümt fragte: »Haben Sie Ihre Haare wegen der Chemotherapie verloren?«

Palandt nickte. »Ja, sieht scheußlich aus, was?« Er lüftete kurz das Toupet, und Emma konnte zahlreiche Altersflecken auf seiner Kopfhaut ausmachen. »Billiges Ding aus dem Internet. Es juckt wie die Hölle. Aber ohne traue ich mich nicht auf die Straße. Mit Glatze sehe ich aus wie ein Vergewaltiger.«

Er lachte kehlig, und Emma versuchte, gute Miene zum bösen Spiel zu machen, indem sie ebenfalls die Mundwinkel verzog.

Ein Zufall, sagte ihr hoffnungsfrohes Ich. *Er spielt mit dir*, widersprach ihre paranoide Identität.
Emma beugte sich auf dem Sofa nach vorne, so wie früher in ihren Therapiesitzungen, wenn sie ihrem Patienten zu verstehen geben wollte, dass dieser ihre gesamte Aufmerksamkeit besaß. »Sie sagten, das mit den ausländischen Medikamenten sei eine schlechte Idee gewesen? Wirken sie nicht?«
Palandt nickte. »Das sind billige Kopien. Ich hätte mich niemals mit den Typen einlassen sollen, die sie mir besorgt haben.«
»Russen?«, fragte Emma.
»Nein. Albaner. Sie besorgen sie auf dem Schwarzmarkt und schicken sie per Post, ohne Absender natürlich, denn die haben sie nicht ganz legal erworben.«
»Und was ist das Problem?«
»Dass die Dreckskerle Betrüger sind. Bei der Bestellung kosteten die Mittel nicht einmal ein Drittel der üblichen Handelsware, deshalb hab ich mich darauf auch eingelassen. Etwas anderes kann ich mir nicht mehr leisten, wissen Sie. Alles Geld ist für alternative Behandlungen draufgegangen. Schamanen, Gentherapien, Wunderheiler, an die ich mein Erspartes und meine Hoffnungen verschwendet habe. Aber nach der ersten Lieferung haben die Mistkerle auf einmal über tausend Euro von mir verlangt. So viel habe ich nicht.«
»Und die brechen bei Ihnen ein?«
Mit dieser Frage legte Emma einen Schalter um. Palandts gutmütige, großväterliche Gesichtszüge verhärteten sich. Seine Lippen wurden erst zu Strichen, dann verschwanden sie, während seine Augen einen leicht entrückten Blick annahmen. »Um das Geld einzutreiben, ja.«

Er hob die rechte Hand, deutete mit dem Zeigefinger in Emmas Richtung. Seine Hand zitterte wie die eines an Parkinson Erkrankten.
»Zuerst waren die Drohungen subtiler«, sagte er erregt. Die Wut auf die Leute, die ihn erpressten, ließ ihn nun seine bislang so höfliche Wortwahl vergessen. »Diese verdammten Arschlöcher schicken mir weiter Medikamente. Immer schlechtere. Die wirken kaum noch. Nur noch so, dass ich nicht draufgehe, damit ich nicht abkratze, bevor die an ihr Geld kommen.«
Palandt wischte sich etwas Spucke von der Unterlippe, dann schien er Emmas Anspannung zu bemerken. Verblüfft und erschrocken über seinen plötzlichen Gefühlsumschwung hatte sie die Luft angehalten.
»Es tut mir leid, ich habe mich vergessen«, sagte Palandt. So rasch, wie der Zorn in ihm aufgeflammt war, so schnell schien er auch wieder verflogen.
Emma überlegte, ob seine Krankheit bei ihm eventuell eine bipolare manisch-depressive Störung ausgelöst hatte. Sie nahm sich vor, ihn nicht zu unterschätzen, und bat Palandt, weiterzusprechen.
»Nun denn, Frau Stein, was soll ich sagen? Sie versuchen mir mit allen Mitteln Angst zu machen. Legen mir zum Beispiel Zeitungsausschnitte über grausame Morde in das Paket.«
Oder ein blutiges Skalpell.
»Als Warnung, dass da auch mein Name stehen könnte, verstehen Sie. Doch jetzt belassen sie es nicht mehr bei Andeutungen. Die durchwühlen mein Haus, drohen mir mit Schlägen. Ich kann schon meine Tür nicht mehr abschließen, die haben sie das letzte Mal kaputtgemacht. Und heute sind sie wieder da gewesen.«

»Wieso gehen Sie nicht zur Polizei?«
Palandt seufzte kraftlos. »Bisher hätte das ja nichts genutzt. Ich weiß ja gar nicht, wer die sind, wo die wohnen. Kenne keine Namen. Was also soll die Polizei tun? Tag und Nacht das Haus eines Krebskranken observieren? Da haben die wohl Besseres zu tun, fürchte ich.«
»Wie sind die an Sie rangekommen?«
»Ich hab über eine russische Seite im Internet gebucht.«
»Und was heißt *bisher?*«
»Wie bitte?«
»Sie sagten, Sie konnten sie bisher nicht anzeigen. Was ist jetzt anders?«
»Ach so, ja. Die Erpresser haben einen Fehler gemacht. Sie haben ein Handy verloren.«
Er lächelte triumphierend, während Emmas Körpertemperatur um einige Grade anstieg.
»Ein Handy?«, echote sie.
»Ja. Ich hab es im Flur gefunden. Da kann man doch die Nummer des Eigentümers erkennen, oder?«
Emma zuckte mit den Achseln. Ihr rechtes Augenlid begann zu flattern.
Ja, kann man. Ich hab brav einen Besitzer-Kontakt angelegt, sollte es einmal verloren gehen.
Ihr wurde übel.
»Haben Sie schon jemanden von dem Einbruch informiert?«
Zu Emmas Erleichterung schüttelte er den Kopf.
»Nein. Als ich die Paketkarte fand, hab ich mich entschieden, erst zu Ihnen zu gehen, um die Medikamente zu holen. Morphium hab ich noch zu Hause, aber die Tropfen gehen zur Neige.«
Palandt stand auf. »Ich danke Ihnen vielmals dafür, dass

Sie mir zugehört haben. Und für das Wasser natürlich. Entschuldigen Sie bitte, wenn ich Sie durch mein Eindringen erschreckt habe. Könnten Sie mir vielleicht eine Tüte geben?«
»Eine Tüte?«
Palandt zeigte auf das aufgerissene Paket.
»Für die Medikamente. Dann kann ich zurückgehen und das Telefon überprüfen.«
»Wozu?«, fragte Emma bang.
»Keine Ahnung. Ich bin mir noch nicht sicher. Eigentlich habe ich es nicht so mit der Polizei. Aber vielleicht können die ja was machen, wenn ich denen den Namen gebe, wem das Handy gehört.«

32. Kapitel

Selten hatte sich Emma so überfordert gefühlt wie in diesem Moment. Dabei war sie kaum noch müde, auch wenn der Schlaf, aus dem ihr Nachbar sie gerissen hatte, viel zu kurz gewesen war, um sich auch nur ansatzweise zu erholen. Doch wie schon vorhin in Palandts Haus hatte die Angst, entdeckt zu werden, eine belebende Wirkung.

Emma musste verhindern, dass ihr Einbruch öffentlich wurde. Palandt durfte unter gar keinen Umständen die Polizei rufen. Wie würde sie dastehen, wenn herauskam, dass sie wegen eines Schluckaufs in ihrem Gehirn in das Haus eines alten, todkranken Mannes eingedrungen war? Schon jetzt zweifelten die meisten Menschen ihre Zurechnungsfähigkeit an. Selbst Philipp hatte ihr heute ganz offen eine Therapie nahegelegt, und ihre beste Freundin unterstellte ihr, sie vergiftet zu haben.

Wenn ihr Einbruch bekannt wurde, wäre ihre Reputation endgültig zerstört. Und alle würden sagen, dass die Ärzte sie während des Rosenhan-Experiments mal besser doch zwangstherapiert hätten. Weil sie nämlich wirklich ein Fall für die Klapse war.

»Geht es Ihnen gut?«, fragte Palandt, als sie mit einer Plastiktüte in der Hand aus der Küche kam. »Sie sehen so blass aus.«

»Was, wie, ja? Äh, nein, alles okay. Ich habe nur nachgedacht.«

Sie reichte ihm die Tüte, und er trat an den Schreibtisch, während sie beim Kamin stehen blieb.
»Worüber?«, fragte ihr Nachbar, während die Tüte jede Tablettenpackung, die er in sie hineinstopfte, mit einem Knistern verschluckte.
Ich habe ihn gar nicht gefragt, ob er seinen Mantel ablegen will, dachte Emma, während sie auf seinen dürren Rücken starrte. Plötzlich kam ihr eine Idee.
»Haben Sie es schon berührt?«, fragte sie ihn.
»Wie bitte?«
Palandt drehte sich zu ihr herum.
»Das Telefon«, sagte sie. »Haben Sie es schon in die Hand genommen?«
»Um ehrlich zu sein, ja. Wieso?«
»Nun, mein Mann ist Polizist.«
Dass das eine ziemlich merkwürdige Antwort war, schien ihm nichts auszumachen.
»Ach ja?«
»Ja, Philipp hat oft mit solchen Erpressungsfällen zu tun«, log sie. »Meistens stehen die ja mit organisiertem Verbrechen im Zusammenhang.«
Palandt musste kurz husten, dann sagte er: »Könnte ich mir gut vorstellen. Die, die mich heimsuchen, gehören ganz bestimmt einer organisierten Bande an.« Er verstaute die letzte Packung und wandte sich zum Gehen.
Emma stellte sich ihm in den Weg. »Ich arbeite als Psychiaterin hin und wieder mit meinem Mann zusammen, wenn es um Gutachten geht, daher kenne ich mich ein wenig mit seiner Arbeit aus. Leider ist es nun so, dass Sie die Ermittlungstätigkeiten etwas erschwert haben.«
»Wegen meiner Fingerabdrücke?« Palandt nahm seine Brille ab und rieb sich die müden Augen.

»Ja. Die haben gute Anwälte, diese Mafiosi. Vermutlich haben die selbst Handschuhe getragen, weswegen Ihre Abdrücke jetzt die einzigen auf dem Telefon sind.«
»Aber das ist doch egal, wenn man die Nummer rückverfolgt, weiß man doch, dass das nicht mein Telefon ist«, sagte Palandt, klang aber leicht verunsichert.
»Falls die Täter so blöd waren und das Handy über einen Vertrag läuft. Ich gehe aber mal ganz fest davon aus, dass es ein Prepaid-Telefon ist.«
»Oh.«
Die Dielen unter seinen Füßen knarzten, während Palandt mal das eine, mal das andere Bein belastete. Seine Augen wirkten weiterhin freundlich, sein Gesichtsausdruck aber war angespannt. Stehen bereitete ihm offensichtlich Schmerzen. »Na ja, wie auch immer. Einen Versuch ist es doch wohl wert«, sagte er, setzte seine Brille wieder auf und wollte endgültig an ihr vorbei, doch sie überwand sich dazu, ihn am Arm zu berühren.
»Ehrlich gesagt, wäre ich vorsichtig.«
Er blieb erneut stehen. »Wieso? Was kann denn schon passieren?«
»Nun ja, Sie rufen die Polizei. Die kommt vorbei, checkt das Handy, überprüft die gewählten Nummern, kann jedoch am Ende nichts beweisen. Aber da die Beamten die Nummern überprüft haben, haben Sie die Ratten aufgescheucht, Herr Palandt, und am Ende haben Sie nichts erreicht, außer, dass Ihre Medikamentendealer noch wütender auf Sie sind als ohnehin schon.«
»Hm.«
Ihre Sätze hatten ihr Ziel erreicht. Sie arbeiteten in seinem Kopf.
»Wahrscheinlich haben Sie recht. Ich will nicht noch mehr

Ärger und lasse es auf sich beruhen. Andererseits …« Verunsichert sah er Emma in die Augen. »Verdammt, ich will, dass das aufhört. Die kommen doch bestimmt zurück, um es zu holen? Ich kann doch nicht einfach so weitermachen und darauf hoffen, dass von alleine alles gutgeht.«

»Das verstehe ich«, sagte Emma, ohne Palandt eine Lösung aus der Zwickmühle anbieten zu können, die auch ihr aus der Klemme helfen würde.

»Geben Sie es mir«, schlug sie ihm vor und entwickelte eine Idee, während sie redete.

»Ihnen?«

»Dank meinem Mann kenne ich einen Polizeitrick, mit dem man erkennt, ob das Telefon angemeldet ist oder nicht. Jeder Hersteller hat da eine versteckte Systemfunktion.«

Das war natürlich erstunkener und erlogener Blödsinn, aber er verfehlte nicht seine Wirkung.

»Das würden Sie für mich tun?«

»Na klar.«

Ich tu so einiges, bevor du herausfindest, wem das Handy wirklich gehört.

Sie sah zum Fenster, auf das die Schneeflocken einprasselten, als wäre es die Windschutzscheibe eines fahrenden Autos. Kurz überlegte sie, ob sie Palandt bitten könnte, es ihr zu bringen. Aber bevor er sich es anders überlegte, war es wohl besser, sie verlören keine Zeit.

»Also dann …« Emma zupfte an ihrem durchgeschwitzten und jetzt klammen Morgenmantel.

»Ich muss mir nur schnell etwas Warmes anziehen, bevor wir losgehen.«

33. Kapitel

Einmal hatte Arthur ihr von einem Wetter-Schalter erzählt, den Eltern im Keller versteckten. Zu dieser Zeit hatte Emma schon längst keine Angst mehr vor ihrem imaginären Begleiter, auch weil der sich ihr kein zweites Mal mit seinem furchteinflößenden Helm gezeigt hatte. Emma unterhielt sich mit der Stimme im Schrank, heimlich, damit ihre Eltern es nicht mitbekamen.
Seit jener Nacht, als sie Arthur das erste Mal gesehen hatte, hatte sie nie wieder das Schlafzimmer der Eltern betreten. Nicht einmal tagsüber mehr.
Und auch Mama war nicht mehr gekommen, um ihr vor dem Einschlafen eine Gutenachtgeschichte zu erzählen. Das hörte an dem Tag auf, an dem sie das Baby verloren hatte, wofür Emma sich eine Zeitlang die Schuld gab, auch wenn sie nicht genau wusste, weshalb. Arthur hatte sie getröstet und ihr erklärt, dass sie nichts dafürkonnte, dass sie kein Brüderchen bekam. Und er hatte die Gutenachtgeschichten-Erzählerrolle übernommen. Jedenfalls so lange, bis ihr Vater eines Nachts bemerkte, wie Emma mit dem Schrank sprach, und gleich am nächsten Morgen einen Termin bei einem Kinderpsychiater vereinbarte.
Nach über zwanzig Sitzungen war ihr Vater froh, dass seine Tochter ihre Hirngespinste aufgegeben hatte. In Wahrheit aber fühlte sich Emma so, als hätte sie einen Freund verloren. Sie vermisste die Stimme, die ihr so drollige Geschichten wie die vom Wetter-Schalter erzählte, mit dem

man zwischen den Jahreszeiten wechseln konnte, damit Väter, die keine Lust hatten, mit ihren Töchtern auf Spielplätze zu gehen, von Sonne auf Schneeregen umschalten konnten.
Und da diese Theorie ungefähr genauso plausibel klang wie die Geschichte von dem weißbärtigen Mann, der es schaffte, Millionen von Geschenken in nur einer einzigen Nacht gleichzeitig an alle Kinder dieser Welt zu verteilen, hatte Emma sich eines Tages im Keller auf die Suche nach diesem sagenumwobenen Schalter gemacht.
Gefunden hatte sie leider nur das Absperrventil der Therme im Heizungsraum, weswegen es eine Zeitlang sehr viel kälter im Haus wurde, nachdem sie erfolgreich die Heizung abgestellt hatte.
Der Wetter-Schalter blieb unentdeckt. Leider. Denn auch heute hätte Emma sich etwas gewünscht, mit dem sie die frühe Dunkelheit hätte abstellen können sowie den Frost und vor allem den beißenden Wind, der sich mit spitzen Zähnen in ihrem Gesicht verbiss, kaum, dass sie die Haustür geschlossen und den Schutz des Vordachs verlassen hatte.
»Das nenn ich mal ein Wetter«, schimpfte Palandt vor ihr. Sie schlug den Kragen ihrer Daunenjacke hoch und hatte Mühe, Anschluss zu halten. Emma kam nicht umhin, ihrem Nachbarn für seinen geraden Gang und seine Körperbeherrschung Respekt zu zollen. Krebs hin oder her, die frühere artistische Betätigung Palandts schien sich auch heute noch auszuzahlen. Im Gegensatz zu ihr schlurfte er nicht mit unsicheren Trippelschritten voran, und er stemmte sich auch nicht in der gebeugten Haltung eines geprügelten Hundes gegen die Schneeverwehungen. Er wechselte die Tüte mit den Medikamenten von der einen

Hand in die andere und warf einen Blick über die Schulter zurück: »Das ist sehr lieb von Ihnen. Aber Sie müssen das nicht für mich tun.«

Mein Handy abholen, bevor Sie es identifizieren? Oh doch, wenn Sie wüssten, wie sehr ich das hier tun muss.

Von »wollen« konnte allerdings keine Rede sein. Schlimm genug, dass Emma sich heute schon einmal dem Horror der Außenwelt ausgesetzt hatte, und damit meinte sie nicht das Wetter, sondern Straßen, Laternen, *fremde Menschen!*

Die Wirkung des Diazepams ließ weiter nach, was zwar bedeutete, dass sie nicht mehr fortwährend gähnen musste, aber dafür saß ihr wieder die Angst im Nacken.

In jedem parkenden Auto wartete ein Schatten auf der Rückbank. Das Licht der Laternen beleuchtete die falschen Abschnitte ihres Weges und ließ eine ganze Welt voller Gefahren im Dunkeln. Und der schneetreibende Wind wehte nur deswegen so laut, um alle Geräusche, die sie vor drohendem Unheil warnen könnten, zu verschlucken. Tatsächlich toste er so heftig um ihre ungeschützten Ohren (in der Eile hatte Emma diesmal kein Kopftuch umgebunden), dass der Wind selbst die sonst allgegenwärtigen Verkehrsgeräusche der Heerstraße übertönte.

Sie passierten die offene Einfahrt eines Eckhauses, dessen Eigentümer aufmerksamerweise Splitt gestreut hatte, als Palandt Emma einen Schreck einjagte. Er drehte sich zu ihr herum und fragte laut: »Sind Sie schon einmal bei mir gewesen?«

Emma machte den Fehler, zu ihm aufzuschauen, deshalb übersah sie das verschneite Schlagloch im Boden und stolperte. Sie spürte einen jähen Schmerz bis ins Knie hochschießen, riss die Hände nach oben und verlor das Gleich-

gewicht. Dann schloss sich ein Ring um ihr Handgelenk wie eine eiserne Handschelle, und eine brutale Kraft riss sie nach vorne, wo sie auf etwas Hartes prallte, das sich ebenfalls wie eine Manschette um sie legte.
Palandt!
Er hatte ihren Arm gepackt und sie zu sich gerissen und damit vor dem Sturz bewahrt.
»Danke!«, sagte Emma, viel zu leise für den Wind und viel zu verunsichert davon, dass sie in den Armen ihres knochigen Nachbarn lag, dessen Kraft sie anscheinend völlig unterschätzt hatte. Sie tastete nach dem Skalpell in ihrer Tasche und stöhnte auf, als ihr bewusst wurde, dass sie es in ihrer Winterjacke selbstverständlich nicht finden konnte. Das Skalpell lag jetzt im Wäschekorb auf der Kellertreppe, wo sie ihren klammfeuchten Morgenmantel gedankenlos hineingestopft hatte, bevor sie ihn gegen die Daunenjacke tauschte.
Ich bin unbewaffnet, dachte sie.
Und dieser Gedanke verstärkte ihre Angst.
»Ich glaube, das war doch keine so gute Idee. Ich gehe jetzt besser wieder nach Hause«, war das, was sie ihm sagen wollte, bevor sie sich umdrehte und nach Hause rannte.
»Ich glaube, das war … knapp«, war das Einzige, was sie herausbrachte.
Sie hatte Tränen in den Augen, vor Schmerz, vor Furcht und natürlich der Kälte wegen. Emma blinzelte, aus Sorge, das Wasser könnte direkt auf ihrer Linse gefrieren.
»Ich meinte, bei meiner Mutter«, fragte Palandt weiter, als sie ihren Körperschwerpunkt wiedergefunden hatte und er sie losließ, seine Hände immer noch schützend vorgestreckt wie ein Vater, der neben seinem Kind steht, das zum ersten Mal die Stützräder weglässt.

»Haben Sie meine Mama mal besucht, als sie noch hier gewohnt hat?«
Emma schüttelte den Kopf.
»Das passt«, sagte Palandt, und wenn Emma sich nicht irrte, schien er leise zu lachen, aber auch das wurde vom Wind verschluckt. »Sie ist schon immer eine Eigenbrötlerin gewesen.«
Den Rest des kurzen Weges gingen sie schweigend nebeneinanderher, bis Emma zum zweiten Mal an diesem Tag vor Hausnummer 16a stand. Zum zweiten Mal die überdachte Treppe hinaufging, um wenige Sekunden später zum ersten Mal das Innere des Hauses bei Licht zu sehen.
»Tut mir leid, aber bei mir ist es nicht so gemütlich wie bei Ihnen«, entschuldigte sich Palandt, während er Emma die Daunenjacke abnehmen wollte, doch dazu war ihr viel zu kalt.
Im Flur herrschten laut einem alten Quecksilberthermometer an der Wand kaum mehr als sechzehn Grad. In den anderen Räumen war es nicht besser, wie Palandt selbst einräumte.
»Meine finanziellen Mittel erlauben es mir leider nicht, alle Räume durchgehend zu heizen. Aber wir können uns im Wohnzimmer vor den Kamin setzen, und ich mache uns einen Tee?«
Sie lehnte dankend, aber bestimmt ab. »Haben Sie das Handy?«
»Aber sicher doch, natürlich. Warten Sie bitte.«
Palandt legte die Medikamententüte auf eine Kommode und verschwand durch eine Tür, die links vom Flur abging und zu einem Raum führte, in dem sie das Badezimmer vermutete.
Dort bewahrt er mein Handy auf?

Emma nutzte seine kurze Abwesenheit, um sich noch einmal im Flur umzusehen.
Die Post lag nicht mehr auf den Dielen vor der Haustür, der Garderobenständer war immer noch leer. Wie der Ständer mit dem mund- und augenlosen Styroporkopf, der vermutlich für Palandts Chemotherapie-Perücke gedacht war.
Im schwankenden Licht der alten Glimmdrahtglühbirne, die nackt von der Decke hing, warf der Ständer einen lebendig wirkenden Schatten. Emma trat näher heran und sah etwas Helles aufblitzen; ein kleiner Schimmer auf der ansonsten so stumpfen Oberfläche.
Sie streckte die Hand aus, fuhr über das rauhe Styropor und besah sich danach ihre Finger.
Nein!, schrie sie in Gedanken. Sie schlug sich vor die Brust, rieb ihre Hand am Oberschenkel ab, versuchte es noch einmal an ihrer Jacke, aber das Haar, *das lange, blonde FRAUENHAAR*, das sie von dem Perückenständer aufgesammelt hatte, wollte sich nicht von ihrem Finger lösen.
»Alles in Ordnung?«, hörte sie Palandt hinter sich fragen, der aus dem Badezimmer zurückgekehrt war. Emma drehte sich zu ihm um; zu seinen glasumrandeten Augen; zu seinem angestrengten Lächeln – und zu seinen schmalen Chirurgenfingern, die in hautengen Latexhandschuhen steckten und einen Gefrierbeutel hielten.

34. Kapitel

Die hab ich im Waschbeckenunterschrank gefunden«, sagte Palandt, in einer Sekunde noch lächelnd, in der nächsten wurden die Augen hinter der Brille wässrig. »Tut mir leid«, sagte er und zog die Nase hoch. »Ich werde immer sentimental, wenn ich an meine Mutter denke. Sie ist jetzt so weit weg.«
Er hob die Hände, klimperte mit den OP-Handschuh-Fingern. »Mama benutzte sie immer zum Umfärben ihrer Perücken.«
Emma hätte am liebsten geschrien, aber die Angst hatte ihre eigenen Finger, und die legten sich ihr gerade um den Hals und schnürten ihr die Luft ab.
»Im Gegensatz zu mir trägt sie gerne diese haarigen Dinger.«
Palandt lief mit großen Schritten durch den Flur zu der Spanholzkommode, auf der die Tüte lag. Sein Regenmantel knautschte bei jedem Schritt.
Emma wich zurück, die Hände schützend gegen ihre Brust gepresst, unter der ihr Herz mit wilden Hufschlägen galoppierte. Palandt versperrte ihr mittlerweile den direkten Weg zum Ausgang, daher suchte sie ihre Umgebung nach anderen Fluchtmöglichkeiten ab. Oder nach Waffen, mit denen sie den sicher erwarteten Angriff abwehren könnte. *Der Garderobenständer?* Zu schwer, außerdem an der Wand festgeschraubt. *Der Styroporkopf?* Nutzlos, zu leicht.

Die Tür, links vorne? Mit etwas Glück und sehr viel weniger angstgelähmten Beinen würde sie es vielleicht bis zur Küche schaffen, aber wer sagte, dass dort ein Messerblock stand, den sie rechtzeitig erreichte, bevor Palandt sie an den Haaren zurückriss? Lang genug waren sie ja wieder, dass sich eine Männerfaust um sie schließen konnte.

»Halten Sie mal bitte?«

Emma zuckte zusammen.

In ihrer Hand spürte sie ein Stück elastisches Plastik, eine kleine Tüte. Palandt hatte ihr den Gefrierbeutel in die Hand gedrückt und sich wieder zur Kommode gewandt, dessen oberste Schublade er öffnete.

Es dauerte nicht lange, und er drehte sich um, mit einem zufriedenen Lächeln auf den trockenen Lippen. Und Emmas Telefon in der Hand.

»Hier haben wir es ja.«

Er nickte ihr aufmunternd zu. Offenbar missverstand er Emmas verstörten Blick, denn er sagte: »Ja, ich weiß. Die Handschuhe sind vermutlich unnötig, jetzt, da ich das Handy schon einmal angefasst habe, aber wenigstens kommen so keine neuen Abdrücke hinzu. Darf ich?«

Er zeigte auf ihre Hand.

Emma betrachtete die Finger, mit denen sie den Gefrierbeutel hielt.

Palandt forderte sie auf, den Beutel so zu halten, dass er das Handy in ihn hineinlegen konnte.

»So macht man das doch mit Beweismitteln, oder?«, fragte er Emma und hielt inne. »Wann wird er es denn untersuchen?«

Emma blinzelte nervös und biss sich auf die Unterlippe, die unkontrolliert zu zittern begonnen hatte.

Panik war wie ein unsichtbares Nachtmonster. Selbst

wenn man nachgeschaut hatte, dass es sich weder im Schrank noch unter dem Bett versteckt hielt, lag man noch eine Weile lang mit klopfendem Herzen in der Dunkelheit und konnte dem Frieden nicht trauen.

»Untersuchen?«, fragte Emma, die für einen Moment die Lüge vergessen hatte, die sie Palandt aufgetischt hatte. Ihr Gesicht war schweißgebadet, aber das schien Palandt selbst mit seiner gewaltigen Brille nicht zu sehen, oder er hielt es für den Rest des Schnees, der langsam auf Emmas Stirn taute.

»Die Spezialfunktion«, erinnerte er sie. »Mit der man feststellen kann, wem es gehört …«

Er verstummte und zuckte, als habe er einen Stromschlag erhalten. Diese unwillkürliche Reaktion passte zu dem elektrischen Summen und dem Blitz in seiner rechten Hand.

Das Handy.

Auf einmal hell erleuchtet, surrte der Apparat in Palandts Latexfingern, und es brauchte einige Zeit, bis Emmas Nachbar begriffen hatte, was er da gerade auf dem Displayfoto sah: zwei Menschen. Einen Mann. Eine Frau. Vertraut nebeneinandersitzend. Heimlich in einem Restaurant fotografiert, wie sie, in inniger Zuneigung verbunden, gemeinsam in einem Stück Kartoffelpuffer herumstocherten. Das Kartoffelpuffer-Foto, das einen Anruf von Philipp ankündigte!

35. Kapitel

Die Wucht der Erkenntnis sickerte zwischen dem vierten und fünften Klingelintervall in Palandts Bewusstsein.

»Was zum Teufel ...«, fragte er leise. Emma streckte beide Hände nach ihm aus, doch nun war er es, der zurückwich.

»Ich kann es erklären.« Sie versuchte, das Telefon an sich zu nehmen, aber er riss seine Hand zurück.

»Sie?« Er stieß seinen Zeigefinger regelrecht auf das Display.

Der Schalter war wieder umgelegt. Palandt hatte von einer Sekunde auf die andere die Fassung verloren. Nur richtete sich seine blanke Wut, anders als vorhin in Emmas Wohnzimmer, nicht gegen die Erpresser. Sondern gegen Emma.

»Das sind Sie!«

Emma nickte. »Ja, aber es ist nicht so, wie Sie denken!«

»Sie sind hier gewesen?«

»Ja ...«

»Sie sind bei mir eingebrochen?«

»Nein ...«

»Dann war es Ihre Stimme, die ich im Schlafzimmer gehört habe!«

»Ja, aber ...«

»Ihr spitzer Schrei ...«

»Ja.«

»Mit dem Sie mich zu Tode erschrecken wollten!«

»Nein.«

Emmas Sprachschatz war auf den eines Kleinkinds geschrumpft, das aus Versehen das Kontaktbild-Foto geschossen hatte, was sie jetzt in akute Erklärungsnot brachte.
Und in Gefahr?
Der Ausdruck in Palandts Augen hatte sich gravierend verändert. Nichts an ihm erinnerte mehr an einen älteren, von einer schweren Krankheit gezeichneten und dennoch liebevollen Onkel. Er war im wahrsten Sinne des Wortes »entrückt«.
»Wieso könnt ihr mich nicht in Ruhe lassen?«, brüllte er.
Ihr?
Emma versuchte zu retten, was zu retten war, und schlug einen ruhigen, freundlichen Ton an, fast wie früher, wenn Patienten in der Sprechstunde aufbrausend wurden.
»Bitte, geben Sie mir einen Moment, es zu erklären.«
Palandt hörte ihr gar nicht zu. »Wo sind Sie gewesen?«, fragte er laut. »Waren Sie auch draußen?«
Je näher er ihr kam, desto weniger verstand sie, was er sagte.
»Draußen?«
»Im Garten. Haben Sie's gefunden?«
»Was gefunden?«
»Lüg mich nicht an!«, schrie er und versetzte Emma den ersten Schlag. Eine Ohrfeige, direkt ins Gesicht. Für eine Sekunde schien er selbst überrascht, was in ihn gefahren war, und Emma hoffte schon, dass er sich beruhigt hatte, aber eher trat das Gegenteil ein. Er wurde noch aggressiver, wie ein Kampfhund, dessen Beißhemmung gefallen war. Er schrie noch lauter auf sie ein, die Hände schwebten zu Fäusten geballt über ihrem Kopf.
»Natürlich haben Sie das. Deshalb haben Sie auch das Paket geöffnet, habe ich recht? Um mich zu überführen? Aber das funktioniert nicht. Das wird nicht klappen!«

Emma wollte noch weiter nach hinten ausweichen, aber sie stand schon mit dem Rücken zur Wand. Palandt packte sie an den Schultern.

»Ich gehe nicht ins Gefängnis. Niemals!«

Er schüttelte sie. Wäre Emma ein Baby, hätte sie lebenslange Hirnschäden zu erwarten, so heftig rüttelte er sie durch. Dann, in einem weiteren Anflug jähen Zorns, stieß er sie von der Wand weg. Sie stolperte, hielt sich an dem Garderobenständer fest, der zwar an der Wand verschraubt war, aber nur halbherzig, weswegen sie ihn aus der Verankerung riss und mit ihm zu Boden stürzte.

»Du verdammtes Biest«, schrie Palandt, jetzt komplett außer sich. Er trat nach ihr. Beugte sich zu ihr hinab, packte sie an den Haaren, rutschte ab, weil sie zu nass waren *(oder doch zu kurz?)*, Emma schlug mit dem Ellbogen nach hinten. Traf schmerzhaft auf einen anderen Knochen, vielleicht sein Kinn oder die Schläfe. Sie wusste es nicht, weil sie nicht nach hinten sah, nur nach vorne, wobei vor ihr der Flur in die falsche Richtung führte. Tiefer ins Haus hinein.

In das Haus des Mannes, der sie an ihrem Knöchel gepackt hielt (offenbar war er selbst über den Ständer gestolpert) und irre Sätze brüllte: »Ich musste es tun. Mir blieb keine Wahl. Ich hab doch kein Geld! Wieso versteht das keiner? Wieso könnt ihr mich nicht einfach in Ruhe lassen?«

Emma trat aus, rammte ihm den Fuß ins Gesicht, und diesmal drehte sie sich um und sah das Blut, das ihm aus der Nase strömte, während er auf den Knien verharrte.

Trotzdem ließ er sie nicht los und brachte sie zum Straucheln. Im Fallen trat sie ihm einen Schneidezahn aus dem Mund, und das hatte endlich den gewünschten Erfolg: Er gab sie frei und presste sich jaulend die Hände vors blu-

tende Gesicht. Emma kroch auf allen vieren bis zu der Tür, die sie kannte, weil sie vor Stunden schon einmal vor ihr gestanden hatte.
Sie zog sich an der Klinke hoch, hörte sich schreien, eine Mischung aus Angst und Hass, überlegte kurz, ob sie in die Küche gehen und nach einer Waffe suchen sollte, nicht länger, um sich zu verteidigen, *sondern um es zu Ende zu bringen.*
Dann aber glaubte sie, einen Schatten hinter Palandt zu sehen, an der Eingangstür. Sie spürte einen Windhauch auf ihrem tränennassen Gesicht, sah, wie Palandt ebenfalls sein Gleichgewicht wiederfand und sich den blutroten Sabber vom Mund wischte. Mit dem Blick eines tollwütigen Fuchses schrie er sie an: »Du Hure zerstörst nicht mein Leben!«
Mit einem Ruck riss sie die Tür auf und schlug sie sofort wieder zu, rannte unter den glotzenden Pferdeaugen an der Wand am Sofa vorbei zu der gläsernen Terrassentür. Emma wollte keine Zeit damit verlieren, herauszufinden, ob diese noch klemmte, und musste nicht darauf achten, keinen Lärm zu machen. Daher nahm sie den hässlichen Schirmständer neben der Tür, ignorierte das Ziehen in ihren Lendenwirbeln beim Hochwuchten und schmiss die kitschige Labrador-Statue durch die Scheibe.
Das Klirren hörte sich an wie ein Schrei, vermutlich aber war das Einbildung, ein Fehlsignal ihrer völlig übersteuerten Sinne. Emma drehte sich mit dem Rücken zum Garten, schützte das Gesicht mit den Armen und schlitzte sich an den Restscherben in der Türfuge die Daunenjacke auf, während sie rückwärts nach draußen drängte.
Sie rannte über die Terrasse in den Hintergarten, versank in knöchelhohem Schnee und wollte nach rechts um das

Haus herum zur Straße laufen, doch von da hörte sie eine Männerstimme. *Nicht die von Palandt, aber vielleicht die eines Komplizen?*

Also rannte sie geradeaus weiter, in der Absicht, über den Zaun am Ende des Gartens in den Wirtschaftsweg einzubiegen, der hier zwischen den Grundstücken angelegt war. Ein nutzloser Pfad, der von den meisten Nachbarn als Hundeklo genutzt wurde, nun aber ihre Rettung verhieß.

Doch danach sah es nicht aus.

Sie drehte sich um, und sah Palandt nur wenige Armlängen entfernt.

Während Fußspuren und Daunenfedern ihren Weg markierten, zog Palandt eine Blutspur hinter sich her.

Sie wunderte sich kurz, weshalb sie ihn so gut sehen konnte, seinen kahlen Kopf, von dem sie die Perücke heruntergeschlagen haben musste.

Dann sah sie die Lichtquelle. Gartenlampen, die wohl bewegungsaktiv waren, ein Überbleibsel der Fürsorge seiner Mutter, die Haus und Garten immer so gut in Schuss gehalten hatte, bevor sie es ihrem Sohn *(dem Friseur?)* überließ.

Emma hörte Palandt hinter sich, spürte seine Wut in ihrem Nacken und folgte den Lichtern im verschneiten Boden. Sie führten zu einem grauen Geräteschuppen, dessen Tür nur angelehnt war.

Soll ich?

Es gab nur ja oder nein, richtig oder falsch. Aber keine Zeit, um das Für und Wider abzuwägen. Womöglich war es die Angst, am Zaun abzurutschen, die Kraft zu verlieren und von Palandt auf halber Höhe wieder zurückgerissen zu werden, weswegen Emma sich für den Schuppen entschied. Vielleicht aber traf sie gar keine Entscheidung,

sondern folgte einem angeborenen Überlebensmuster, das im Zweifel die abschließbare Tür dem offenen Feld vorzog.
Vorausgesetzt, die Hütte *war* abschließbar.
Ein durchdringender Geruchsmix aus Schweröl, nasser Pappe und Desinfektionsmitteln schlug Emma entgegen. Und dann war da noch etwas. Eine Mischung aus Duftbäumchen und ranziger Leberwurst.
Sie knallte die dünne Aluminiumtür des Geräteschuppens zu und suchte nach einem Schlüssel. Er steckte weder im Schloss, noch lag er auf dem Rahmen, wobei sie in dem Halbdunkel kaum die eigene Hand vor Augen sah, denn durch das kleine, dreckverschlierte Sichtfenster in der Tür fielen nur wenige Strahlen der Außenbeleuchtung in den Innenraum.
Aber selbst wenn Emma einen Achtzigtausend-Watt-Suchscheinwerfer zur Verfügung gehabt hätte, wäre es ihr nicht möglich gewesen, den Raum abzusuchen. Ihr blieb kaum Zeit zum Luftholen.
Die Tür, die nach innen aufging, erzitterte unter Palandts Faustschlägen. Sie hatte sie mit einem schmalen Riegel abschließen können, aber der sollte nur verhindern, dass Windböen die Tür auf- und zuschlugen. Einem körperlichen Angriff würde die Sicherung nicht lange standhalten.
»Komm raus!«, brüllte Palandt. »Komm da sofort raus!«
Es war eine Frage von Sekunden, bis er sich mit dem Einsatz seines gesamten Körpergewichts dagegenwerfen und die Tür aufbrechen würde. Mit ihrem eigenen Körper würde Emma den Eingang nicht verteidigen können.
Ich muss etwas davorschieben.
Ihr Blick flog durch den Raum, streifte eine vermüllte Werkbank, ein leeres Mehrzweckregal aus Metall, eine

armeegrüne Kissenbox aus Plastik für die Gartenmöbelauflagen und blieb an einer Biotonne hängen. Ein 240-Liter-Mülleimer mit dem Logo der BSR, bei dem das I von »Bio« durch eine Mohrrübe ersetzt war. Auf ihrem Deckel stand ein Werkzeugkasten.
Emma schmiss den Kasten zu Boden und griff nach der Tonne, die zu ihrer Erleichterung gut gefüllt war. Selbst auf Rollen ließ sie sich nur schwer ziehen, aber es waren ja auch nur wenige Zentimeter, und *vielleicht habe ich ja Glück, und das Ding passt von der Höhe, so dass ich es direkt unter der Klinke verkeilen …* »Kaaaaaaaaaaann!«
Ihr Gedanke ging in einen Schrei über, als ihr klarwurde, dass es zu spät war. Dass sie nicht schnell genug die Tonne nach vorne gewuchtet und so Palandt wertvollen Spielraum überlassen hatte.
Mit aller Gewalt hatte er sich gegen die Tür geworfen, so heftig, dass er das Schloss sprengte und in den Schuppen fiel, wobei er Emma zur Seite drückte.
Sie bekam seinen Ellbogen in die Magengrube, konnte nicht mehr atmen, ihr wurde schwarz vor Augen, und um den eigentlich unvermeidlichen Sturz doch noch abzuwehren, hielt sie sich an einem Griff fest, von dem sie im ersten Moment nicht wusste, wo er hergekommen war; dann aber, als sie das kalte Plastik spürte, wurde ihr bewusst, dass sie sich an die Biotonne klammerte, die mit ihr zur Seite kippte.
Beim Fallen schlug sie mit dem Kopf auf den Werkzeugkasten, doch es war ihr keine Ohnmacht vergönnt. Sie starrte nach oben und wollte schreien, als sie das Meer an Duftbäumchen sah, die direkt unter dem Schuppendach baumelten. Dann schrie sie wirklich, als Palandt vor ihr stand, mit etwas in der Hand, das wie ein Paketmesser aussah.

Gleichzeitig badete sie in einem Gestank, der ihr den Verstand, aber immer noch nicht das Bewusstsein raubte, wobei das »baden« fast wörtlich zu nehmen war.
»Neeeeeein!«, hörte sie Palandt schreien. Sein Verstand befand sich offenbar schon in dem Niemandsland der Seele, zu dem Emma sich gerade auf den Weg machte.
Himmel, hilf! Bitte, lieber Gott, mach, dass es vorbeigeht!
Sie lag im sämigen Fäulniswasser, das aus der Tonne über den Estrich geschwappt war. Süßlich ranziger, Brechreiz auslösender Biosud.
Emma wollte sich sofort übergeben. Schaffte es aber nicht. Auch dann nicht, als sie den Unterschenkel sah.
Mit Fuß, aber ohne Knie, und mit nur noch sehr wenig Haut über Wade und Schienbein, dafür von zahlreichen Maden bevölkert. Die schleimigen Würmer hatten sich in den abgetrennten Gliedmaßen eingenistet, die gemeinsam mit den Verwesungsfäkalien und anderen Leichenteilen aus der Biotonne herausgekippt waren.

36. Kapitel

Mit jedem Atemzug bahnte sich der Geschmack des Todes seinen Weg in Emmas Lungen und setzte sich hier in den entlegensten Bronchien fest, wie mit Widerhaken verkrallt, selbst mit dem lautesten Schrei oder dem schlimmsten Husten unmöglich wieder abzustoßen. Emma wusste, selbst wenn sie das hier überleben sollte (wonach es nicht aussah): Tief in ihr würde auf ewig etwas zurückbleiben; eine Saat des Grauens, ein Nährboden für die entsetzlichsten Alpträume.

»Lass sie in Ruhe!«, brüllte Palandt in einer Art Schreischluchzen. Emma konnte nicht wissen, ob er mit »sie« die Leiche oder deren Geschlecht meinte, aber in jenem Moment der gedankenklaren Todesnähe gab es für sie keinen Zweifel, dass der knochige Fuß und der daran hängende, halbverweste Unterschenkel zu einer Frau gehörten. Und dass Palandt, der jetzt mit dem Paketmesser in ihre Richtung fuchtelte, der Friseur war.

Emma war verloren. Sie saß noch immer neben dem Werkzeugkasten auf dem feuchten Boden. Mittlerweile hatte auch sie sich bewaffnet, in der Hektik das Erstbeste aus dem Werkzeugkasten gezogen, was lang war, gut in der Hand lag und sogar scharfkantige Zacken aufwies, aber was sollte sie mit einer Stichsäge anfangen?

Sie schlug Palandt damit gegen die Beine, doch der spürte das kaum durch seine dicken Hosen.

»Das wirst du mir büßen«, schrie er und schlug ihr mit

der Faust, die das Paketmesser hielt, direkt ins Gesicht. Ihr Kopf federte nach hinten, sie verlor endlich das Bewusstsein, ließ die Säge fallen und wurde paradoxerweise durch den Schmerz wieder aufgeweckt, als sie zum zweiten Mal mit dem Kopf auf die Kante des Werkzeugkoffers knallte.

Emma schmeckte Blut. Hatte das Gefühl, als ginge ein Riss durch ihre Kopfhaut. Spürte Palandts Faust in ihren Haaren. Hörte es knacken, schlug die Augen auf und sah das Paketmesser direkt vor ihren Pupillen schweben. Die Spitze der Klinge nur eine Tränenbreite von ihrer Linse entfernt.

Er skalpiert mich, dachte sie und musste an das *Le Zen* denken ... *Hau ab. Bevor es zu spät ist* ... Und im gleichen Atemzug hätte sie heulen können, weil dieses schreckliche Spiegelbild nicht die letzte Erinnerung sein sollte, mit der sie aus dieser Welt schied.

Da gab es so viele schönere, lebenswertere Momente. Philipps verkrumpelte Morgenhaut etwa, wenn ihm das Kissen im Schlaf ein Wellenmeer in die Wangen gedrückt hatte.

Das winzige Paar Lammfellstiefel Größe vier, das eine Zeitlang, als sie noch das Kinderkriegen übten, auf ihrem Frisiertisch gestanden hatte; in Hellbraun, weil sie nicht wussten, ob es ein Junge oder ein Mädchen werden würde. Selbst die Beule in Philipps Dienstwagen, die sie ihm nach einem banalen Streit über das Dschungelcamp (das er für lustig, sie für menschenverachtend hielt) beim Aussteigen in die Tür getreten hatte, ja, selbst dieser lächerliche Beweis dafür, dass sie manchmal ihr Temperament nicht zügeln konnte, wäre ein besseres letztes Bild als der Spiegel im *Le Zen.*

Verdammt, ich will nicht sterben. Nicht so.

Palandt holte noch einmal aus, dann stach er zu.
Emma dachte noch, wie seltsam es war, dass sie ausgerechnet jetzt zum ersten Mal seit Wochen keine Angst mehr verspürte und vollkommen ruhig war, vermutlich, weil sie endlich den Beweis dafür hatte, dass sie nicht so paranoid war, wie sie selbst insgeheim schon befürchtet hatte. Vielleicht aber lag es auch daran, weil sie sich aufgegeben hatte. Als Nächstes wunderte sie sich über die absolute Schmerzlosigkeit, mit der der Tod einherging.
»So ist das also«, dachte sie noch, als die Klinge ihr die Stirn aufriss und das Blut einen Wasserfall vor ihren Augen bildete. Ein roter Schleiervorhang, hinter dem Palandt verschwand.
Emma schloss die Augen, hörte ihren eigenen Atem, aber dieses Geräusch wanderte von ihr weg, vermischte sich mit einem tiefen, gutturalen Schrei.
Palandts Stimme hatte sich verändert, seitdem er für den zweiten Stich ausgeholt hatte. Sie war basslastiger geworden, als hätte er an Gewicht zugelegt.
»Emma!«, schrie er, etwas entfernt, während sich ein schier unerträgliches Gewicht auf ihren Körper legte.
Ihr Kopf rollte kraftlos von der Werkzeugkiste, einen unwirklichen Augenblick lang befürchtete sie, er wäre abgetrennt, dann sah sie in einer Nahtoderfahrung, wie Palandt von ihr wegschwebte.
Ihr Nachbar, der eben noch (wieso auch immer) auf ihr gelegen und dadurch die Luft aus ihrem Brustkorb gedrückt haben musste, bewegte sich von ihr weg.
Oder ich mich von ihm?
Emmas Augen sahen ein Licht, nicht so weit entfernt, wie es immer hieß, sondern nah und gleißend, mit einem roten Rahmen. Es strahlte ihr direkt in die Augen.

Dann wanderte das Licht zur Seite. Vermutlich begann jetzt der Teil des Ablebens, in dem man noch einmal die Menschen sah, die einem im Leben am wichtigsten waren, wobei Emma sich wunderte, weshalb ihr ausgerechnet dieser Mann als Erstes erschien:
»Salim?«, sagte sie zu dem Postboten.
Der neben ihr kniete.
Der sie fragte, ob sie ihn hören könne.
Der ihr sagte, dass er ihre Hand drücken solle.
Der keine letzte Vision war.
Sondern ihre erste Hilfe.
Und der ihr mit der Taschenlampe in die Augen leuchtete, mit der er Palandt von hinten k. o. geschlagen hatte. Nun lag ihr Nachbar neben der Biotonne mit der Frauenleiche und wirkte so tot, wie Emma sich längst wähnte.
»Alles wird gut«, hörte sie Salim sagen, und mit dieser Lüge verlor sie das Bewusstsein.

37. Kapitel

Sie spürte den Schnee durch ihren Hosenboden dringen und ihre Unterwäsche durchweichen, aber die Luft hier draußen war so klar und lebendig, dass keine zehn Pferde sie dazu gebracht hätten, von der Plastikgartenbank aufzustehen, zu der Salim sie geführt hatte.
Von hier aus hatte sie alles im Blick: den Schuppen, dessen Tür der Postbote mit seinem Gürtel gesichert hatte, das kleine Fenster unter der Türleuchte (eine billige Baumarktlampe), bei dem sie jede Sekunde damit rechnete, dass Palandts Gesicht dahinter auftauchen würde. Dabei hatte Salim ihr versichert, dass ihr Nachbar so schnell nicht wieder aufstehen würde.
»Dem Schwein hab ich die Lichter ausgeschossen!«
Salim selbst war im Augenblick unsichtbar. Zum zweiten Mal schon wanderte er um die Hütte, dabei knirschten seine Stiefel laut durch den Schnee.
»Kein anderer Ausgang«, sagte er zufrieden, als er wieder um die Ecke kam. »Der Irre kann uns nicht entkommen.«
Es sei denn, er buddelt sich einen Tunnel, dachte Emma, aber die Bodenplatte war betonhart und die Erde darunter ganz sicher gefroren. Trotzdem fühlte sie sich nicht sicher. Und das lag nicht nur an den heftigen Schmerzen, die ihre Schnittwunde jetzt doch verursachte.
Gegen die Blutung presste sie sich ein blaues Mikrofasertuch gegen die Stirn, mit dem Salim vermutlich die Innenscheiben seines Wagens sauber machte, denn es roch nach

Glasreiniger, aber eine Infektion war im Moment ihr geringstes Problem.

»Wieso?«, fragte sie Salim. In einiger Entfernung hörte man den Schienenschlag der S-Bahn, in der um diese Zeit sicher in der Überzahl Vergnügungswillige saßen. Jugendliche und junge Erwachsene auf dem Weg nach Mitte, zum Vorglühen in einer Bar oder direkt zu einer Party.

»Ich habe keine Ahnung, was in den gefahren ist. Ich hab gesehen, wie Sie mit ihm in sein Haus gegangen sind, Frau Stein, und irgendwie kam mir das merkwürdig vor. Nachdem Sie gestolpert waren, sahen Sie irgendwie nicht so aus, als würden Sie freiwillig mit ihm mitgehen.«

»Das meinte ich nicht.« Emma schüttelte den Kopf und fragte sich, wie lange es noch dauerte, bis die Polizei endlich kam, die Salim über sein Handy gerufen hatte.

»Wieso sind Sie überhaupt zurückgekommen? Ihre Schicht ist doch längst vorbei.«

Ihre allerletzte Schicht!

»Wie? Ach ja.« Salim setzte ein schuldbewusstes Gesicht auf.

»Wegen Samson«, sagte er zerknirscht, und sie musste daran denken, dass der Tierarzt sich noch nicht mit den Laborwerten gemeldet hatte.

Oder doch?

Wahrscheinlich fand sich auch ein Anruf von Dr. Plank auf der Mailbox ihres Handys, das noch immer in Palandts Hausflur lag, wo es ihr im Kampf zum zweiten Mal aus der Hand gefallen war.

»Ich bin mir nicht sicher, aber ich glaube, ich habe einen schrecklichen Fehler gemacht«, sagte Salim und atmete schwere Kondenswolken aus.

»Sie haben Samson vergiftet!«

Zu Emmas Erstaunen widersprach er nicht, sondern fragte besorgt: »Dann geht es ihm also schlecht?«
Er kratzte sich seinen Kinnbart und zog ein Gesicht, als wollte er sich am liebsten selbst eine Ohrfeige verpassen. »Hören Sie, Emma. Es tut mir wahnsinnig leid. Ich fürchte, ich habe dem Armen aus Versehen den Schokoriegel aus meiner rechten Hosentasche gegeben, und nicht den Hundekuchen, den ich immer links aufbewahre.«
Schokolade.
Natürlich!
Schon kleinste Mengen Kakaopulver konnten für Hunde tödlich sein.
Jetzt, da sie es wusste, erkannte Emma die typischen Anzeichen einer Theobrominvergiftung: Krampf. Erbrechen. Apathie. Durchfall.
Offenbar reagierte Samson besonders heftig auf die Schokolade.
»Es ist mir erst aufgefallen, als ich mich zu Hause umgezogen habe.«
Salim deutete auf sich selbst. Statt seiner Post-Uniform trug er ein eng anliegendes Motorradoutfit mit der obligatorischen Harley-Jacke, Lederhosen und dazu passenden, stahlkappenverstärkten Schnürstiefeln.
»Ich hatte nicht Ihre Nummer, Sie stehen ja auch nicht im Telefonbuch, also hab ich mich lieber noch mal auf den Weg gemacht.«
Er zeigte mit seinen tätowierten Händen auf den Schuppen.
»Dass ich hier dann aber so was erlebe, damit hab ich nun nicht gerechnet.«
Er versuchte ein trauriges Lächeln. »Schätze, das ist es, wenn man von Glück im Unglück spricht, oder?«, fragte

er und trat noch einmal an den Schuppen, um sein Gürtelschloss zu kontrollieren.
In diesem Moment flackerten hellblaue Signallichter durch den Abendhimmel und erzeugten ein Lichtspiel auf dem Schnee des Hintergartens wie Scheinwerfer auf der Tanzfläche einer Diskothek.
Die Polizei war eingetroffen.
Ohne Alarmsirenen, nur mit eingeschalteter Warnanlage und in Kampfstärke einer halben Armee.
Drei Dienstfahrzeuge, Mannschaftswagen, aus dem alleine vier Beamte in schwarzen Einsatzuniformen kletterten.
Sie rannten die Einfahrt hoch in den Garten, auf sie zu, angeführt von einem Polizisten, der in Zivilkleidung voraneilte, ohne Waffe in der Hand und viel zu dünn angezogen mit einem Anzug, Lederschuhen und nicht mal einem Trenchcoat über dem Jackett.
»Was ist hier passiert?«, fragte er, als er bei Emma angekommen war, und für einen Moment konnte sie nicht fassen, dass er es war.
»Danke«, sagte sie und brach in Tränen aus, während sie von der Bank aufstand und Philipp um den Hals fiel.

38. Kapitel

In Emmas Vorstellung postierten sich die Männer mit den schwarzen Skimasken hintereinander vor der Tür des Schuppens.

Vier Mann, alle mit gezogener Waffe.

Der Kleinste, ein kompakter Bodybuilder-Typ (soweit man das unter seiner Uniform beurteilen konnte), stand vermutlich zuvorderst und hatte schon das Gürtelschloss mit seinem Kampfmesser durchtrennt. Seine Hand lag an dem Griff der Tür, um sie für die drei anderen aufzustoßen.

Abseits vom Schuppen, außerhalb eines möglichen Sichtwinkels durch das Türfenster, würde Philipp stehen. Was für ein Glück, dass er vorzeitig zurück nach Berlin gefahren war. Er hatte sich Sorgen gemacht, nachdem Jorgo ihm erzählt hatte, dass sie beim letzten Anruf einfach aufgelegt hatte. Zudem war sie wieder nirgends zu erreichen gewesen. Als Philipp sie auf dem Handy anrief, das Palandt gerade in der Hand hielt, wollte er ihr ankündigen, dass er in zehn Minuten wieder zu Hause war.

Jetzt war er dabei, wenn der Einsatzleiter jeden Moment den Zugriff auf die Laube befehlen würde.

Wie man es aus Filmen kannte, würden sich die Hintermänner mit lautem Geschrei und entsicherten Waffen in den Schuppen schieben. Und ihre Taschenlampen, die auf die Pistolenläufe geschraubt waren, leuchteten bestimmt jeden Winkel aus.

»Großer Gott«, hörte Emma Philipp in ihren Gedanken sagen, weil er das umgestürzte Leichenfass sah. Oder Palandt in der Blutlache liegen, dem Salim womöglich den Schädel eingeschlagen hatte. Doch das waren nichts als Mutmaßungen.

Emma sah, hörte und fühlte das alles nur in ihrer Vorstellungswelt. Sie saß vierzig Meter weit vom Geschehen entfernt auf der Pritsche eines Rettungswagens, der vor dem Carport vor Palandts Haus parkte.

»Das muss wohl genäht werden«, sagte ein junger Notfallsanitäter oder Arzt (Emma hatte nicht zugehört, als er sich vorstellte), der große Ähnlichkeit mit einem jüngeren Günther Jauch aufwies: hochgewachsen, dünn, mit Igelstachelfrisur und leicht abstehenden Ohren. Er hatte ihr Gesicht vom Blut gesäubert und versorgte die Schnittwunde mit Desinfektionsspray und einem fleischfarbenen Kopfverband. Als er fertig war, hörte sie ein aggressives, wortloses Kampfgeheul vom Garten her aufbranden.

»Was ist da los?«, fragte Emma laut genug, dass Salim, der vor dem Rettungswagen am Tritt gewartet hatte, sie hören konnte.

»Es geht los«, erklärte er ihr, wobei das sicher auch nur eine Vermutung war.

Eine Streifenpolizistin sorgte dafür, dass kein Unbefugter das Grundstück betreten konnte. Schaulustige hatten sich allerdings ohnehin noch nicht ins Freie gewagt, soweit Emma das durch die offen stehenden Flügeltüren beurteilen konnte; vielleicht, weil die Heerschar an flackernden Einsatzfahrzeugen, die die Teufelssee-Allee blockierten, die Nachbarn einschüchterten. Vielleicht aber auch, weil es noch stärker schneite als zuvor und man kaum noch etwas sehen konnte.

Es dauerte etwa fünf Minuten, in der sie mit Salim alleine im Rettungswagen gesessen hatte, weil der Jauch-Medizinmann vorne in der Fahrerkabine einen Bericht schreiben musste, da tauchte Philipp wieder auf.
»Nichts!«, sagte er, den Kopf durch die Tür gestreckt.
»Nichts?« Sie erhob sich von der Pritsche.
»Leichenteile schon, das stimmt. Aber kein Nachbar.«
»Was sagst du da?«
Das war unmöglich.
Philipp wandte sich an Salim. »Und Sie haben Herrn Palandt niedergeschlagen und gefesselt?«
Der Postbote schüttelte den Kopf. »Gefesselt nicht. Aber er war bewusstlos.«
»Herr Stein?«
Eine Beamtin tauchte hinter Philipp auf und erklärte ihm, dass der Einsatzleiter ihn dringend sprechen wolle.
»Du bleibst, wo du bist«, sagte er, aber natürlich hielt es Emma nicht länger auf der Liege.
Sie folgte ihm einige Schritte, bis die Beamtin sich ihr in den Weg stellte und Emma laut werden musste. »Lassen Sie mich gefälligst da durch!«
Ich muss es sehen. Den leeren Schuppen.
Nur der Fakt, dass Salim ihn auch gesehen hatte, verhinderte, dass sie komplett an ihrem Verstand zweifelte.
»Ich will zu meinem Mann. Ich bin eine Zeugin!«
Philipp drehte sich zu ihr um. Wollte gerade zu einem »Emma!«-Ausruf ansetzen, mit der Intonation, mit der Eltern ihre ungezogenen Kinder maßregeln, dann aber zuckte er nur mit den Achseln, und auf ein unsichtbares Zeichen ließ die Polizistin Emma passieren.
»Vielleicht kannst du uns wirklich helfen«, sagte er, wobei die Hälfte des Satzes von dem heftigen Wind ver-

schluckt wurde, der hier und da für kleine Schneewirbel sorgte.
Philipp trat in den offen stehenden Schuppen, in dem jemand den Lichtschalter gefunden hatte.
Außer ihm befand sich nur ein weiterer Polizist im Schuppen, vermutlich der Einsatzleiter. Er hatte seine Skimaske über die Nase gezogen und erwartete die Neuankömmlinge mit einem Gesichtsausdruck, als wollte er sagen: *»Seht her, ihr Weicheier. Ich stehe mit meinen Stiefeln mitten in der Leichenbrühe, aber der Gestank macht mir nichts aus.«*
»Das sollten Sie sich mal ansehen«, forderte er Philipp auf. »Hier sind noch mehr Körperteile.«
Philipp drehte sich zu Emma um. »Du bleibst besser draußen«, riet er ihr.
Als hätte sie nicht ohnehin genug Spuren in dem Gartenhaus hinterlassen, *aber was soll's, bleib ich eben an der Schwelle stehen.*
Der Verwesungsgeruch war hier draußen leichter zu ertragen.
Von der Tür aus sah Emma ihrem Mann dabei zu, wie er über den abgetrennten Unterschenkel hinwegstieg, wobei er tunlichst vermied, in die Fäulnislache neben der umgekippten Biotonne zu treten, in der sich der Rest der nackten Frauenleiche befand.
Zusammengequetscht wie Fleischabfall.
Trotz allen Widerwillens kam Emma nicht umhin, den Körper der Frau zu studieren, die das durchgemacht hatte, was ihr erspart geblieben war.
Ich könnte an deiner Stelle liegen, dachte sie und trauerte um dieses unbekannte Wesen, dessen Name unter Garantie sehr bald auf allen Titelseiten prangen würde. Zusam-

men mit Emmas eigenem, für den die Presse sich nun ganz bestimmt interessieren würde.
»Ach du Scheiße«, fluchte Philipp in der hinteren, rechten Ecke des Schuppens.
Er hatte einen Blick in die Sitzauflagenbox geworfen, deren Deckel so stand, dass er Emma die Sicht auf den Inhalt versperrte. Wenn ihr Mann grün im Gesicht wurde, musste der Anblick, der sich ihm bot, noch ekelerregender sein als der der Frauenleiche hier vorne.
Mit belegter Stimme fragte Philipp den Einsatzleiter: »Gibt es noch andere Kisten hier?«
»Stauraum für weitere Leichen?«
Der Beamte schüttelte den Kopf. »Und auch nichts, wo der Irre sich verstecken kann. Wir haben alles abgesucht.«
Emma zitterten die Beine. Das Déjà-vu war unvermeidlich.
Ein Raum mit einem Geheimnis.
»Hier ist niemand.«
Das ist unmöglich.
»Er war beim Zirkus«, hörte Emma sich selbst sagen. Tonlos, beinahe flüsternd.
»Wie bitte?«
Beide Männer drehten sich zu ihr.
»Seine Spezialität war die Koffer-Nummer.«
Philipp sah sie an, als hätte sie auf einmal begonnen, in einer fremden Sprache zu reden.
»Was willst du uns damit sagen?«
Dass er sich so klein machen kann, dass er in ein Handgepäck passt.
»Ist sie angezogen?«, fragte sie bang, doch sie wusste die Antwort schon. Natürlich. Es gab keine andere Erklärung.
»Was meinst du?«

»Die Leiche, verdammt. In der Kissenbox.« Sie schrie beinahe. »IST SIE ANGEZOGEN?«

Denn nur das ergab Sinn.

Sie haben keine neuen Körperteile gefunden.

Sondern Daddy Longbein.

Palandt, der sich klein gemacht hat und jeden Moment aus der Box springen wird ...

»Verdammt, nein«, sagte Philipp ganz ruhig und pikte mit den Worten wie mit einer Nadel in die Blase ihrer schlimmsten Befürchtungen.

»Es sind abgetrennte Gliedmaßen. Ein Torso. Ein Kopf, ein ganzes Bein. Nackt. Voller Maden!«

Und dann sagte er etwas, das alles veränderte. »Aber hier liegen Klamotten, *neben* der Kiste.«

Der Einsatzleiter bückte sich und hob mit dem Lauf seiner Waffe eine Jacke hoch.

Einen schwarzen Regenmantel mit gelben Knöpfen.

Also hat Palandt sich ausgezogen! Wieso?

In diesem Moment hatte Emma das Rätsel noch nicht gelöst.

Auch nicht, als ihr Blick zum bestimmt zehnten Mal auf die Biotonne fiel, mit dem BSR-Logo-Aufkleber; der Mohrrübe, die als I bei BIO herhalten musste.

Erst als sie sich hinkniete, neben die umgestürzte Tonne, und dabei den Gestank ausblendete, griffen die Zahnräder der Erkenntnis ineinander, weil sie das einzig Logische tat und sich nur noch auf die Atmung konzentrierte.

Nicht auf ihre eigene.

Sondern auf die des Kadavers.

Bei dem sich zuerst der Brustkorb bewegte. Und dann der gesamte nackte Körper.

So schnell, wie es nur ein Mann konnte, den man früher

Daddy Longbein genannt hatte und der jetzt trotz seiner Krankheit wie ein Kugelblitz aus seinem Versteck in der Tonne schoss.
»Er lebt!«, konnte Emma gerade noch sagen, dann brach die Hölle los.

39. Kapitel

Drei Wochen später

Siebzehn Stiche.«

Konrad ließ den Untersuchungsbericht der Mordkommission aufgeklappt auf seinen Schoß sinken. Zum besseren Verständnis ihrer Aussage hatte er die Akte von seinem Schreibtisch geholt, nachdem er Emma ein Glas Wasser gereicht hatte.

»Drei ins Auge. Die meisten in den Hals und in den Kehlkopf, nur zwei gegen die Stirn, und einen Stich, den letzten, ins linke Ohr.«

Emma zuckte mit den Achseln. »Notwehr.«

»Hm.«

Konrad besah sich die Akte wie die Karte eines Restaurants, auf der er nichts finden konnte, was ihm schmeckte. »Notwehr?«

»Ja.«

»Emma, er war schon nach dem ersten Schnitt kampfunfähig. Mit dem hast du ihm die Halsschlagader aufgetrennt.«

»Und dennoch …«

»Und dennoch hast du dich in einen Blutrausch hineingesteigert. Hast mit dem Teppichmesser …«

Er sah von den Unterlagen auf und zog kurz die Augenbrauen zusammen. »Wie bist du noch mal darangekommen?«

Emma hatte bislang stur aus dem Fenster geschaut, um das dunkle, tief hängende Wolkenfirmament über dem Wannsee zu studieren, aus dem es für den Moment nicht mehr schneite und dessen Grauschwarz ihren Gefühlszustand zu spiegeln schien. Jetzt aber sah sie direkt in Konrads Augen. Sie unterhielten sich nun seit gut drei Stunden, aber im Gegensatz zu ihr zeigte er nicht die geringsten Ermüdungserscheinungen. Und er hatte anscheinend eine Blase aus Beton. Sie selbst würde am liebsten ins Bad gehen, um sich zu erleichtern, fand aber nicht einmal mehr dafür die Kraft.

In den letzten Wochen hatte sie bitter verstehen gelernt, wie Depressive leiden mussten, deren Krankheit von Unwissenden häufig als intensive Traurigkeit missverstanden wurde. In Wahrheit steckte man in einem solch tiefen, seelischen Loch, dass man es noch nicht einmal schaffte, sich die sprichwörtliche Decke über den Kopf zu ziehen. Ein Grund für die hohe Selbstmordrate, wenn Depressive das erste Mal Medikamente nahmen, die ihre Schwächesymptome linderten. Diese gaben ihnen nicht den Lebensmut zurück, wohl aber die Kraft, es endlich zu beenden.

»Das Paketmesser lag noch auf dem Boden«, beantwortete sie Konrads Frage. »Damit hatte er mich kurz zuvor zu töten versucht, du erinnerst dich?«

»Ja. Aber entschuldige bitte, wenn ich das sage, juristisch gesehen war dieser Angriff längst abgeschlossen. Er lag eine Viertelstunde zurück. Selbst deine Wunde war bereits versorgt.«

»Und als er blutverschmiert aus der Leichentonne sprang? Wie ist das zu bewerten, ›juristisch gesehen‹?« Emma malte mit den Fingern Gänsefüßchen in die Luft.

»Als Flucht.« Konrad führte seine manikürten Fingerspitzen an den Mund und tippte sich mit den Zeigefingern beider Hände gegen die Lippen.

»Flucht?«

»Er war nackt und unbewaffnet. Von ihm ging keine Gefahr aus. So wird es zumindest der Staatsanwalt sehen, zumal dir ein bewaffneter Polizist zur Seite stand.«
»Der nicht geschossen hat!«
»Weil er nicht konnte. Du und Palandt, ihr habt ein Knäuel auf dem Boden gebildet. Das Risiko, dich zu treffen, war viel zu groß. Außerdem ging die Gefahr in diesem Moment nicht von ihm, sondern von dir aus …«
»Ha!« Emma schnaubte durch die Nase. »Das ist doch absurd. Da zerlegt ein kranker Mann eine Frau und stopft sie in eine Biotonne, zieht sich aus, lagert die Leichenteile in eine Kissenbox um, um sich danach selbst als nackte Leiche zu tarnen. Schließlich springt dieser Kerl, der mich zuvor getreten, geschlagen, verfolgt und halb skalpiert hat, aus seinem Versteck, und jetzt sitze *ich* auf der Anklagebank?«
Konrads Antwort war lakonisch und daher doppelt schmerzhaft: »Siebzehn Stiche«, sagte er nur. »Du warst wie im Wahn. Beide Männer gemeinsam, dein eigener und der Einsatzleiter, hatten große Schwierigkeiten, dich von Palandt zu lösen. Du hast selbst ihnen Schnittverletzungen beigebracht, so wild hast du um dich gestochen.«
»Weil ich außer mir war vor Angst.«
»Ein Notwehrexzess. Nicht so selten, aber leider keine Rechtfertigung. Allenfalls ein Entschuldigungsgrund, was …«, nun malte Konrad selbst Gänsefüßchen, »… ›juristisch gesehen‹ leider ein schwächeres Argument der Verteidigung ist als eine reale Notlage.«
Emma fühlte den Druckanstieg hinter ihren Augen, der sich wie der Vorbote eines Tränenausbruchs anfühlte.
»Ich sitze wirklich in der Klemme, was?«
Konrad tat ihr nicht den Gefallen, den Kopf zu schütteln.

»Aber wie hätte ich denn ahnen können, was das alles wirklich zu bedeuten hat?«
Ihre Augen schmerzten heftiger. Sie wischte sich unsichtbare Tränen von der Wange. Noch hatte sie nicht zu weinen begonnen.
Noch.
»Du hast dich geirrt. Auch das ist menschlich, Emma. Viele von uns hätten in dieser Situation die falschen Schlüsse gezogen und Palandt für einen Verbrecher gehalten.«
Konrad schloss die Akte und beugte sich nach vorne. »Dabei wollte er dir nichts Böses. Wenigstens am Anfang nicht. Und das macht es leider so schwierig, dich zu verteidigen.«
Sie konnte seinem durchdringenden Blick nicht standhalten. Auch nicht in die Flammen des Gaskamins sehen, die wieder höher schlugen und deren Wärme ihr Gesicht zu verbrennen schien. Vielleicht war es aber auch nur die Scham der Erkenntnis.
»Wie ging es weiter?«, fragte Konrad ruhig. Der beste Zuhörer der Welt hatte wieder sein Pokergesicht aufgesetzt.
»Du meinst, wie ich erfahren habe, dass ich mich in Palandt getäuscht hatte?« Emma seufzte, griff nach dem Wasserglas und benetzte sich die Lippen. »Wenn das an diesem Abend doch nur mein schlimmster Irrtum geblieben wäre.« Sie blickte noch einmal kurz zum See und schloss die Augen. Von ihren dunkelsten Stunden zu erzählen fiel ihr leichter, wenn sie das Licht und die Welt darin aussperrte.

40. Kapitel

Drei Wochen zuvor

Emma wusste, dass sie zu Hause war, in ihrem eigenen Bett. Sie wusste auch, dass sie nach den Kämpfen in Palandts Hütte, körperlich und seelisch ausgelaugt in dem Bewusstsein, einen Menschen getötet zu haben, in einen fiebrigen Schlaf gesunken war.
Sie wusste also, dass sie träumte, aber das machte es nicht besser.
Emma kauerte im Badezimmer des Hotels, sah von den Fliesen hoch zu der Botschaft auf dem Spiegel.

HAU AB.
ODER ICH TU DIR WEH.

Es klopfte an der Tür, doch davor stand nicht die Russin, sondern sie selbst. Sie sah aus wie eine Strahlenkranke mit den kahlen, verkrusteten Stellen am Kopf, durchbrochen von einer Handvoll Strähnen und Büscheln, die wie vergessenes Unkraut auf ihrem Kopf verblieben waren, bereit zum Ausreißen.
Das Schlimmste aber war nicht das, was war (das verkrustete Blut auf Stirn und Wange, die falsch geknöpfte Bluse, die Rotze in den Nasenlöchern), sondern das, was fehlte: der Ausdruck in ihrem Gesicht. Das Leben in ihren Augen.
Es war ausgeknipst worden in der Dunkelheit des Hotelzimmers. Verblieben war nur noch das Summen der Scher-

maschine in ihren Ohren und der Druck im Oberarm. Dort, wo sich die Einstichstelle befand, die jetzt pochte wie ein Zahn kurz nach dem Bohren.
Sie schlug die Tür mit der Nummer 1904 zu. Rannte barfuß zu den Fahrstühlen. Doch als der Lift sich öffnete, konnte sie nicht einsteigen. Eine Biotonne nahm fast die gesamte Kabine ein. Ein Ungetüm mit braunem Deckel und einem Aufkleber auf der Vorderseite, auf dem EMMA stand, mit einem Bündel Mohrrüben, die das zweite M formten.
Emma hörte, *nein, sie fühlte!,* wie ein Geräusch aus dem Innersten der Tonne herausdrang, so als wäre sie mehrere hundert Meter tief. Ein Brunnen des Schreckens, von dessen Grund sich etwas den Weg nach außen bahnte, das – einmal freigelassen – nie wieder eingefangen werden könnte.
»Du verdammtes Biest«, heulte Anton Palandt. »Ich musste es tun. Mir blieb keine Wahl. Ich habe doch kein Geld. Wieso versteht das keiner? Wieso könnt ihr mich nicht einfach in Ruhe lassen?«
Emma trat näher. Sah in die Tonne, die tatsächlich ein Schacht war, in dem Palandt hockte. Mit starren Augen, aus denen Maden krochen. Nur seine Lippen bewegten sich.
»Ich hab doch kein Geld!«, brüllte er aus der Tiefe, und als die nackte, blutverschmierte, nach Verwesung und Fäulnis stinkende Leiche Emma ins Gesicht sprang, wachte sie auf.

Ihr Herz drohte ihr unter der Brust zu zerspringen. Alles in ihr pulsierte: das rechte Augenlid, die Schlagader am Hals, die Schnittwunde unter dem Haaransatz.

Sie tastete nach dem Verband, froh, dass er da war. Er verdeckte einen großen Teil des Kopfes, also auch ihre Haare, deren Berührung jetzt Brechreiz ausgelöst hätte.
Wobei sie auch dagegen ein Mittel bekommen hatte.
Ibuprofen gegen die Schmerzen, Vomex gegen die Übelkeit, Pantoprazol, damit ihr Magen bei dem Cocktail nicht durchdrehte.
Der Schnitt hatte geklebt werden können. Das Einzige, was jetzt noch dringend genäht werden musste, war ihr Leben, das in mehrere Teile zerrissen war, spätestens, seitdem sie den Friseur getötet hatte.
Der Friseur. Der Friseur. Der Friseur.
Es war gleichgültig, wie oft sie diesen Namen wiederholte, er blieb ein Mensch. Ein Mensch. Ein Mensch.
Ich habe einen Menschen umgebracht.
Emma sah an sich selbst herab und hätte sich nicht gewundert, wenn ihre Hand mit einer Metallschelle an den Lattenrost gekettet gewesen wäre.
Philipp hatte erreicht, dass sie nach einer ersten, eher kurzen Aussage im Wohnzimmer in ihr Bett hatte gehen können. Morgen früh würde die Vernehmung nicht so schnell enden.
Und vermutlich weniger freundlich ausfallen, wenn erst einmal der Bericht des Gerichtsmediziners vorlag.
Sie hatte keine Ahnung, wie oft sie zugestochen hatte, aber sie wusste, dass es zu oft gewesen war, um mitzuzählen. Und dass sie sich nicht nur verteidigen, sondern es zu Ende hatte bringen wollen.
In jenem Moment im Schuppen hätte sie nicht nur Palandt, sondern jeden getötet, der sie daran hindern wollte, die Gefahr ein für alle Mal aus der Welt zu schaffen.
Rache.

Es gab kein anderes Gefühl, das sich notwendiger anfühlte, wenn einem Unrecht getan wurde. Und keines, das einen schuldiger zurückließ, nachdem man es ausgelebt hatte.
Emma tastete nach dem Lichtschalter und stieß gegen eine Teetasse, die ihr Philipp fürsorglich ans Bett gestellt hatte und deren Inhalt mittlerweile kalt war. Es war kurz vor halb elf. Sie hatte über eine Stunde geschlafen.
»Ich hab doch kein Geld«, flüsterte sie kopfschüttelnd, während sie sich ein Kissen in den Rücken drückte, um etwas aufrechter im Bett sitzen zu können.
Wieso war es dieser Satz, den sie aus ihrem Alptraum mitgenommen hatte?
Emma glaubte nicht an Traumanalysen als Mittel der psychotherapeutischen Behandlung. Nicht jede Vision, die man in der Nacht erlebte, hatte tagsüber eine Bedeutung. Es war nur so, dass dieser Satz selbst bei Licht betrachtet wenig Sinn ergab.
Wieso hatte Palandt ihn gesagt?
Auch wenn Philipps Profilanalyse in einigen Punkten nicht deckungsgleich mit der Realität war, zum Beispiel in puncto Wohlstand, so gab es dennoch universelle, fast unumstößliche Merkmale, die einen Triebtäter definierten. Ihr Antrieb war weniger Lust als Macht, ihr Motor impulsgesteuert, und Geld spielte bei einem Serienvergewaltiger selten oder nie eine Rolle.
Und dennoch hatte Palandt diesen Satz im Zustand der allerhöchsten Not und Erregung gesagt. Zu einem Zeitpunkt, als er nicht mehr gedanken-, sondern instinktgesteuert handelte, wie ein Tier in der Falle, das verzweifelt um sein Leben kämpft.
Und in diesem Moment thematisiert er seine finanziellen Probleme?

Sie selbst hatte in diesem Schrecken nicht eine Sekunde an ihre gesperrte Kreditkarte gedacht und daran, dass sie Philipp dringend bitten musste, ihr Konto wieder auszugleichen.
Und dann gab es da noch etwas anderes, höchst Seltsames: Palandt war offensichtlich todkrank und wurde von Fremden drangsaliert. Auch wenn er sich zwischendurch als überraschend stark erwiesen hatte, passte es nicht so recht zusammen. Der Friseur sollte in so schlechter körperlicher Verfassung gewesen sein, dass er es nicht schaffte, sich Erpresser vom Leib zu halten, wohl aber Frauen vergewaltigen und töten konnte?
Emma schlug die Bettdecke zurück.
Irgendjemand hatte sie in eine seidene Pyjamahose gesteckt, vermutlich Philipp, bevor er sie schlafen legte. Sie trug Sportsocken, was praktisch war, weil sie nicht erst nach den Hausschuhen suchen musste, wenn sie jetzt nach unten ging, um mit Philipp über die Angst zu reden, die sie beschäftigte – nämlich, dass die Gefahr, die vom Friseur ausging, noch immer nicht gebannt war.
Sie prüfte noch einmal, ob ihr Verband an Ort und Stelle war. Atmete in ihre Hand, um zu testen, ob ihr Atem so schlecht roch, wie der Geschmack in ihrem Mund sich anfühlte, und sah das rote Licht.
Eine kleine Diode, direkt auf dem Display ihres Haustelefons neben der Ladestation.
Es zeigte ihr an, dass der Apparat bald aufgeladen werden musste.
»Ich hab doch kein Geld. Ich gehe nicht ins Gefängnis, niemals«, hörte sie Palandt in ihrer Erinnerung schreien. Dann musste sie an die Leiche in der Biotonne denken, auch eine Unstimmigkeit.

Die anderen Opfer des Friseurs waren am Tatort liegen gelassen worden.
Diese Überlegung brachte sie auf eine Idee.
Emma griff nach dem Telefon auf dem Nachttisch, deaktivierte die Rufnummernerkennung und hoffte, dass Philipp den Nummernspeicher in letzter Zeit nicht anders belegt hatte.

41. Kapitel

Lechtenbrinck?«

Hans-Ulrichs Stimme war unverwechselbar. Nasal, fast wie erkältet und für einen sechzigjährigen Professor viel zu hoch.

Emma hätte den Leiter der Rechtsmedizinischen Abteilung der Charité an einem einzigen Wort erkannt.

Sie hingegen versuchte ihre Stimme so zu verstellen, dass Professor Lechtenbrinck nicht herausfand, mit wem er in Wahrheit telefonierte, auch wenn es unwahrscheinlich war, dass er sich an sie erinnerte. Sie hatten nur selten miteinander gesprochen.

»Ich bin Kriminalkommissarin Tanja Schmidt«, stellte Emma sich mit dem Namen der Beamtin vor, die sie vorhin im Wohnzimmer durch die Befragung geführt hatte. Sie nannte ihm die Abteilung, die für die Ermittlung in der Sache Stein/Palandt zuständig war. »Sie haben heute Abend Anton Palandt, Opfer einer Gewalttat im Westend, auf den Tisch bekommen.«

»Woher haben Sie diese Nummer?«, wollte Lechtenbrinck verärgert wissen.

»Sie steht im Computer«, log Emma. In Wahrheit war sie auf Taste 9 im Kurzwahlspeicher ihres Telefons hinterlegt. Philipp und Lechtenbrinck hatten über eine längere Zeit hinweg im Fall des Puzzlemörders miteinander zu tun gehabt, bei dem ein Serientäter in Berlin über Monate hinweg Leichenteile eines Opfers in Plastiktüten an öffentlichen Orten platziert hatte. In der Finalwoche, kurz vor der Ergreifung des Täters, hatten sie fast täglich telefoniert, und aus der engen beruflichen Bindung war eine lose private Bekanntschaft geworden, weswegen sich Lechtenbrincks Privatnummer noch immer im Speicher befand.

»Das ist eine Unverschämtheit«, schimpfte der Rechtsmediziner. »Diese Nummer ist für absolute Notfälle und handverlesene Personen reserviert. Ich verlange, dass sie sofort wieder gelöscht wird.«

»Dafür sorge ich«, versprach Emma. »Aber jetzt, wo ich sie schon einmal dran habe ...«

»Sie rufen mitten in der Obduktion an.«

Bestens!

»Hören Sie, ich will wirklich nicht stören. Es geht nur darum, dass wir gleich die Täterin, Emma Stein, ein zweites Mal vernehmen werden, und da wäre es unendlich hilfreich, die Todesursache des weiblichen Opfers in der Biotonne zu kennen.«

»Puh ...«

Schon am Ausatmen wusste sie, dass sie ihn geknackt hatte. Rechtsmediziner konnten es nicht leiden, dass sie in Büchern und Filmen meist als die schrulligen Typen gezeichnet wurden, die immer erst dann zum Einsatz kamen, wenn schon alles zu spät war. Sie fühlten ihre Arbeit oft zu wenig gewürdigt. Dabei waren sie nicht nur Leichenschneider, sondern erfüllten oft eine Schlüsselfunktion, gerade bei Vernehmungen von Zeugen und Verdächtigen. Lechtenbrinck hatte einmal einen Täter überführen können, nur weil er telefonisch aus dem Obduktionssaal zu den Ermittlern im Vernehmungszimmer zugeschaltet gewesen war. Wann immer der Mörder versuchte, den Tod des Opfers als tragischen Unfall darzustellen, konnte

Lechtenbrinck anhand der Untersuchungen der Wunden den Gegenbeweis antreten, quasi parallel zur Befragung. Auch heute wollte sich der renommierte Experte wohl nicht die Gelegenheit nehmen lassen, eine Ermittlung entscheidend zu beeinflussen.

»Also, die Todesursache ist relativ unspektakulär. Der Bericht ist zwar noch nicht in trockenen Tüchern, aber ich tippe auf ein multiples Organversagen infolge einer altersbedingten Ischämie.«

»Wollen Sie … *mich veräppeln?*«, hätte Emma beinahe ausgerufen und vergaß bei ihrer nächsten Frage vor Aufregung ihre Stimme zu verstellen. »Eine natürliche Todesursache? Der Frau wurden mehrere Gliedmaßen entfernt.«

»Post mortem. Sieht nach einem klassischen Sozialbetrug aus.«

Emma fragte sich, ob Lechtenbrinck einen Schlaganfall hatte. Oder sie, denn seine Worte ergaben keinen Sinn, es sei denn, er wollte sie auf den Arm nehmen.

»Ein klassischer Betrug, bei dem der Betrüger sich ohne Unterschenkel in eine Biomülltonne legt?«

»Nicht doch der Betrüger. Das ist natürlich Anton Palandt.«

»Das verstehe ich nicht.«

Lechtenbrinck atmete schon wieder schwer, aber die Rolle des erfahrenen Gelehrten, der einer naiven Polizistin etwas beibringen konnte, schien ihm zunehmend Spaß zu machen.

»Passen Sie auf, Frau Schmidt. Ich hab mir den Tatort nicht angesehen, aber ich wette zehn zu eins, dass unser Täter in ärmlichen Verhältnissen lebt. Er wird eines Tages zu seiner Mutter nach Hause gekommen sein, hat sie tot im Bett gefunden …«

»Seine Mutter?«, unterbrach Emma Lechtenbrinck, der nun mit spürbarer Verärgerung hinzufügte: »Hab ich das nicht erwähnt? Die Leiche in der Biotonne ist mit an Sicherheit grenzender Wahrscheinlichkeit Palandts Mutter, wir warten auf die endgültige Gebissanalyse, aber sie ist in jedem Fall über achtzig Jahre alt.« Dann erläuterte er weiter seine Theorie, der Emma nur noch wie unter einer Taucherglocke folgte; gedämpft, mit tauben Ohren.

»Jedenfalls, nach einem Moment der Trauer, sagte sich der Sohn: ›Verdammt, ich hab doch Zugang zu Mamas Konto. Wer sagt denn, dass ich die Polizei rufen muss, nur weil sie gestorben ist?‹ Also beschließt er, seine Mutter für die Behörden weiter am Leben zu lassen, um ihre Rente zu kassieren.«

»Ich hab doch kein Geld!«

»Den Nachbarn erzählt er etwas von einem längeren Auslandsaufenthalt, einer Kur oder so, aber ehrlich gesagt wundert sich in Berlin eh keiner, wenn ein alter Mensch sich auf einmal nicht mehr blicken lässt. Nur der Gestank fällt irgendwann auf, weswegen der Täter für ein Biotonnenbegräbnis sorgt. Er stopft die Überreste einfach in seine Mülltonne, was eine ziemliche Sauerei ist, weil die Leichen in der Regel nicht ohne Amputationen da reinpassen. Dann lässt er die Biotonne im Keller oder Schuppen stehen, füllt Katzenstreu dazu oder versprüht Tonnen an Febreze. Der Klassiker eben.«

Also hat mich mein Alptraum auf die richtige Spur geführt, dachte Emma.

Palandt war nicht der Friseur, und sie hatte keinen Serientäter, sondern allenfalls einen jähzornigen Betrüger getötet, der nichts Schlimmeres getan hatte, als aus Geldnot die Totenruhe seiner Mutter zu stören.

Und damit ist die Gefahr noch lange nicht gebannt!
Emma war sich nicht sicher, wie sie es geschafft hatte, diesen letzten Gedanken nicht in den Hörer zu brüllen. Sie meinte, sich bedankt und hastig verabschiedet zu haben, aber sie erinnerte sich an kein weiteres Wort mehr, das gefallen war. Erschöpft sank sie in ihre Kissen zurück.
Ich habe einen Menschen getötet!
Nicht den Friseur!
Palandt hatte nicht das Geringste mit ihm zu tun.
Seine Perücke, die Medikamente, das Paket … In ihrer Paranoia hatte sie sich die Fakten zurechtgebogen, und das hatte einen Unschuldigen das Leben gekostet.
Emma schloss die Augen und musste an das Blut denken, das aus Palandts Körper geflossen war. Nachdem sie wieder und wieder auf ihn eingestochen hatte.
Das wiederum erinnerte sie an die Lache, die sie heute im Wohnzimmer hatte wegwischen müssen.
Samson!
An ihn hatte sie seit dem Aufwachen nicht mehr gedacht. In der bangen Hoffnung, dass es wenigstens ihm wieder besserging, wählte sie die Nummer, mit der sie über das Festnetz ihre Mailbox abfragen konnte. Ihr Handy war als Beweismittel von der Polizei konfisziert worden.
»Sie haben drei neue Nachrichten«, verkündete die roboterähnliche Computerstimme. Tatsächlich war die erste von Dr. Plank, der Emma versicherte, dass Samson über den Berg sei. *Gott sei Dank.* Dass man aber noch die endgültigen Ergebnisse am Montag abwarten müsse, bevor sie ihn wieder abholen konnte, und wie es jetzt mit der Bezahlung wäre?
Als Nächstes meldete sich Philipp, der ihr mit besorgtem Tonfall ankündigte, in wenigen Minuten bei ihr zu sein.

Und schließlich hörte sie noch eine Stimme, die so aufgeregt klang, dass Emma sie im ersten Moment gar nicht erkannte, auch weil Jorgo nahezu flüsterte.

»Emma? Es tut mir leid wegen vorhin. Ich meine, dass ich dich angelogen habe. Natürlich hab ich dir den Zettel gegeben.«

Der Zettel!

Noch etwas, was Emma in der Aufregung vorerst vergessen hatte. Das Telefon piepte, weil der Akku schwach war. Sie müsste es zurück in die Ladestation stecken, doch dann könnte sie nicht weitertelefonieren, weswegen sich Emma entschloss, nach unten zu gehen, wo das zweite Telefon hoffentlich aufgeladen bereitlag.

Sie stieg aus dem Bett.

»Dein Mann hat ein Spy-Programm auf seinem Handy«, hörte sie Jorgo sagen. »Er nimmt jeden eingehenden Anruf automatisch auf.«

Ein Spy-Programm. Was zum Teufel hat das jetzt wieder zu bedeuten?

Es piepte erneut dreimal, bevor sie an der Schlafzimmertür war.

Immerhin reichte der Akku noch für einen weiteren Satz von Jorgo:

»Ich wollte nicht, dass dein Mann von dem Zettel erfährt, wenn er unser Gespräch später abhört. Deshalb ruf mich bitte auf meinem Handy an. Bitte. Es ist wichtig. Wir haben etwas herausgefunden. Philipp will es dir nicht sagen, aber ich denke, du solltest es wissen. In dem Hotel, diesem *Le Zen* …«

Piep.

Die Leitung war tot und das Display so dunkel wie der Flur im Erdgeschoss.

Emma tastete sich zum Lichtschalter, während Jorgos letzte Worte nur langsam in ihrem Kopf verhallten.
»Wir haben etwas herausgefunden …«
Sie ging zuerst in die Küche, aber das zweite Haustelefon steckte nicht in der Ladestation.
»Philipp will es dir nicht sagen …«
Auf dem Weg ins Wohnzimmer verstummte Jorgos Stimme, dafür glaubte sie wieder das Surren der Schermaschine in ihrem Kopf zu hören, nur dass es diesmal kein langer, durchdringender Summton war, sondern ein stotterndes Intervallgeräusch.
»In dem Hotel, diesem Le Zen *…«*
Wie ein Bohrer.
Ein Insekt.
Emma trat an ihren Schreibtisch, auf dem sie heute Nachmittag Palandts Paket aufgerissen hatte. Den Festnetzapparat konnte sie auch hier nicht finden, dafür entdeckte sie die summende Geräuschquelle auf der Arbeitsplatte: Philipps Handy.
Mit jedem Klingelton drehte es sich im Takt des Vibrationsalarms im Kreis. Der Name des Anrufers blinkte unheilvoll.
Emma drehte sich um, doch das unbestimmte Gefühl, ihr Mann würde plötzlich hinter ihr stehen, bestätigte sich nicht.
Zögernd griff sie sich das Telefon und drückte auf das grüne Hörer-Symbol, um den Anruf entgegenzunehmen.
»Was habt ihr in dem Hotel herausgefunden, Jorgo?«, fragte sie bang.
»Hilf mir!«, schrie die Stimme am anderen Ende.

42. Kapitel

Sie erkannte sie sofort, obwohl Emma diese Stimme noch niemals zuvor so verfremdet gehört hatte. Dumpf, erstickt, mit gurgelnden Nebengeräuschen.
»Sylvia?«, fragte sie, und als Antwort fing ihre Freundin heftig an zu schluchzen. »Was ist denn los?«, wollte Emma wissen. »Bist du verletzt? Wie kann ich dir helfen?«
Und weshalb rufst du von Jorgos Handy an?
»Isch ... isch sterbe«, lallte Sylvia. Die Panik und die Todesangst in ihrer Stimme waren noch vorhanden, die Kraft ihres ersten Schreis jedoch verschwunden.
»Nein, hörst du? Du wirst nicht sterben. Ich hole Hilfe, dann wird alles gut.«
»Nein. Nie mehr ... nie ... gut!«
Emma konnte förmlich hören, wie Sylvia wegdriftete. Je heftiger sie den Hörer gegen ihr Ohr presste, umso leiser wurde es in der Leitung.
Vor ihrem geistigen Auge sah sie ihre Freundin mit einem Paketmesser im Hals in einer Blutlache sitzen, die sie in einem Schwall ausgehustet hatte. Sylvia sagte jetzt nichts mehr, hustete nur noch und röchelte, ganz gleich, wie laut Emma sie beschwor, ihr zu verraten, was um Himmels willen passiert sei.
»Wo bist du?«
Emma schrie nun ebenfalls, weil die Frage beiden galt: Sylvia und Philipp, dessen Hilfe sie jetzt dringend gebrauchen könnte.

Emma eilte mit dem Hörer am Ohr durchs Wohnzimmer. Sah Philipps Schlüssel auf der Kommode liegen, seine Jacke an der Garderobe hängen, draußen war er also nicht. Und von oben kam sie gerade, außerdem hatte er sein Handy, ohne das er niemals das Haus verließ, im Wohnzimmer gelassen, *was er nur tut, wenn …*

»Sylvia, bist du noch dran?«, sprach Emma ins Telefon, aus dem eine kalte Stille zurückschwappte.

… wenn er in sein Labor geht …

Emma sah zu der alten Kellertür. Durch einen großen Spalt zwischen Fußboden und Türblatt fiel das Licht aus dem Kellertreppenhaus in den Flur.

… wo sein Handy keinen Empfang hat!

»Sylvia, bleib dran. Ich kann dich nicht mit in den Keller nehmen, hörst du. Da reißt die Verbindung ab, aber ich bin gleich zurück, hörst du? Leg nicht auf!«

Keine Reaktion.

Emma überlegte kurz, ob es klüger wäre, Sylvia wegzudrücken und die 112 zu wählen, aber was, wenn ihre Freundin nicht zu Hause war? Dann war die Verbindung womöglich die einzige Möglichkeit, ihren Aufenthaltsort zu lokalisieren.

Sie legte das Telefon auf die Kommode, riss die Kellertür auf und brüllte beim Hinabsteigen der Betontreppe: »Philipp! Schnell. Du musst mir helfen. Philipp?«

Der Keller war niedrig, die Decken so tief, dass der Verkäufer seinerzeit einem Preisnachlass zugestimmt hatte, als er sah, wie selbst Emma den Kopf bei der Besichtigung einziehen musste.

Nach dem Einzug hatten sie die Treppendecke mit Holz verkleidet, weswegen es jetzt noch weniger Spielraum gab. Geduckt hastete Emma nach unten, dem »Labor« entge-

gen, auf das die Treppe, nachdem sie eine enge Rechtskurve genommen hatte, geradeaus zulief.
Ursprünglich als Abstellkammer für Besen, Staubsauger und Wischmopp gedacht, hatte Philipp den alten Leinenvorhang durch eine Falttür ersetzt und sich dahinter ein kleines Arbeitszimmer geschaffen. Darin standen ein winziger Schreibtisch samt internetfähigem Laptop, zwei hoffnungslos mit Fachliteratur überladene Wandregale aus Metall und jede Menge stapelbare Hartplastikkisten, in denen sich Lupen, Pinzetten, Mikroskope und andere Utensilien befanden. Damit untersuchte er Fotos, analysierte Unterschriften oder andere Beweisstücke, die für seine Profilerstellung notwendig waren.
Hier unten in seiner »Höhle«, abgeschnitten vom Rest der Welt, konnte Philipp sich am besten konzentrieren. Meistens hörte er während seiner Arbeit über Kopfhörer Musik, die Emma in wenigen Sekunden in den Hörsturz treiben würde, ihn aber beruhigte: Rammstein, Oomph, Eisbrecher.
Daher war es kein Wunder, dass er nicht auf ihr Rufen reagierte. Und sich zu Tode erschreckte, als Emma die Falttür auf- und ihm den Kopfhörer vom Ohr riss.
»Was zum Teufel ...«
»Philipp ... ich ...«
Emma starrte auf seine Hände, die in mausgrauen Latexhandschuhen steckten.
Dumpfe Bassdrumschläge stampften aus dem Kopfhörer in die winzige Kammer und begleiteten ihren stoßweise gehenden Atem.
Emma rang nach Luft, was nicht von den wenigen Stufen und dem kurzen Sprint nach unten herrührte und auch nicht an der Sorge um Sylvia lag. Grund war die Tatsache,

dass es ihr nicht gelang, eine harmlose Erklärung für das zu finden, was vor Philipp lag.
Das Teppichmesser.
Die Handschuhe.
DAS PAKET!
Sie hatte sich schon gewundert, wo ihre Hausschuhe abgeblieben waren. Die schuhkartongroße Box mit ihrer Online-Bestellung, die man in die Mikrowelle stecken konnte. Die Lebensmittellieferung hatte Philipp in den Kühlschrank sortiert, und ihre Kontaktlinsen lagen im Badezimmer.
Aber das leichte, mit herkömmlichem Packpapier eingewickelte Paket? Es lag hier unten. Direkt unter Philipps Leselampe neben seinem Laptop auf dem winzigen Schreibtisch.
Das Papier aufgeschnitten.
Die Laschen geöffnet.
Sein Inhalt zum Teil unter dem Lupenständer verteilt, zum Teil noch im Inneren der wattierten Box belassen.
Keine Mikrowellen-Hausschuhe.
Ganz offensichtlich hatte Emma sich geirrt, so wie sie es unterlassen hatte, sich den Adressaten näher anzusehen.
Denn die dicken, brünetten, langen, lebensechten Haarbüschel, die mit diesem Paket verschickt worden waren, sind nicht für sie bestimmt gewesen.
Sondern für Philipp.

43. Kapitel

Was ist das?«, fragte Emma.

Ihr Verstand suchte nach einer logischen, vor allen Dingen aber nach einer harmlosen Erklärung.

»Hast du die vom Friseur?«

Sicher. Der Täter hat Kontakt zu ihm aufgenommen. Er geht hier nur seiner Arbeit nach und untersucht die Trophäen.

»Was meinst du?«, fragte Philipp, der von seinem Stuhl aufgestanden war.

»Na, die Haare«, sagte Emma, und ein eisiger Ring schloss sich um ihr Herz, als sie sah, wie Philipp eine Schreibtischschublade öffnete und das dunkle Büschel darin verschwinden ließ.

»Welche Haare?«, fragte er. »Ich weiß nicht, wovon du redest, Liebes.«

Dabei drehte er sein aufgeklapptes Notebook so, dass sie den Bildschirm sehen konnte.

»Was … wie … wo …?« Sie hörte sich stottern. Ihre einsilbigen Fragen wechselten im Takt der Bilder, die in einer Art Slideshow auf dem Monitor zu sehen waren.

Fotos von Frauen.

Von *schönen* Frauen.

Escort-Mädchen. Heimlich fotografiert vor verschiedenen Türen. *Hotelzimmertüren,* die ihnen ein Mann öffnete, der immer derselbe war, während die Prostituierten wechselten.

»Du?«, fragte Emma, immer noch bemüht, das Offensichtliche zu negieren.
»Du hast dich mit diesen Frauen getroffen?«
Mit den Escort-Frauen? Den Opfern?
»Dann hast *du* sie getötet?«
»Emma, geht es dir gut?«, fragte Philipp mit einer Miene, die auf sie so wirkte, als spielte er seine Überraschung nur, während er auf die Leertaste seiner Tastatur drückte. Damit rief er ein weiteres Bild auf, das schon wieder ein Opfer zeigte.
Emma schrie, als sie sich selbst erkannte.
Mit einem Trolley in der Hand, direkt vor einer dunklen Tür, die sie gerade öffnete. Die Aufnahme war wie alle anderen schlecht ausgeleuchtet, aber die Zimmernummer auf dem Nussbaumfurnier war gut zu erkennen:
1904.
»Du warst es!«, schrie Emma Philipp ins Gesicht. »Du bist der Friseur!«
Wie habe ich mich nur so täuschen können?
So täuschen *lassen?*
Von dem Paket für den unbekannten Nachbarn verstört, hatte sie dem zweiten Paket keine Beachtung geschenkt.
Und damit dem Feind im eigenen Haus.
Emma hatte sich im Labyrinth ihrer paranoiden Gedankengänge verirrt und Unschuldige ins Verderben gestürzt.
»Du Schwein!«
Ihr Mann lächelte und sprach mit einer tief besorgten Stimme, die nicht zu seinem diabolischen Grinsen passte.
»Emma, bitte, beruhige dich. Du bist nicht bei Sinnen.« Gleichzeitig drückte er erneut eine Taste auf seinem Notebook, und der Bildschirm wurde schwarz.
»Was hast du vor?«, rief Emma. Sie hatte keine Ahnung,

was sie tun sollte. Ihre Verwirrung und ihr Entsetzen lähmten sie für den Moment. »Willst du mich in den Wahnsinn treiben?«

»Was meinst du? Ich fürchte, du siehst wieder Dinge, die es nicht gibt, Liebes.«

Ja. So ist es. Ich weiß nicht, weshalb, aber er gibt meiner Paranoia immer neue Nahrung.

Emma sah sich um, suchte instinktiv nach einem Gegenstand, mit dem sie sich wehren könnte, sollte Philipp sie angreifen wollen. Dabei entdeckte sie eine kleine Kamera an der Kellerdecke, die so angebracht war, dass Emma die ganze Zeit im Bild war, ihr Mann jedoch auf der Aufnahme nicht zu sehen sein würde.

»Du filmst mich?«, fragte sie Philipp erschüttert.

»Aber Schatz, du hast mich doch selbst gebeten, den Keller zu sichern«, antwortete er scheinheilig. »Aus Angst vor Einbrechern.«

»Ich habe nie etwas von Kameras gesagt«, brüllte sie ihn an. Und während ihr noch lange nicht klar war, was Philipps Motive sein konnten, hatte sie dafür eine andere, grauenbehaftete Eingebung:

Sylvia.

Sie hat nicht mit Jorgos Handy angerufen!

Sondern von ihrem eigenen Apparat aus.

Zumindest in diesem Punkt war ihr klar, was für ein Spiel Philipp die ganze Zeit über mit ihr gespielt hatte.

Er hat es wie damals bei seiner Ex gemacht!

Sylvias Nummer einfach unter einem anderen Namen abgespeichert.

Und was für ein Mann tat so etwas?

Einer, der etwas zu verbergen hat.

Eine Affäre.

Damit es nicht auffiel, wenn die Geliebte mehrfach am Tag anrief, SMS verschickte, Anrufe in Abwesenheit hinterließ.
Emmas Magen zog sich zusammen.
Natürlich, wie geschickt.
Jorgo war Philipps Partner, es war logisch, dass er sich oft meldete, zumindest war es erklärbar, wenn das naive Heimchen auf das Display sah und nachfragte.
Wie geschickt und perfide.
Bei ihm hieß Sylvia Jorgo, und Sylvia nannte ihn Peter.
Und sie hat so wundervolle, lange Haare. So wie ich.
So wie alle anderen Opfer des Friseurs.
»Aber wieso hast du sie alle töten müssen?«, krächzte Emma. Die Erkenntnisse schienen ihr die Luft abzuschnüren. »Die Nutten, deine Affären. Sogar Sylvia? Wieso musste sie sterben?«
Als wäre die Erwähnung des Namens der Frau, die sie einst für ihre beste Freundin gehalten hatte, das Stichwort, erlosch das teuflische Lächeln in Philipps Gesicht, und er zeigte sich zum ersten Mal ernsthaft besorgt. »Was ist mit Sylvie?«, fragte er, als wisse er wirklich nicht, dass sie ihn eben in ihrem Todeskampf versucht hatte anzurufen.
Vielleicht war es der kurze Moment der Schwäche, den sie in seinen Augen zu erkennen glaubte. Oder der Umstand, dass er seine letzte Affäre beim Kosenamen nannte, was eine aggressive, unbändige Wut in Emma freisetzte.
Womöglich war es aber auch nur der Mut der Verzweiflung, der sie aus der Paralyse riss.

44. Kapitel

»Emma, stopp!«, rief Philipp, doch sie hatte nicht vor, sich fluchtlos zu ergeben.
Sie schlug den Arm weg, mit dem er nach ihr greifen wollte, fuhr herum und rannte, so schnell sie konnte, die Treppe hoch, was allerdings nicht schnell genug war.
Philipp hatte keine Probleme, nach ihrem Fuß zu greifen und sie festzuhalten. Er war größer, stärker und schneller als sie. Und er hatte keine Kopfwunde, die wie ein lebendiges Insekt unter ihrem Verband pulsierte und bei jeder Bewegung neue Schmerzwellen ausstrahlte.
Emma strauchelte, schlug hart mit den Handballen auf die Betonkante der Treppenstufe auf.
Sie drehte sich auf den Rücken und trat dabei zu, so wie vor wenigen Stunden bei Palandt. Allerdings trug sie jetzt Socken, und ohne schwere Stiefel konnte sie Philipp kaum Schmerz zufügen, geschweige denn ihn abschütteln.
»Emma!«, rief ihr Mann und hielt sie nun an beiden Knöcheln gepackt. Die Stufenkanten bohrten sich ihr in den Rücken, trotzdem strampelte sie wie besessen weiter.
Bis Philipp »Lass das!« brüllte, nach vorn schnellte und zuschlug.
Hart. Härter als heute Vormittag, als er sie zur Besinnung geohrfeigt hatte.
Emmas Kopf prallte nach hinten, auf den Beton der Treppe, und sie sah bunte Lichter. Als sie die Augen wieder öffnete, war es, als betrachtete sie Philipp durch ein zersplittertes Kaleidoskop.

Sie sah, dass seine Lippe blutete, also hatte sie ihn vermutlich mit dem Fuß getroffen.
Nicht gut.
Wie bei einem waidwunden Tier hatte die kleine Verletzung ihn nur wütend gemacht und damit eher Kraft gespendet als geraubt.
Sie hingegen wusste ihrem Mann nichts mehr entgegenzusetzen. Schon der Druck seiner Finger um ihre Handgelenke war kaum auszuhalten.
Sie wollte, dass er aufhörte.
Dass es endlich zu Ende war.
Die Schmerzen. Die Gewalt.
Die Lügen!
Philipp bekam wieder Auftrieb durch ihre plötzliche Passivität. Er kletterte über sie hinweg, legte sich mit seinem gesamten Gewicht auf sie, wie ein liebestoller Mann über seine willige Frau, die er direkt auf der Kellertreppe vernaschen will, nur dass er keine Liebe machen wollte, *sondern das Gegenteil.*
»Hilfe!«, rief Emma, wusste aber nicht, zu wem. In ihren Gedanken schrie sie lauter als in der schlecht ausgeleuchteten Wirklichkeit des Kellertreppenhauses.
Sie schloss die Augen, und damit verschwand die einfache Holzvertäfelung an den Seitenwänden, der Plastikübertopf unter dem Geländer, der Sicherungskasten am Eingang, den sie nur sah, wenn sie den Kopf in den Nacken legte, und die Tür zu Philipps »Labor« am Fuße der Treppe.
Und natürlich verschwand Philipp. Leider nur sein Anblick. Seine Worte wollten nicht gehen.
»Alles wird gut«, hörte sie ihn sagen. Grausam freundlich. Sie roch seinen Atem, spürte, wie sich eine Hand (vermut-

lich die rechte) unter ihren Kopf schob, fühlte, wie er ihr (vermutlich mit der Rückseite der linken) über die Stirn strich – und das hätte er besser nicht getan.
Das Gefühl von Latex in ihrem Gesicht, der typische Geruch von Kautschuk und Talkum, stach ihr wie ein Messer ins Herz, das sich mit jeder weiteren Berührung drehte, und drehte und drehte.
Emma öffnete die Lider, sah Philipp lächeln, so wie er vermutlich in der Dunkelheit des Hotelzimmers gelächelt hatte. Sein Kopf kam näher, und sie überlegte, ihm den eigenen ins Gesicht zu schlagen. Aber wieder würde ihre Kraft nicht ausreichen, ihm ernsthaft Schaden zuzufügen, sondern sie würde ihn nur noch wütender machen.
Sie begann zu weinen, hörte, wie er wohl beruhigend gemeinte Zischlaute ausstieß, die sie an eine Schlange denken ließen. Im nächsten Moment rammte sie ihm das Knie zwischen die Beine.
Philipp stöhnte, lockerte seinen Griff und gab ihr die Gelegenheit, mit der Handkante gegen seinen Unterkiefer zu dreschen.
Er schrie, drehte sich zur Seite, presste sich die Hand auf den Mund und spuckte etwas Blut aus. Sie hatte so stark zugeschlagen, dass sich ein Zahn gelöst haben musste. Oder er hatte sich auf die Zunge gebissen, so stark, wie er blutete.
Mittlerweile hatte er sie losgelassen, sie spürte keinen Druck mehr, weder auf ihrem Körper noch um ihre Handgelenke oder Knöchel.
Endlich stand sie auf, rannte nach oben, doch wieder war sie zu langsam. Wieder hatte Philipp sie gepackt, diesmal ihren Fuß, an dem er sie zurückreißen wollte. Zu sich.
In den Abgrund.

Emma tastete nach dem Geländer, wollte sich festhalten, rutschte ab und stieß sich die Hand an einer harten Kante, die sie reflexartig umschloss.
Die Kante war jedoch nicht fest mit der Wand verbunden, auch wenn sie sich wie ein Griff anfühlte, obwohl ein Griff im Kellertreppenhaus wenig Sinn ergab, *es sei denn …*
… er gehörte zu einem Feuerlöscher.
Im Straucheln erkannte Emma ihre Chance. Während ihr Körper noch damit beschäftigt war, seinen Schwerpunkt zu finden, riss sie den Feuerlöscher hoch, drehte sich auf ihrem Ballen herum, schwankte, versuchte, nach vorne zu fallen, Philipp entgegen. Aber die Schwerkraft wollte nicht so wie sie, weswegen sie erneut mit dem Rücken auf die Stufen knallte.
Im Fallen war es ihr unmöglich, den schweren Feuerlöscher auf Philipp zu werfen, der schon wieder über ihr war.
Sie sah noch, wie er die Hand hob, dann wurde alles weiß. Der Keller, die Wände, die Treppe, Philipp, sie selbst. Alles war von einer sandsturmartigen Staubhülle umgeben, von einer Sekunde auf die andere.
Emma hörte es zischen, drückte noch fester mit der rechten Hand zu, die offenbar die Kontrolle über den Staub und das Zischgeräusch hatte, und für den Bruchteil einer Sekunde tat sich ein Loch in dem Nebel auf.
In dem Loch stand Philipp.
Bedeckt vom Inhalt des Feuerlöschers, den sie ihm entgegensprühte. Mit dem Schaum, den er sich aus den Augen zu wischen versuchte, sah Philipp aus wie ein Geist mit blutverschmiertem Mund.
»Eeeeeemmaaaaa«, hörte sie ihn schreien, im Straucheln fand er Halt am Geländer. Nun setzte er sich wieder in Be-

wegung. Langsam und vorsichtig. Schritt für Schritt kam er näher.
Und quälend langsam, Stufe für Stufe, kroch Emma bäuchlings die Treppe hoch.
Sie war schon fast am obersten Absatz angekommen, da packte er sie hinten am Fuß. Zerrte sie zurück.
Emma tastete nach irgendetwas, an dem sie sich festhalten konnte, aber sie riss nur den Wäschekorb um, dessen Inhalt sich über sie ergoss.
Sie musste an die Leichensuppe in Palandts Schuppen denken, roch die Verwesung, die der Schmutzwäsche anhaftete. Jeans, Bluse, Unterwäsche. Alles, was Philipp ihr ausgezogen und in den Korb gestopft haben musste. Nichts, was ihr jetzt weiterhelfen konnte, *denn wie soll ich mich mit einem Morgenmantel verteidigen?*
MORGENMANTEL!
Der Gedanke schoss ihr gemeinsam mit dem Schmerz durch den Kopf, der sich einstellte, als sie eine Stufe weiter zurückgerissen wurde und ihr Kiefer auf das Holz der Treppe schlug.
Philipp war außer sich, brüllte weiterhin etwas, das sich wie ihr Name anhörte, aber auch nach Schmerz, Qualen und Tod klang.
Doch Emma ließ nicht los. Klammerte sich, auf dem Bauch liegend, an den Morgenmantel.
Durchwühlte die rechte Tasche.
Verdammt.
Die linke Tasche.
Und bekam es endlich zu fassen.
In der Sekunde, in der Philipp sie an den Hüften packte, um sie zu sich herumzudrehen, schlossen sich ihre Finger um den Plastikgriff.

Emma beugte sich der Kraft ihres Mannes, nutzte sie für den eigenen Schwung, riss die Hand hoch.
Die mit der blutigen Klinge.
Aus Palandts Paket.
Und zog Philipp mit großem Schwung das Skalpell einmal quer durch die Kehle.

45. Kapitel

Drei Wochen später

Seltsam, dass sie nicht weinte.
In den einsamen Stunden in der Psychiatrie hatte alleine der Gedanke an Philipp ausgereicht, um ihr die Tränen in die Augen zu treiben, und jetzt, wo sie vor Konrad ihre schrecklichen Taten in Worte gefasst und zum ersten Mal alles schonungslos ausgesprochen hatte, schien ihr Tränenreservoir versiegt. Sie spürte zwar den dumpfen, Kopfschmerz auslösenden Druck hinter den Augen, aber ihre Wangen blieben trocken.
»Ich bin am Ende«, sagte sie, und sie wussten beide, dass sich das nicht auf ihre Aussage bezog.
Zwei Männer, beide durch ihre Hand am selben Tag ums Leben gekommen.
Nur wegen eines Pakets für den Nachbarn.
Hätte sie es nicht angenommen, hätte sie ihr Handy nicht in Palandts Haus verloren. Und hätte sie das Paket nicht geöffnet, hätte sie kein Skalpell gehabt.
»Du hast es nicht gemerkt?«
Konrad stand vor seinem Regal mit den Werken Schopenhauers und sah von dort aus zu ihr herüber. Er hielt einen dünnen Papphefter in der Hand, von dem Emma nicht hätte sagen können, wie er dorthin gelangt war. Sie hatte noch nicht einmal mitbekommen, wie Konrad aufgestanden und durch den Raum gegangen war. Seitdem sie ihr letztes Wort gesprochen hatte, waren bestimmt zwei Minuten vergangen, in denen sie starr nach unten auf den

Teefleck des kreisrunden Teppichs gestarrt und seine Konturen mit der Landkarte Neuseelands verglichen hatte.
Ihre Hand kribbelte, die Zunge in ihrem Mund fühlte sich taub an, typische Entzugserscheinungen. Sie musste bald wieder ihre Tabletten nehmen, wagte es aber nicht, Konrad schon wieder nach einem Glas Wasser zu fragen, auch weil der Druck auf ihre Blase mittlerweile fast unerträglich war.
»Was habe ich nicht gemerkt?«, fragte sie mit einiger Zeitverzögerung. Sie war müde, und ihre Reaktionsgeschwindigkeit glich der einer angetrunkenen Frau.
»Dass es dein eigener Mann war, der dich vergewaltigt hat, Emma. Glaubst du wirklich, dass du das nicht gemerkt hättest?«
Bis auf die Tatsache, dass Konrad sie duzte, gab es keinerlei Vertrautheit mehr in seinen Worten. Mit nur einem Halbsatz hatte er es wieder geschafft, ihren Aufenthaltsort zu verändern. Sie saß nicht länger auf dem Sofa, sondern auf der Anklagebank.
Wo ich ja auch hingehöre.
»Ich hatte paralysierende, sinnverzerrende Mittel in meinem Körper«, versuchte Emma die Frage zu beantworten, die sie sich selbst immer und immer wieder gestellt hatte.
Konrad gab sich mit der Antwort nicht zufrieden.
»Dein eigener Mann hat sich wie David Copperfield aus dem Nichts heraus in deinem Hotelzimmer materialisiert, nur um etwas zu tun, das er sehr viel einfacher einen Tag später in den heimischen vier Wänden von dir bekommen hätte? Und zwar freiwillig!«
»Du weißt genau, dass es einem Vergewaltiger nicht um Sex geht, sondern um Macht.«
»Und dennoch, du hast ihn tausendmal berührt und ge-

spürt, und bei diesem einen Mal kam dir nicht einmal der Anflug eines Verdachts?«

»Ich weiß, was du denkst, Konrad. Du hast es mir ja schon vorhin auf den Kopf zugesagt. Wer einmal lügt, dem glaubt man nicht, hab ich recht?«

Konrad schenkte ihr einen traurigen Blick, widersprach ihr aber nicht.

»Doch du irrst dich«, sagte Emma. »Ja, ich habe gelogen, als ich blödsinnigerweise behauptet habe, die Frau in dem Rosenhan-Video zu sein. Aber hier liegt die Sache ja wohl anders.«

»Und wieso?«

»Immerhin hat man in Philipps Labor die Haare aller Opfer gefunden. Aller!«

»Nur nicht deine eigenen!«

Konrad öffnete den Hefter und entnahm ihm vier große Schwarzweißfotografien.

»Was sagen dir diese Gesichter?« Er breitete die Fotos auf dem Glastisch aus.

Emma wandte den Blick von den Frauen ab. Sie brauchte ihre großen Augen, die hohen Wangenknochen und erst recht ihre dichten, dicken Haare nicht zu sehen, um sie wiederzuerkennen. Auf den Aufnahmen lachten sie, formten einen Kussmund oder sahen verwegen und verrucht in die Kamera. Im Leben hatten sie dazu keine Chance mehr.

»Die Opfer«, sagte Emma.

»Ganz richtig, das sind die Escort-Damen, die der Friseur ermordet hat.« Konrad musterte sie mit schwer zu deutendem Blick. »Diese Frauen haben sehr viel mit dir gemeinsam, Emma. Ihnen wurde Schreckliches angetan. Sie haben wundervolle Haare, ähneln dir damit sogar ein wenig. Tatsächlich würden Laien von einem eindeutigen Beuteschema sprechen, wenn ein Mann Frauen dieses Schlags bevorzugt. Aber solltest du mir in den wesentlichen Punkten die Wahrheit gesagt haben, gibt es doch einen ganz gewaltigen Unterschied zwischen dir und diesen bedauernswerten Kreaturen, und damit meine ich nicht den Fakt, dass sie nicht mehr am Leben sind.«

... solltest du mir in den wesentlichen Punkten die Wahrheit gesagt haben ...

Emma fühlte sich noch erschöpfter als damals, als sie die Diazepam genommen hatte.

»Wovon redest du?«

»Diesen Frauen wurden die Haare geschoren, und sie wurden getötet, aber ...« Konrad tippte auf eine Fotografie nach der anderen, dann setzte er hinter jedes seiner Wörter ein Ausrufezeichen: »Aber! diese! Frauen! wurden! nicht! vergewaltigt!«

Stille. Keine absolute, denn das stetige Rauschen der Gaskaminlüftung füllte das Arbeitszimmer, aber die Ruhe, die auf Konrads Ausbruch folgte, war dennoch erdrückend.

Emma wollte etwas sagen. Spürte, dass tief in ihr die Worte vergraben lagen, die sie jetzt zu einem sinnvollen, logischen Satz zusammensetzen müsste, aber mehr als »Du lügst« bekam sie nicht zustande.

»*Ich* lüge?«, fragte Konrad. »Es gab nicht einen rechtsmedizinischen Hinweis auf eine gewaltsame Penetration. Bei keinem einzigen der Opfer.«

»Aber in den Nachrichten ...«

Konrad schnitt ihr das Wort ab. »Vergiss die Nachrichten. Die allererste Zeitung, die die Falschinformation abdruckte, in Zwanzig-Zentimeter-Lettern auf einer Doppelseite, die hat gelogen, um Auflage zu machen. Und alle anderen hastig zusammengestellten Newsticker, Tweets, Posts und

Internetmeldungen, die ohnehin keiner mehr prüfte und denen umso mehr Leute Glauben schenkten, je lauter die Unwahrheit herausposaunt wurde, *die* haben die Lüge weiterverbreitet. Später folgten die seriösen Magazine, Wochenzeitungen und Fernsehfeatures. Auch die haben gelogen, ab dann jedoch auf Bitten der ermittelnden Beamten.«

»Aber … aber wieso?«

»Weshalb werden Informationen vor der Öffentlichkeit zurückgehalten?« Er gab sich selbst die Antwort. »Dir muss ich doch nicht erklären, welche Probleme die Polizei mit den psychisch gestörten Spinnern hat, die sich bei spektakulären Taten mit den Verbrechen anderer brüsten.«

Mit pathologischen Lügnern.

»Deshalb wird explizites Täterwissen nicht in den Medien verbreitet. Um Geständnisse auf ihren Wahrheitsgehalt überprüfen zu können.«

Konrad machte eine Pause, um seinen Worten mehr Gewicht zu verleihen: »Normalerweise werden mit dieser Methode Trittbrettfahrer aussortiert. Seltener Trittbrettopfer.«

Er stand auf. Schritt durch sein Büro wie durch einen Gerichtssaal, die Arme hinter dem Rücken verschränkt.

»Hast du eine Vorstellung davon, wie viele Frauen mit selbst abgeschnittenen Haaren die Hotline für die sachdienlichen Hinweise angerufen haben? Frauen, die sagten, sie wurden vergewaltigt, konnten aber entkommen?«

»So eine bin ich nicht«, sagte Emma und machte den Fehler, sich durch die Haare zu fahren, wie sie es jahrzehntelang getan hatte, wenn sie nervös war.

»Ich habe mit dem Staatsanwalt geredet. Weißt du, was er

denkt? Dass du Philipp wegen deiner Geldsorgen an dich binden wolltest. Er wollte dich verlassen, deshalb hast du ihm vorgeschwindelt, schwanger zu sein. Da man diese Lüge aber nicht bis in alle Ewigkeit durchziehen kann, hast du eine Vergewaltigung erfunden, um damit den Abgang des Kindes zu erklären. Gleichzeitig wolltest du wegen deines psychischen Traumas bemitleidet werden. Aber als du gemerkt hast, dass das alles nicht funktioniert, um ihn zu halten, hast du ihn getötet, was dich zur Alleinerbin machte.«

»Konrad, du … wie … wie kannst du es auch nur in Betracht ziehen, mich … ich meine. Ich weiß doch, was passiert ist. Ich bin doch nicht verrückt.«

»Nein?«

Nein?

Hat er das eben wirklich gefragt?

Konrad kam ihr einige Schritte entgegen, stand jetzt wieder so nah, dass sie nur die Hand hätte heben müssen, um seinen gepflegten Bart zu streicheln.

»Lass mich«, sagte sie, als sie spürte, dass er sie berühren wollte. »Geh weg!«, protestierte sie, aber nicht energisch, eher pro forma. Und sie schlug auch nicht seine Hand weg, als er sie auf ihre legte.

»Du wurdest seelisch missbraucht«, flüsterte er sanft. »Aber nicht körperlich!«

»Doch, ich wurde …« Sie schloss die Augen. »Ich wurde vergewaltigt, und du hörst jetzt mal bitte auf mit deiner Advocatus-Diaboli-Masche, sonst …«

»EMMA!«

Konrad brüllte so laut, dass sie erzitterte.

»Mach die Augen auf und hör mir zu. Hier geht es nicht um eine Verhandlungstaktik. Ich spreche nicht als Anwalt

zu dir, sondern als Freund.« Er atmete tief ein. »Dein Mann hat dich missbraucht. Aber nur seelisch. Nicht deinen Körper. Und auch nicht die der anderen Opfer.«
Emma stöhnte.
Nein, nein, das ist unmöglich.
»Philipp war nicht der Friseur?«
»Nein.«
Aus Konrads Augen sprach nichts als traurige Gewissheit. Emma wandte sich ab. Konnte den Blick nicht ertragen, der ihr anscheinend begreiflich machen wollte, dass sie mit Palandt und ihrem Mann zwei unschuldige Menschen an einem Tag getötet hatte.

46. Kapitel

»Aber wer war es dann?«

Emma juckte es am ganzen Körper. Am liebsten hätte sie sich an Armen, Beinen und Bauch gekratzt. Lieber noch die gesamte Haut abgezogen, in der sie nicht mehr stecken wollte.

»Wer hat die Frauen ermordet, wenn nicht Philipp?«, wiederholte sie ihre Frage.

»Denk nach, Emma«, sagte Konrad, stand auf und nahm sich die Fotos der getöteten Frauen vom Couchtisch. Er hielt sie wie einen Fächer in den Händen. »All diese Opfer, schau sie dir an, und dann siehst du die Verbindung zwischen ihnen.«

Widerwillig wanderte ihr Blick zu den Aufnahmen.

Ja, sie ähneln mir. Sie haben Haare, wie ich sie einmal hatte.

»Sie fallen in Philipps Beuteschema.«

»Ganz genau, Emma«, stimmte Konrad ihr zu. »Aber im Unterschied zu dir sind es Prostituierte. Edelhuren. Dein Mann hat dich betrogen. Mit jeder einzelnen von ihnen.« Er schüttelte den Fächer mit den Aufnahmen in seiner Hand.

»Und diese Untreue ist das Motiv. Sie weist uns den Weg zum Mörder.«

Emma blieb der Atem in ihrer Luftröhre stecken. Sie befreite ihn mit einem gequälten Husten.

»Was hast du da gerade gesagt?«

»Denk nach, Emma. Wer war Philipp so nah, dass er seine Bettgeschichten herausfinden konnte? Wer war gleichzeitig so verletzt und so intelligent, einen Racheplan zu schmieden, der darauf abzielte, den Frauen, mit denen Philipp schlief, das zu nehmen, was Philipps Begierde entfacht hat?«

Ihre Haare.

»Du bist verrückt«, protestierte Emma. »Du musst komplett den Verstand verloren haben. Glaubst du ernsthaft, all diese Frauen …«

»… deine Nebenbuhlerinnen!«

… wurden von mir ermordet? Sie schaffte es nicht, es laut auszusprechen.

»Versetz dich in seine Lage, Emma. Philipp weiß, dass der Friseur es auf Frauen abgesehen hat, mit denen er sexuell verkehrte. Der Täter verhöhnt ihn, indem er ihm Pakete mit seinen Trophäen nach Hause schickt, als wollte er ihm sagen: ›*Sieh mal, was ich mit den Frauen gemacht habe, mit denen du schläfst.*‹ Wenn dein Mann das bekanntgemacht und den Ermittlern die Beweisstücke gemeldet hätte, wäre öffentlich geworden, dass er dich betrügt. Das wollte er nicht. Also muss er die Dinge selbst in die Hand nehmen. Er untersucht in seinem Labor die Beweisstücke, stellt eigene Nachforschungen an, ohne zu wissen, dass der Friseur in seinem nächsten Umfeld zu finden ist. Obwohl er weiß, dass es keine Vergewaltigung gab, macht er den Fehler und sucht einen Mann. Dabei weiß jedes Kind, wessen Waffe das Gift ist, mit dem die Prostituierten getötet wurden.«

Die des schwachen Geschlechts. Der Frau.

Emma verschränkte die Arme hinter dem Kopf. Die Schnittnarbe, die sie Palandt zu verdanken hatte, pochte

und juckte, aber sie widerstand dem Drang, sich an der Stirn zu kratzen.
»Und wieso hat er mir dann die Fotos im Keller gezeigt? Und so getan, als gäbe es gar keine Haare? Hat er versucht, mich in den Wahnsinn zu treiben?«
Konrad nickte.
»Das hat mich, zugegeben, in Vorbereitung unseres Gesprächs am meisten umgetrieben. Und es wird nicht leicht sein, das Gericht davon zu überzeugen, dass Philipp deinen seelischen Ausnahmezustand für seine Zwecke ausnutzte.«
»Für welche Zwecke?«
»Ich schätze, er wollte dich unter Einwilligungsvorbehalt stellen lassen.«
»Mich entmündigen?«, fragte Emma.
»Umgangssprachlich formuliert.«
»Aber das ergibt doch gar keinen Sinn«, widersprach Emma. »Philipp hatte das Geld, nicht ich.«
»Ebendrum«, erwiderte Konrad. »Dein Mann hatte das Vermögen, und mangels Ehevertrag hätte er im Falle der Scheidung die Hälfte verloren. Es sei denn, er hätte als dein Betreuer wieder den vollen Zugriff darauf, während du im Maßregelvollzug eines psychiatrischen Krankenhauses liegst.«
Das Motiv. Die Untreue hatte es ans Licht gebracht.
Und dennoch …
»Okay, du hast gesagt, es war nicht Philipp, der die Frauen tötete. Sie nicht einmal vergewaltigte, sondern nur mit ihnen schlief. Dass also ein anderer, der Friseur, ihre Haare geschoren und seine Trophäen an Philipp geschickt hat, um ihm zu zeigen, dass er von seiner Untreue mir gegenüber weiß. Und du behauptest, Philipp wiederum hat

diese seelische Erpressung ausgenutzt, um mich zu zerstören.«

Konrad nickte. »So in etwa.«

»Und du denkst, dass der Friseur …«

Emma ließ ihre Worte in der Luft hängen, und Konrad griff sie auf.

»Ich denke, dass nur eine extrem eifersüchtige Person zu so einer Tat in der Lage ist. Jemand, der Philipp für sich alleine haben will und den Gedanken, ihn zu teilen, nicht ertragen kann.«

»Ich wusste nichts von Philipps Betrug«, sagte sie zu Konrad. »Ich kannte diese Prostituierten nicht. Also habe ich sie nicht getötet.«

»Du?«, fragte Konrad perplex. Mit sanfter, schuldbewusster Stimme sagte er: »Oje, das tut mir leid, Emma. Du hast die ganze Zeit geglaubt, ich rede von *dir?*«

47. Kapitel

Alles um Emma begann sich zu drehen.
Konrad hält mich nicht für den Täter? Er hat gar nicht von mir gesprochen? Aber ... aber von wem denn sonst?
Sie dachte über die Fragen nach, die ihr alter Freund ihr gerade erst gestellt hatte.
Wer stand Philipp nahe? Wer war intelligent genug, um einen weiblichen Racheplan zu schmieden? Und wer, wenn nicht die eigene Ehefrau, litt am meisten unter dem Sex mit den Escort-Mädchen?
»Seine Affäre!«, presste Emma hervor und schlug sich im Augenblick der Erkenntnis die Hände vors Gesicht.
»Richtig«, bestätigte Konrad, der seine Selbstsicherheit zurückgewonnen hatte.
»Keine Hure, sondern die Frau, die ihm wichtig war. Die ihm nahestand, weil er sie häufig sah.«
Sämtliche Härchen auf Emmas Unterarmen richteten sich auf.
»Sylvia?«, flüsterte sie.
Konrad nickte.
Emma lachte hysterisch, zeigte ihm einen Vogel, dann schlug sie sich erneut die Hände vors Gesicht.
»Neeeein«, schrie sie. »Das ist doch absurd. Unmöglich. Sie starb, während ...«
»... während du bei Philipp unten im Keller warst. Das ist richtig. Sie hat ihn geliebt, Emma. So sehr, dass sie ihm

seine Eskapaden und Seitensprünge nicht verzieh. Du hast es doch selbst herausgefunden: Es gab keinen Peter. Der Mann, mit dem sie Kinder haben wollte, hieß Philipp.«
In ihrem Ohr setzte sich ein Sinuston fest, der sich anschickte, alles zu übertönen, was es sonst noch an Geräuschen im Raum gab, allem voran Konrads Stimme.
»Sie liebte Philipp, und sie hasste die Frauen, mit denen er verkehrte. Unwerte Huren, die den Tod verdienten.«
»Aber mich, mich hat sie am Leben gelassen?«
Das ergab doch keinen Sinn.
»Sie musste dich nicht ermorden, Liebes. Von dir konnte er sich trennen. Sehr wahrscheinlich hatte er Sylvia versprochen, er würde dich für sie verlassen. Würde Kinder mit ihr bekommen wollen. Seit jener Nacht hast du Philipp ja nicht einmal mehr berührt. So leid es mir tut, aber ich fürchte, in ihren Augen warst du keine Konkurrenz mehr. Anders als die Prostituierten. Sylvia wollte jeden sexuellen Kontakt von Philipp zu anderen Frauen verhindern. Auch deshalb hat sie ihm ihre Trophäen geschickt. Um ihm zu zeigen: *Ich weiß, mit wem du verkehrst. Jede, mit der du schläfst, wird sterben.*«
Emma fühlte sich, als würde sie fallen, ohne zu Boden zu sinken.
Deshalb hatte Philipp so komisch reagiert, als sie im Keller Sylvias Namen erwähnte. Sie hatte ihn gefragt, weshalb er auch sie töten musste, während er nichts von ihrem Todeskampf ahnte.
Konrad näherte sich wieder der Couch und setzte sich zu ihr.
Sanft berührte er ihre Wange. »Ein Moralist würde sagen, dein Mann hat alle diese Frauen auf dem Gewissen, aber er hat sie nicht ermordet. Auch Sylvia hat er nichts angetan.

Als sie versuchte, Philipp auf dem Handy zu erreichen, und du drangegangen bist, hatte sie bereits eine Überdosis Schlaftabletten geschluckt.«

»Der Anruf war ein Hilferuf?«, fragte Emma.

Sie zog die Hand zurück, nach der Konrad gegriffen hatte, und sah zum Kamin. Die Gasflammen schimmerten violett und blau und erinnerten an Blutergüsse von Wunden, die niemals heilen würden.

»Aber wieso hat sie mich an diesem Tag besucht? Weshalb schrie sie mich an, ich hätte ihr die Pille danach untergejubelt, um zu verhindern, dass sie schwanger wird?«

Konrad seufzte. »Sie war verrückt, Emma. Du kannst das Verhalten eines Serienmörders nicht mit normalen Maßstäben bemessen. Aber deine Frage enthält die Antwort, nach der du suchst.«

»Ich verstehe das nicht.«

»Eigentlich ist es naheliegend: Nicht du, sondern Philipp hat das Schwangerschaftshormon gegen die Pille danach ausgetauscht.«

Rums.

Eine weitere Erkenntnis traf sie mit der Wucht eines Fallbeils.

»Weil er nicht wollte, dass sie schwanger wird«, hauchte Emma entsetzt.

»Genau das muss Sylvia irgendwann nach dem Besuch bei dir klargeworden sein, Liebes. Und damit wusste sie, dass Philipp keine Kinder mit ihr wollte. Sie befürchtete, dass er dich entgegen seinen Versprechungen niemals verlassen würde, wofür ja auch sprach, dass er deinetwegen sein Seminarwochenende abgebrochen hatte.«

Die Welt vor Emmas Augen verschwamm hinter einer Tränenwand.

»Das mag ja alles sein«, brachte sie schluchzend hervor. »Aber diese Geschichte hat einen gewaltig großen Fehler. Ich mag vielleicht paranoid sein und bei Philipp im Exzess überreagiert haben. Doch das hat seine Ursache darin, was der Friseur mit mir im Hotelzimmer gemacht hat. Und das war nicht Sylvia.«

»Wieso?«

Jetzt war es an ihr, jedes Wort mit Ausrufezeichen zu brüllen.

»WEIL! ICH! VERGEWALTIGT! WURDE!« Sie bebte. »Ich habe es gespürt. Eine Frau spürt so etwas.«

Konrad wirkte wieder wie mit dem Boden seines Büros verwurzelt. Ganz ruhig, ohne eine Miene zu verziehen, fragte er: »Ganz sicher, Emma?«

»Ja. Hundertprozentig sicher.« Sie drehte sich zum Fenster und lachte künstlich auf. »Ich habe eine blühende Phantasie, mag sein. Ich erzähle manchmal Geschichten, ja. Aber in diesem einen Punkt bin ich mir sicher! Es war ein Mann. In mir drin. Deswegen habe ich mein Baby verloren. Ich kann ihn noch heute spüren, wie er …«

Ihr Atem stockte. Vor ihren Augen begann es zu flimmern, und Schleier zogen in ihrem Sichtfeld vorbei, als hätte sie zu lange in die Sonne geschaut und nicht durch das Fenster hinter Konrads Schreibtisch auf die Zehlendorfer Winterlandschaft hinaus.

»Was hast du?«, fragte Konrad. Seine Stimme klang weniger besorgt als interessiert.

»Das Licht«, sagte Emma und zeigte auf den Wannsee.

Müsste es nicht sehr viel dunkler sein?

»Wie lange bin ich schon hier bei dir in der … in der …«

Wieder schaffte sie es nicht, einen Satz zu vollenden, und diesmal lag es an dem Mann an der Uferpromenade. Und an der großen Dogge an der Leine. Die ihr Maul aufriss, als wollte sie die Schneeflocken mit der Zunge auffangen.

»... bin doch hier bei dir in der Kanzlei?«, murmelte Emma, von einem unwirklichen, vollkommen irrationalen Gefühl erfasst, in eine Zeitschleife geraten zu sein.

Sie beobachtete nicht nur die gleiche, sondern exakt dieselbe Szenerie wie zu Beginn ihrer Sitzung. Sie stand auf. Mühsam, aber diesmal fand sie die Kraft, sich auf den Beinen zu halten.

»Was geht hier vor?«, fragte sie und ging auf das Fenster zu.

Hinter ihr begann Konrad mit jemandem zu sprechen, obwohl er alleine im Raum stand.

»Es ist jetzt so weit«, sagte er streng. »Ich wiederhole, es ist jetzt so weit.«

Sie hörte draußen vom Flur her Schritte näher kommen. Gleichzeitig verfing sich wieder ein Geruch nach frischer Farbe und anderen Renovierungsarbeiten in ihrer Nase, als sie nah an die Scheibe trat. Und in dem Moment, in dem hinter ihr die Türen geöffnet wurden und sie gerade dabei war, mit den Fingerspitzen das Glas zu berühren, verschwand der See vor ihren Augen. Und mit ihm der Spaziergänger, der Schnee, die Dogge, die Uferpromenade, einfach alles. Selbst das Fenster war nicht mehr vorhanden.

Nur noch ein schwarzes Loch in der Wand.

»Frau Dr. Stein?«, hörte sie eine Männerstimme fragen, die nicht zu Konrad gehörte und die sie ignorierte.

»Aber ich weiß doch, wer ich bin«, sagte sie und fing an zu weinen, als sie das elektrostatische Knacken des ultrahochauflösenden Fernsehers hörte, gegen den sie ihre Stirn presste.

»Haben Sie keine Angst, Frau Stein«, sagte der Mann, doch als sie sich zu ihm umdrehte und ihren behandelnden Psychiater in einem weißen Kittel gemeinsam mit zwei Krankenschwestern neben Konrad stehen sah, fühlte sie genau das: eine Angst, die jede Zelle ihres Körpers besetzte und sich so anfühlte, als hätte sie sich auf ewig bei ihr eingenistet.

Emma wurde schwindelig, und während ihr die Knie einknickten und ihr schwarz vor Augen wurde, suchte sie nach einem Halt, den sie nicht fand.

48. Kapitel

Hinter den Kulissen
Park-Klinikum

»Hervorragend. Das haben Sie ganz hervorragend gemacht.«

Dr. Martin Roth deutete auf den Bildschirm auf dem Rolltisch vor ihnen, dessen Ton er gerade heruntergeregelt hatte. Auf ihm war das Kulissenzimmer zu sehen, in dem Emma von zwei Schwestern betreut wurde. Nach ihrer kurzen Bewusstlosigkeit war sie wieder zu sich gekommen und lag jetzt mit angewinkelten Beinen auf dem Sofa. Hätte Konrad es nicht besser gewusst, hätte er tatsächlich geglaubt, er würde sein eigenes Kanzleibüro am Wannsee durch den Überwachungsmonitor betrachten. Unglaublich, wie perfekt die Tischler und Trockenbauer den Nachbau hinbekommen hatten.

Und erst die Techniker!

Er hatte es bis zur letzten Minute bezweifelt, aber am Ende hatten sie recht behalten: Tatsächlich war das Bild von ultrahochauflösenden Fernsehern mittlerweile nicht mehr von der Wirklichkeit zu unterscheiden.

Er selbst hatte sich während des Experiments immer mal wieder ertappt, dass er versonnen aus dem »Fenster« gesehen hatte, bis ihm wieder einfiel, dass der »Ausblick« aus seinem Büro nur ein UHD-Film war, der mit einer neuen Wiedergabetechnik so aufbereitet wurde, dass sich der Blickwinkel je nach Standpunkt des Betrachters veränderte.

»Man kann sich natürlich nicht sicher sein, aber die Chancen stehen gut, dass wir heute bei Emma Stein einen Behandlungserfolg erzielt haben.«
Zusätzlich zu seinen Worten schien Dr. Roth Konrad mit einem breiten Lächeln aufmuntern zu wollen. Der Anwalt ließ das Lob des Psychiaters erschöpft an sich abprallen.
Knapp vier Stunden hatte er Emma zugehört und befragt und dabei versucht, sich an die Anweisungen des Arztes zu halten. Man konnte es ihm vielleicht nicht ansehen – Schwäche zu zeigen war nichts, was er sich in der Öffentlichkeit leistete –, aber tatsächlich brummte Konrad nach dieser Marathonsitzung der Schädel, und ihm stand nach allem der Sinn, nur nicht nach einem analysierenden Gespräch mit dem viel zu jung aussehenden Chefarzt, dessen Ruf in Fachkreisen allerdings legendär war. Schon einmal, vor zehn Jahren, hatte Dr. Martin Roth es angeblich geschafft, einen Schizophrenie-Patienten mit Hilfe seiner eigenen Wahnvorstellungen zu therapieren, und damit den Grundstein für seinen Ruf gelegt. Zum Wohle der Patienten ging er auch mal ungewöhnliche Therapiewege.
So wie heute.
Um bei Emma Stein den ersehnten Durchbruch zu erzielen, hatte Dr. Roth Konrads Kanzleibüro im Maßstab eins zu eins nachgebaut, in der kleinen Turnhalle der Klinik, in der die Physiotherapeuten ihre Reha-Übungen durchführten.
Dieser Aufwand war nötig gewesen, da sie keine richterliche Genehmigung für eine Befragung außerhalb der Klinikmauern bekommen hatten, auf der anderen Seite Emma aber jeglichen Kontakt in der Anstalt ablehnte.
»Ich brauche jetzt erst mal ein Bier«, erklärte Konrad und zog sich einen Klappstuhl heran. Hier, direkt hinter den

Kulissenwänden, die von Emmas Seite aus betrachtet die perfekte Illusion seines Zehlendorfer Kanzleibüros formten, sah es aus wie auf einer Baustelle.
Spanholzplatten wurden mit groben Pfeilern am Umkippen gehindert. Die Kabelstränge für die versteckten Mikrophone und Miniaturkameras (die fast alle im Regal platziert waren) zogen sich wie Spinnfäden über das Turnhallenlinoleum.
Überhaupt erinnerte hier vieles an ein Filmset. Auf einem Campingtisch standen Säfte, Brezeln und abgepackte Sandwiches. Das Catering für die Konrad-&-Emma-Show, mit dem es sich Dr. Roth wohl gemütlich gemacht hatte, während er von hier aus seine Patientin beobachtete.
»Ein kühles Bier und eine Zigarre«, ergänzte Konrad seinen Wunsch.
»Beides haben Sie sich verdient«, bestätigte Roth und zog ein Funkgerät aus der Gürteltasche seiner weißen Jeans. »Hier im Park-Klinikum herrscht zwar ein striktes Rauch- und Alkoholverbot, aber ich denke, als Leiter darf ich heute wohl eine Ausnahme machen.«
Er drückte eine Taste und gab die gewünschte Bestellung auf, vermutlich bei der O-beinigen Chefarztassistentin, mit der Konrad in den letzten Tagen häufiger telefoniert hatte, um die finalen Absprachen zu treffen. Die Dame war die Langeweile und Langsamkeit in Person. Wenn sie das Bier und die Zigarre mit der Geschwindigkeit organisierte, wie sie das Umzugsunternehmen beauftragt hatte, die Möbel aus seiner Kanzlei in die Klinik zu transportieren, würde er frühestens morgen seinen ersten Zug und nächste Woche den ersten Schluck tätigen.
»So, die Bestellung kommt in fünf Minuten.«
Hm. Wer's glaubt.

Nachdem Roth sich noch ein paar rasche Notizen auf einem Klemmbrett gemacht hatte, sicherte er sich ebenfalls einen Klappstuhl, auf dem er sich mit dem Rücken zum Monitor Konrad direkt gegenübersetzte.
»Ich dachte schon, alles ist vorbei, als Emma die Kaffeetasse umwarf und den Fleck wegmachen wollte«, sagte er lächelnd.
Konrad stimmte ihm zu. »Ja. Um ein Haar hätte sie das nicht vorhandene Klo aufgesucht.«
Dieser Detail-Nachbau des Büros war aus sanitärtechnischen Gründen nicht möglich gewesen. Die Imitation einer Toilette schon, aber ein funktionierendes WC mit Spülung und fließendem Wasser? Diese Installation hatten die Räumlichkeiten nicht hergegeben. Hätte Emma an der Kulissentür gerüttelt, die zu einem nicht vorhandenen Badezimmer führte, wäre das Potemkinsche Kanzleidorf aufgeflogen. Tatsächlich war das sogar eingeplant gewesen, um Emma die Augen für ihre Situation zu öffnen, nur eben nicht so früh, sondern als dramatischer Höhepunkt und so weit wie möglich am Ende der Sitzung.
»Wie geht es Ihnen jetzt?«, fragte Dr. Roth mit Betonung auf *jetzt*, denn anfangs hatte Konrad sich heftig gegen die exzentrischen Behandlungsmethoden des Psychiaters gesträubt.
»Ich fühle mich immer noch nicht wohl mit dem Fakt, dass ich Emma belügen und ihr eine Scheinwelt vorgaukeln musste. Aber ich komme nicht umhin, Ihnen zuzugestehen, dass Ihre ungewöhnliche Idee den gewünschten Effekt erzielt hat.«
Roth nickte.
Dass Emma jeglichen Besuch auf ihrer Station ablehnte, hatte ihre Helfer vor ein nahezu unlösbares Problem ge-

stellt. Es gab keine Aussage von ihr; nichts, worauf eine gute Verteidigung hätte aufbauen können. Die Staatsanwaltschaft hingegen war im Besitz eines Videos, das Emma zeigte, wie sie im Keller ihres Hauses ihrem eigenen Mann die Kehle durchschlitzte, nachdem sie ihm zuvor völlig wirre, zum Teil gestammelte Anschuldigungen an den Kopf geworfen hatte.

Und auch Roth war mit seinen Behandlungen nicht weitergekommen, bis er eine Idee hatte, wie man zwei Fliegen mit einer Klappe schlagen und Emma gleichzeitig zu einer Aussage und zu einem Therapiegespräch bewegen könnte. Seiner Einschätzung nach war Emma ein Mensch, der sich nur wenigen öffnete, und niemandem so sehr wie ihrem väterlichen Freund gegenüber.

Das alleine reichte aber nicht aus. Für eine wahrheitsgetreue Aussage benötigte sie zudem eine vertraute Umgebung.

Wenn also der Patient nicht zum Berg kann, muss der Berg versetzt werden, hatte er Konrad deshalb vor zehn Tagen an einem nasskalten Freitagnachmittag eröffnet, da war Emma keine zwei Wochen in seiner Behandlung gewesen. Konrad konnte sich noch gut daran erinnern, wie er Dr. Roth ebenfalls eine Überprüfung seines Geisteszustands nahelegen wollte, als dieser seinen Plan konkretisierte:

»Wir gehen davon aus, dass Frau Stein sich Ihnen anvertrauen wird. Dabei wird es ihr äußerst schwerfallen, ihrem engsten Vertrauten eine Lüge aufzutischen. Erst recht nicht in einer Umgebung, in der sie sich immer geborgen gefühlt hat. Wir können uns heute viele Dinge nicht erklären: ob Frau Stein wirklich in einem Hotelzimmer überfallen wurde oder ob sie sich irgendwo anders selbst verletzt hat. Oder wie es genau zu den Todesfällen kam.

War es Absicht oder Fahrlässigkeit? Wenn Sie, Professor Luft, ein Anwaltsgespräch führen, das wir beobachten dürfen, geben Sie uns die unschätzbare Gelegenheit, Emma Steins Aussage unter psychiatrischen Gesichtspunkten zu analysieren.«

Konrad hatte gelacht und sich nach einer von jenen versteckten Kameras umgesehen, mit denen Emma und er in den letzten Stunden beobachtet worden waren.

»Sie wollen mein komplettes Büro nachbauen? Sie machen Witze!«

»Keinesfalls, und wenn Sie sich mit meiner Person beschäftigen, werden Sie feststellen, dass ich manchmal unkonventionelle Wege gehe, um …«

»Moment mal, Stopp!«, hatte Konrad ihn damals unterbrochen und sich mit beiden Ellbogen auf seinem Schreibtisch abgestützt, während er Roth von oben herab ansah.

»Sie schlagen mir allen Ernstes vor, ich solle meine Mandantin hintergehen? Das Anwaltsgeheimnis verletzen?«

Roth hatte energisch mit dem Kopf geschüttelt.

»Wir sind eine Schicksalsgemeinschaft. Ihre Mandantin ist meine Patientin. Das bedeutet: Ihr Anwaltsgeheimnis deckt sich mit meiner ärztlichen Verschwiegenheitsverpflichtung. Emma Stein wird des Totschlags an Anton Palandt und ihrem Ehemann Philipp beschuldigt. Gleichzeitig scheint sie an einer starken Paranoia zu leiden, vielleicht sogar an Pseudologie.«

»Und mit meiner Hilfe …«

»Können wir zwei Fliegen mit einer Klappe schlagen. Wir finden heraus, was wirklich geschehen ist, und finden eventuell nicht nur einen Verteidigungs-, sondern auch einen Therapieansatz. Aber beides funktioniert nur mit Ihrer

Hilfe. Sie ist eine ›Bedingung, ohne die es nicht möglich wäre‹. Das ist doch ein juristischer Fachterminus oder?«
»Eine ›Conditio sine qua non‹«, hatte Konrad bestätigt.
»Ihre Unterredung von Mandantin zu Verteidiger wäre gleichzeitig eine psychotherapeutische Analyse. Sie dient der Wahrheitsfindung und Heilung zugleich. Und nichts davon würde Dritten zu Ohren kommen und Emma belasten können. Alle Aufnahmen wären nur uns beiden zugänglich. Es gibt keine Kameramänner. Nur fest eingebaute Objektive.«
Das war die Rede, die Konrad am Ende überzeugt hatte, auch wenn er sich noch ein Wochenende Bedenkzeit erbeten hatte. Dass er seine Zustimmung geben würde, war ihm aber eigentlich in dem Moment klargeworden, als er kurz vor der Verabschiedung Dr. Roth fragte:
»Sie wollen mein gesamtes Büro versetzen?«
»Nur die Möbel«, hatte der Psychiater ruhig geantwortet, als handele es sich dabei um eine ganz normale Leistung, die die gesetzliche Krankenkasse übernimmt. *»Den Rest der Kanzlei bauen wir nach.«*
Und so war Emma mit dem Versprechen, ihren ältesten Vertrauten wiederzusehen, dem es gelingen könnte, sie vor einer Gefängnisstrafe zu bewahren, auf ihrem Zimmer sediert worden und wähnte sich, als sie erwachte, nach einem scheinbaren Transport in der nachgebauten Kanzlei.
Aber hat sich all die Mühe wirklich gelohnt?, dachte Konrad.
Er hörte ein dumpfes Pochen, was ihn wunderte, da die Zugangstür zur Turnhalle, der sie am nächsten saßen, aus Glas war. Außerdem stand niemand hinter der Scheibe.
»Was war das?«, fragte Konrad, als sich die Geräusche

wiederholten, nur dass sie jetzt eher einem Stampfen glichen. Er drehte sich zum Monitor.

Emma.

Sie lag weder auf ihrem Krankenbett noch auf der Couch, sondern stand mitten im Raum und stampfte mit dem rechten Fuß auf. Eine etwas unbeholfene Krankenschwester versuchte, sie am Arm zu packen, aber Emma schüttelte sie mühelos ab.

»Ton!«, befahl Konrad mit seiner gerichtssaalerprobten Kommandostimme, und der Chefarzt griff nach der Fernbedienung auf dem Monitortisch. Emmas Stimme wurde lauter.

»Hallo, Konrad?«, rief sie mehrfach hintereinander und drehte sich dabei im Kreis. Natürlich hatte sie begriffen, dass sie gefilmt und abgehört wurde, hatte bislang aber keine Ahnung, wo sich die Mikrophone und Kameras befanden.

»Konrad, kannst du mich hören?«

»Ja«, antwortete er, obwohl Roth ihm heute Morgen erklärt hatte, dass die Schalldämmung hinter den Kulissen so gut funktionierte, dass man hier einen Teller runterschmeißen könne, ohne vorne im Raum etwas von dem Krach zu hören.

»Konrad?«, fragte Emma, und dicke Tränen bahnten sich ihren Weg über ihre Wange. Ihre Stimme zerrte in den kleinen Lautsprechern. »Komm bitte zurück, Konrad. Ich muss dir etwas beichten!«

49. Kapitel

Der Ausblick aus Emmas Krankenzimmer war schön. Nicht ganz so mondän wie der aus seiner Kanzlei, aber dafür kam er wenigstens nicht aus der Konserve, dachte Konrad.

Stünde Emma hier neben ihm am Fenster, könnte sie einer kleinen Hasenfamilie dabei zusehen, wie sie über die verschneite Grünfläche der Parkanlage hoppelte und zwei Meter aus dem Lichtkegel der bauchigen Außenlaterne in die Dunkelheit sprang, um kurz danach wieder sichtbare Spuren im pulvrigen Weiß zu hinterlassen.

Sie könnte auch seinen alten Saab sehen, mit dem er sie früher manchmal zur Uni gefahren hatte, doch dazu hätte Emma aufstehen müssen, und dafür war sie im Moment wohl zu schwach. Das Cabrio stand, von einer dicken Schneehaube bedeckt, auf dem kleinen Parkplatz, der eigentlich Chefärzten vorbehalten war. Roth hatte ihm seinen eigenen angeboten.

»Hast du alles abgesucht?«, hörte er Emma von ihrem Krankenbett aus fragen. Es war breiter und komfortabler als das, mit dem sie vor Stunden in das Kulissenzimmer geschoben worden war.

»Ja«, bestätigte Konrad.

Auf ihr Bitten hin hatte er das gesamte Zimmer nach versteckten Kameras und Mikrophonen durchforstet und war dabei sehr gründlich vorgegangen, auch wenn Roth ihm versichert hatte, dass hier oben auf der Station nichts

und niemand verkabelt war. Diesen Eingriff in die Intimsphäre seiner Patientin würde er nicht wagen.
»Es tut mir leid«, sagte Konrad zerknirscht, und das stimmte. Später, in Lehrbüchern, würde es sich gewiss gut machen, wenn man über Dr. Roth schrieb, er habe eine vermeintliche Lügnerin mit einer Lüge therapiert. Aber das änderte nichts an der Tatsache, dass Konrad seine beste Freundin und Schutzbefohlene hintergangen hatte.
»Nein, *mir* tut es leid«, widersprach Emma matt. Sie klang selbstvergessen, die Haut um ihre Augen war eingefallen und knitterig, als habe sie lange Zeit nichts getrunken.
»Vielleicht ist es besser, wir reden morgen weiter. Du wirkst erschöpft, Liebes.«
»Nein.«
Sie klopfte neben sich auf die Bettdecke. »Komm bitte. Ganz nah.«
Er löste sich von der Fensterbank und war in zwei Schritten bei ihr. Nur zu gerne suchte er ihre Nähe. Jetzt, da er die vorgespielte berufliche Distanz nicht mehr wahren musste, war Emma nicht länger mehr eine Mandantin, sondern wieder sein kleiner, liebenswerter Schützling.
Sie flüsterte, während er den Nachttisch etwas zur Seite schob, um sich auf die Matratze setzen zu können.
»Ich wollte dich hier oben sprechen. In meiner Zelle.«
»In deinem Klinikzimmer, meinst du.«
Sie lächelte, als habe er einen Witz gemacht.
Roth hatte sich sofort darauf eingelassen, Emma wieder auf ihr Zimmer zu verlegen. Die Kanzleikulisse hatte ihre Pflicht und Schuldigkeit getan. Emma hatte bei der Enttarnung der hochauflösenden Fernseher als Fensterattrappen erkannt, dass die Fähigkeit, zwischen Fiktion und Wirklichkeit zu unterscheiden, einem Menschen abhan-

denkommen kann. Konrad konnte den psychiatrischen Nutzen dieser Erkenntnis nicht beurteilen, aber er stimmte mit dem Klinikleiter darin überein, dass Emma in ihrem Krankenbett besser aufgehoben war als unten in der Turnhalle.

»Ich wollte es dir nicht da unten sagen. Nicht vor den vielen Kameras. Und Mikros.«

Konrad nickte.

Er griff nach ihrer Hand. Sie war trocken und so leicht wie ein Blatt Papier.

»Keiner soll uns hören«, sagte sie, und es klang, als habe sie eine heiße Kartoffel im Mund. Ihre Zunge war schwer. Roth hatte ihr noch ein Beruhigungsmittel gegeben, das langsam zu wirken schien, danach hatte er sich mit der Bemerkung verabschiedet, er werde im Gang warten.

»Ruh dich aus«, setzte Konrad an und drückte ihr liebevoll die Hand.

»Was ich zu sagen habe, ist erst mal nur für dich bestimmt«, antwortete sie ihm.

Konrad fühlte einen Stich im Herzen, wie immer, wenn er spürte, dass es einer ihm nahestehenden Person schlechtging und er nicht wusste, wie er helfen konnte. Auf dem Schlachtfeld der Paragraphen hatte er immer die richtigen Waffen dabei. Wenn es um private Probleme ging, war er oft ratlos. Ganz besonders Emma gegenüber.

»Was hast du auf dem Herzen?«, fragte er sie.

»Weißt du, ich bin mir langsam wirklich nicht mehr sicher, ob ich in diesem Hotel war.«

Er schenkte ihr sein sanftestes Lächeln. »Das ist gut, Emma. Gut, dass du es aussprichst. Und glaub mir, niemand macht dir einen Vorwurf. Wir werden jetzt alles dransetzen, dich zu heilen.«

»Es gibt keine Heilung in der Psychotherapie«, widersprach sie ihm.
»Aber Hilfe.«
»Die will ich nicht.«
»Nicht? Was willst du dann?«
»Sterben!«

50. Kapitel

Konrads Gefühlsreaktion war heftig.
Seine Hand verkrampfte sich schmerzhaft um die von Emma, und sie konnte an seiner zitternden Unterlippe sehen, wie er um Fassung rang.
»Du machst Witze.«
»Nein, es ist mein Ernst.«
»Aber wieso denn nur?«
»Aus vielen Gründen. Durch meine Paranoia habe ich Palandt und Philipp getötet. Und Sylvies Rettung verhindert.«
»Alles ohne Absicht«, widersprach Konrad energisch. »Alles ohne Schuld.«
Emma schüttelte den Kopf, ihre Augen waren rot, aber klar. Sie weinte nicht mehr.
»Philipp ...«, sagte sie. »Ohne Philipp hat mein Leben keinen Sinn. Ich habe ihn geliebt. Egal, was er für ein Schwein war. Ohne ihn bin ich wertlos.«
»Ohne diesen Betrüger bist du so viel mehr wert«, sagte Konrad mit überraschend lauter Stimme. »Wenn es einen gibt, der Schuld an deinem Elend trägt, dann dein ehebrecherischer, selbstsüchtiger Ehemann. Schlimm genug, dass er dich zu Lebzeiten hintergangen und vernachlässigt hat, jetzt stürzt er dich auch noch nach seinem Tode in tiefe Verzweiflung.« Konrad mäßigte Griff und Stimme wieder, was ihm sichtlich Mühe abverlangte. »Dich trifft keine Schuld, Emma. Es war Notwehr.«

Sie seufzte. »Selbst wenn du die Richter davon überzeugen solltest, will ich trotzdem nicht weiterleben. So nicht. Du musst das verstehen, Konrad. Ich bin Psychiaterin. Ich kenne die dunkelsten seelischen Abgründe. Ich konnte es kaum ertragen, in sie hineinzublicken. Und jetzt sitze ich selbst am tiefsten Punkt.«

»Emma ...«

»Sch ... hör mir zu, bitte, Konrad. Ich weiß nicht mehr, was ich denken soll. Ich war mir so sicher, vergewaltigt worden zu sein. Und jetzt? Es ist kein Leben, wenn man nicht zwischen Wahn und Wirklichkeit unterscheiden kann. Kein Leben für mich. Ich muss es beenden. Aber ich schaffe es nicht ohne deine Hilfe. Du kennst doch bestimmt irgendjemanden, der mir dieses Mittel besorgen kann, das ich dir aufschreibe.«

»Du bist doch ...«

»Verrückt. Ganz genau.«

»Nein. Das wollte ich nicht sagen.«

Konrad schüttelte den Kopf. Niemals zuvor hatte sie ihn so traurig und hilflos gesehen.

»Doch, es stimmt. Ich habe eine Macke ...«

»Nur eine lebhafte Phantasie, Liebes. Und Stress. Viel Stress.«

»Den haben andere auch, und trotzdem halluzinieren sie nicht von Vergewaltigungen in imaginären Hotelzimmern.«

»Die haben auch nicht deine Vorstellungskraft, Emma. Schau mal. Du hattest an jenem Abend einen schwierigen Vortrag, wurdest offen von Kollegen angefeindet, musstest dich verteidigen. Es ist nur allzu verständlich, dass du in einer psychischen Ausnahmesituation die Kontrolle verloren hast. Ich vermute, du hast im Fernsehen einen

Bericht über den Friseur gesehen und dich in deiner blühenden Phantasie hineingesteigert, eines seiner Opfer zu sein. Es wird viel Zeit brauchen, aber gemeinsam mit Dr. Roth werden wir es sicher herausfinden.«

»Ich will das nicht.«

Konrad drückte ihr wieder die Hand, als wäre sie eine Pumpe, mit der man neuen Lebenswillen in sie hineinpressen konnte.

»Emma, überleg doch mal. Dir wurde schon einmal geholfen. Damals in deiner Kindheit, als deine Phantasie ebenfalls Purzelbäume schlug.«

Arthur.

Von einer unerwarteten Melancholie ergriffen, musste Emma an den eingebildeten Freund ihrer Kindheit denken, vor dem sie sich anfangs so gefürchtet hatte. Vieles war verschwommen in ihren Erinnerungen. Nur der Motorradhelm und die Spritze in Arthurs Hand hatten sie auch noch Jahre nach der Therapie verfolgt, die – wie es jetzt den Anschein hatte – wohl doch nicht so erfolgreich gewesen war.

Emma fielen die Augen zu, und sie kämpfte nicht mehr gegen die Müdigkeit an, die weitere Erinnerungsfetzen als Vorboten ihrer Träume im Schlepptau hatte.

Die Worte ihres Vaters: *»Hau sofort ab. Oder ich tu dir weh.«*

Die Stimme im Schrank: *»Das hat er gesagt?«*

Die Schreie ihrer Mutter, als sie das Kind im vierten Monat verlor.

Die Pille danach.

Ihre eigene Stimme, mit der sie Sylvia anbrüllte: *»Ich wurde geschoren und vergewaltigt. Da war ein Mann in meinem Zimmer …«*

»Ja. So wie Arthur in deinem Schrank …«
Emma riss die Augen auf. Kämpfte sich aus dem Nebel der Betäubung wieder zurück an die Oberfläche.
»Was hast du?«, fragte Konrad, der immer noch ihre Hand hielt.
»Woher kannte sie seinen Namen?« Ihre Zunge wog mehrere Kilo. Sie konnte sie kaum mehr bewegen.
»Bitte?«
»Arthur. Woher kannte Sylvia seinen Namen?«
»Redest du jetzt von dem Geist?«
Sie sah in Konrads verwirrtes Gesicht.
»Siehst du, ich habe nicht einmal dir seinen Namen genannt. Du hast ihn heute das erste Mal gehört, als ich dir von meinem Streit mit Sylvia erzählt habe. Wie sie mich zu Hause besuchte und mir vorwarf, ihr kein Kind zu gönnen, da sagte sie irgendetwas davon, dass ich ja schon früher als Kind gelogen hätte. Als ich mir *Arthur* ausdachte. Aber ich habe Sylvia erst kennengelernt, nachdem ich therapiert war. Ich hab ihr nie davon erzählt.«
Konrad zuckte mit den Achseln. »Sie hatte eine Affäre mit Philipp«, brummte er. »Vermutlich hat sie es von ihm.«
Sie blinzelte hektisch. »Hör doch mal zu. Selbst Philipp wusste nichts davon. Ich habe Arthurs Namen für mich behalten. Ich wollte ihn nach den Sitzungen in meiner Jugend nie wieder laut sagen, das war ein Aberglaube. Ich dachte, wenn ich ihn nicht ausspreche, kommt Arthur auch nie wieder zurück, verstehst du?«
Ich habe ihn damals nur meinen Eltern und meinem Psychiater genannt. Also woher kannte Sylvia den Namen?
Emma zitterte. Für den Bruchteil eines Moments kannte sie die Antwort. Und diese Antwort war der Wegweiser zu einer so schrecklichen, grauenerregenden Wahrheit,

dass sie am liebsten schreiend aus dem Krankenzimmer gerannt wäre.
Doch dann war die Antwort verschwunden, gemeinsam mit ihrer Fähigkeit, noch länger gegen den Bewusstseinsverlust anzukämpfen.
Und alles, was Emma auf ihrem tiefen Fall in den Schlaf begleitete, war ein Gefühl der Angst, das noch viel schlimmer war als an jenem Tag, an dem sie das Paket in Empfang genommen hatte.

51. Kapitel

Dr. Roth freute sich. Das Experiment, das er zum großen Teil aus eigener Tasche finanziert hatte, war ein voller Erfolg.
Fast schon bedauerte er, es nicht fortsetzen zu können, aber die durch ihn blockierte Reha-Halle wurde dringend benötigt, und weitere Erfolge mit dieser Kulisse waren ohnehin nicht zu erzielen.
»Dann war es das?«, fragte Konrad neben ihm, der mit Argusaugen zwei Möbelpacker dabei beobachtete, wie sie seine Couch aus dem Raum trugen. Nach der Unterredung mit Emma hatte der Anwalt erst einmal durchatmen wollen und war eine Zeitlang im Park spazieren gewesen. Jetzt schien er erholt zu sein.
»Die Scharade ist vorbei?«
Der Strafverteidiger musste etwas lauter reden, denn vor und hinter ihnen surrten Akkuschrauber, um die Verschraubungen der Wände zu lösen. Die Luft war vom Aroma frischer Holzspäne geschwängert. Ein Geruch, den Roth seit seiner Kindheit liebte. Er war auf eine Schule mit künstlerischem Schwerpunkt gegangen. Schreinerarbeiten zählten zum Pflichtprogramm, vielleicht erklärte das seinen Hang zu kreativen Methoden.
»Ja, ich schätze, das war's«, antwortete Roth. »Es sei denn, Frau Stein hat Ihnen noch etwas anvertraut, das für meine Arbeit wichtig sein könnte.«
»Anwaltsgeheimnis«, lächelte Konrad zurück, winkte dann

aber ab. »Nein, im Ernst. Sie war völlig durcheinander. Sie äußerte Suizidgedanken, da müssen Sie unbedingt ein Auge drauf haben.«
»Keine Sorge, darauf sind wir eingestellt.« Roth kratzte sich eine seiner Geheimratsecken. »Diese Reaktion war leider zu erwarten.«
»Wieso?«
»Wir haben Frau Steins Welt zutiefst erschüttert.«
Roth zeigte auf das Bücherregal mit der Schopenhauer-Gesamtausgabe. Eine der Kameras steckte noch im Buchrücken von »Die Welt als Wille und Vorstellung«.
»Und sie sieht momentan keine Möglichkeit, sie wieder in Ordnung zu bringen.«
»Hey, hey. Bitte vorsichtig!« Konrad entschuldigte sich für einen Moment und ging auf einen Möbelpacker zu, der den runden O-Teppich unter dem Couchtisch hervorzuzerren versuchte.
»Der muss in die Reinigung, nicht in den Müll.«
»Ist das ein *Enso?*«, fragte Roth, der ihm gefolgt war.
Konrad musterte ihn anerkennend. »Sie kennen sich aus mit Zen-Symbolik?«
»Ein wenig«, lächelte Roth und zeigte auf den schwarzen Rahmen des weißen Teppichs. »Ein *Enso,* also der Kreis, wird in der Zen-Malerei mit einem einzigen fließenden Pinselstrich gezeichnet. Nur wer innerlich gesammelt und im Gleichgewicht sei, so meinen die Künstler des Zen, könne einen ausgewogenen *Enso* malen. Daher lasse sich an der Ausführung eines solchen Kreises der Bewusstseinszustand des Malenden besonders gut erkennen.«
»Hut ab«, lachte Konrad. Der Arbeiter war mittlerweile mit dem Couchtisch unter dem Arm verschwunden. Auch die anderen Packer schleppten gerade Gegenstände nach

draußen, so dass Konrad und Roth für den Moment alleine waren. »Wusste ja gar nicht, dass an Ihnen ein Philosoph verloren gegangen ist.«
Roth nickte scheinbar geistesabwesend. Seine Finger umschlossen noch einmal die Fasern des Enso-Teppichs, dann stand er auf. Ein letztes Mal ließ er den Blick durch das Kulissenzimmer wandern, bevor er Konrad fast beiläufig fragte: »Sie konnten sich nicht von ihr trennen, richtig?«
»Wie bitte?«
»Sie mussten sie immer bei sich haben. In Ihrer Nähe.«
»Wovon in aller Welt sprechen Sie?«, fragte Konrad leicht verstimmt.
Statt einer Antwort besah sich Roth die Fusseln in seiner Hand, die er eben aus dem Teppich gelöst hatte. Sie hatten eine dunkelbraune Maserung und wirkten für einen Teppich ungewöhnlich dünn. Fast wie Haare.
»In Philipps Labor fanden sich die Trophäen aller Opfer. Nur nicht die von Emma«, sagte der Psychiater und sah Konrad direkt in die Augen.
Der Verteidiger wurde blass und schien von einer Sekunde auf die andere um Jahre gealtert. Der Boden seines Selbstbewusstseins, auf dem er die ganze Zeit so fest gestanden hatte, hatte sich auf einmal in eine Falltür verwandelt.
»Was zum Teufel wollen Sie damit sagen?«
Roth antwortete ihm mit einer Gegenfrage: »Wundert Sie denn der ganze Aufwand hier nicht, Professor Luft?« Der Psychiater breitete die Arme aus, während er so tat, als würde er alles um ihn herum zum ersten Mal sehen. »Ein komplett installiertes Kulissenbüro, hochauflösende UHD-Fernseher, versteckte Kameras und Mikrophone. Und das alles nur, um eine paranoide Patientin von ihren Wahnvorstellungen zu befreien?«

»Was wird hier gespielt?«, fragte Konrad tonlos. Sein Blick wanderte hilflos über die Kulissen auf der Suche nach einem Ausweg.

Und bevor er ihn noch gefunden hatte, ließ Roth das Fallbeil der Wahrheit auf ihn herabsausen: »Wir haben nicht Emma beobachtet, sondern Sie!«

52. Kapitel

Emma schwamm am Grunde eines ölschwarzen Sees und fühlte sich seekrank. Dabei waren die Wellen, die ihr Gleichgewichtsempfinden störten, von einer seltsamen Melodie getragen.
Einer Stimme, halb flüsternd, halb lächelnd.
Die Stimme eines Wahnsinnigen.
Die Stimme Konrads.
»Ich liebe dich, Emma.«
Von einer ungeheuerlichen Woge der Übelkeit gepackt, riss Emma die Augen auf und erbrach sich direkt neben ihr Krankenbett.
Sie war immer noch benommen, sah die Welt wie durch eine Milchglasscheibe, aber sie wusste, wer sie war (eine vergewaltigte Frau), wo sie war (im Park-Klinikum) und was Konrad ihr anvertraut hatte.
»Hab keine Sorge, ich kümmere mich um dich«, hatte er gesagt und ihre Hand gehalten, als er sie im Zustand der vollen Bewusstlosigkeit wähnte, während sie bloß dicht unter der Oberfläche des Schlafs trieb.
»Ich beschütze dich, so wie ich es immer getan habe.«
Immer wieder war sie weggedriftet. Und immer wieder hatte seine Stimme sie zurückgeholt.
Jetzt, nachdem sie die Medikamente erbrochen hatte, bevor sie sich vollends in ihrem Körper ausbreiten konnten, war Konrad längst aus dem Krankenzimmer verschwunden.

Aber seine Stimme war noch in ihrem Kopf. Dieser schaurige, flüsternde Singsang der Erinnerung.
»Ich bin dein Schutzengel, Emma. Ich habe in den letzten Monaten auf dich aufgepasst, so wie ich es schon seit Ewigkeiten tue. Verstehst du? Die Nutten habe ich für dich getötet. Deine Ehre wiederhergestellt.«
Der Wahn in seinen Worten ergab für Emma erst jetzt vollständig Sinn. Sie war noch unendlich müde. Aber der Sog der Psychopharmaka wollte sie nicht mehr so stark in das Sumpfgebiet ihres Bewusstseins ziehen.
»Ich habe dich begehrt, von der ersten Sekunde an, als ich dich sah. Du warst noch viel zu jung, drei Jahre alt, als du mit deinem Vater in meine Kanzlei kamst. Sie war fast genauso eingerichtet wie heute. Selbst der Teppich lag schon da. Du hast immer so gerne auf dem ›O‹ gespielt, aber du kannst dich bestimmt nicht erinnern, du warst noch so klein.«
Deshalb habe ich mich dort von Anfang an so heimisch gefühlt.
Emma hatte schon in diesem Moment versucht, die Augen wieder zu öffnen, was ihr aber nicht gelungen war.
»Ich hab gleich gemerkt, dass dein Vater dir nicht guttut. Immer suchtest du seine Nähe, und immer war er schroff und kalt. Ich hingegen durfte meine Gefühle nicht zeigen. Musste mich verstecken, um dich zu sehen.«
In meinem Schrank!
»Ich hab dich beobachtet, dich umsorgt, bewacht und behütet. War der Vater, den du nie hattest.«
Konrad ist nicht nur der Friseur.
Er war auch Arthur!
Deshalb kannte Sylvia seinen Namen. Sie hat ihn nicht von Philipp erfahren, sondern von dem Mann, der ihn sich

selbst gegeben hat, erinnerte sich Emma an ihre eigenen, stark verlangsamten Gedanken, die immer wieder von Konrads Flüstern unterbrochen worden waren.
Sie hatten Kontakt gehabt, *natürlich.* Ganz sicher hatte Konrad Sylvie besucht, als es Emma so schlechtging. Um mit ihr darüber zu reden, wie man ihr helfen könne. Von bestem Freund zu bester Freundin.
»Ich habe zeit deines Lebens auf dich aufgepasst, meine Liebe. So wie damals, als dein Ex-Freund Benedict dich belästigte, weißt du noch? Ich hielt so oft meine schützende Hand über dich, das hast du alles gar nicht mitbekommen. Später, als du dann alt genug warst, habe ich mich dir gezeigt. Doch ich hatte Angst, dass du meine wahren Gefühle erkennen und den Kontakt zu einem Mann mit diesem Altersunterschied abbrechen würdest.«
Aber du bist doch schwul?
»Ich habe nur behauptet, ich wäre homosexuell. Habe dir eine Lüge aufgetischt, die mir deine Nähe sicherte, aber die uns leider auch trennte. Oh, wie sehr hab ich mich nach dir verzehrt. All die Jahre.«
Bis zu der Nacht im Hotel!
»Ich wollte, dass du das *Le Zen* verlässt und nach Hause gehst, Liebes. Zurück zu deinem Mann, der gerade mit einer Hure im Bett war. Damit du ihn in flagranti erwischst. Aber du bist geblieben. Obwohl ich dir mit der Schrift auf dem Spiegel Angst eingejagt habe, wolltest du nicht gehen. Also hab ich dir die Haare geschnitten, damit Philipp dich nicht mehr begehrt. Damit er nicht mehr mit dir schläft, wie er es immer tut, wenn du nach Hause kommst.«
An dieser Stelle meinte Emma Konrad in ihrer Erinnerung räuspern zu hören, so wie er es in der Nacht im Hotel getan hatte.

»Ich habe dich nicht vergewaltigt. Nur, als du dann so vor mir lagst, so friedlich ...«
Emma musste wieder würgen. Sie schlug die Decke zurück und stürzte neben das Bett, als sie versuchte aufzustehen.
»Nein!«, brüllte sie die Stimme der Wahrheit an, die sich in ihrem Kopf festgesetzt hatte.
»Es war ein Fehler, ich weiß«, hörte sie Konrad sagen. »Aber ich konnte auch nicht mehr länger warten, Emma. Nach all den Jahren der Enthaltsamkeit war es ganz natürlich, weißt du. Und es war schön. Wunderschön. Es geschah ganz sanft. Ein Akt der Liebe.«
Emma spürte ein reißendes Ziehen im Unterleib. Sie sank auf die Knie und übergab sich noch einmal.
Als nichts mehr aus ihrem Magen kommen wollte, war auch die Stimme in ihrem Kopf verschwunden, so als hätte sie Konrad mit der letzten Galle aus ihrem Körper gespuckt.
Röchelnd zog sie sich am Fensterbrett hoch und sah nach draußen.
Sie erwartete fast, Konrad im Park stehen zu sehen, der ihr lächelnd zuwinkte, doch da war nur eine verschneite Winterlandschaft. Hasenspuren im Schnee. Eine Laterne, die mildes Licht spendete.
Und das Auto.
Der alte Saab stand schneebedeckt auf dem Klinikparkplatz, dort, wo eigentlich nur die Chefärzte ihre Wagen abstellen durften.
Emma sah zur Tür, wischte sich mit dem Ärmel ihres Nachthemds etwas Speichel von der Oberlippe und fasste einen Entschluss.

53. Kapitel

Der einst so energische Strafverteidiger stolperte angezählt durch den Nachbau seines Kanzleizimmers. Noch immer hatte er nichts zu Dr. Roth gesagt. Und es gelang ihm nicht, dem Psychiater in die Augen zu sehen. Zitternd blieb er stehen. Mit dem Gesicht zur Fensterwand, aus der der Fernseher längst gelöst war und wo jetzt nur noch eine Spanholzvertiefung an die Installation erinnerte.
Konrad drehte sich um, wollte sich an der Kante seines Schreibtischs abstützen, rutschte ab und schaffte es mit Mühe, sich in seinen Sessel sinken zu lassen.
»Sie haben Emmas Haare in den Enso-Teppich gewoben«, sagte Roth. Ohne Vorwurf. Ohne den geringsten Hauch von Sensationslust in seiner Stimme. Als Psychiater waren ihm schon weitaus verstörendere Abnormitäten menschlichen Verhaltens begegnet.
»Das … das ist …«, fand Konrad stotternd seine Stimme wieder. »Dafür gibt es eine Erklärung.«
»Dessen bin ich mir sicher«, antwortete Roth. »Alles wird sich aufklären. Auch die Frage der Zimmernummer. War es 1903 oder 1905?«
»Bitte?«
»Bei welchem der beiden Durchgangszimmer im *Le Zen* haben Sie das Schild an der Tür durch die 1904 ersetzt?
Roth bemerkte Schweißperlen auf Konrads Stirn. Er war kalkweiß geworden. Seine Haut schimmerte wächsern.

»Ich weiß, niemand mag es gerne, wenn man seine Tricks durchschaut«, sagte Roth. »Auch wenn es ein sehr guter Trick war, beide Zimmer über ein ausländisches Hotelportal für eine vierköpfige Familie zu buchen. Da man im *Le Zen* wie in den meisten Berliner Hotels nur seine Kreditkarte beim Check-in vorlegen muss, brauchten Sie nur jemanden, der für Sie die Schlüssel abholt.« Roth zog die Stirn kraus. »Das ist der Punkt, an dem wir noch nicht genau wissen, wie Sie es angestellt haben. Wir tippen darauf, dass es diese Mutter mit ihren drei Kindern wirklich gibt; eine ehemalige Mandantin vielleicht, die auf Ihre Einladung hin nach Deutschland kam. Die allerdings etwas früher auszog, genau nach Plan, und so hatten Sie am Tag, an dem Emma einzog, freie Bahn für Ihre Vorbereitungen. Sie konnten seelenruhig das Porträt von Ai Weiwei montieren, und zwar genau über die rahmenlose Verbindungstür, so dass Emma den Durchgang zum Nachbarzimmer nicht bemerkte. Dort warteten Sie, bis sie sich schlafen legte. Sie mussten sich nicht einmal wie früher im Schrank verstecken.« Roth lächelte matt. »Der Name Arthur gefällt mir übrigens. Ich bin auch ein Fan von Arthur Schopenhauer.«

Konrad zuckte zusammen, als sich die provisorische Bürotür mit einem lauten Knirschen öffnete. Ein schwarzhaariger Beamter mit griechischen Gesichtszügen stapfte selbstbewusst herein.

»Professor Konrad Luft, Sie sind verhaftet«, sagte der Polizist. Jorgo Kapsalos blieb zwei Meter entfernt vor dem Schreibtisch stehen, die Hand auf dem Griff seiner Dienstwaffe, die er an der Hüfte trug. »Über Ihr Aussageverweigerungsrecht muss ich Sie ja wohl kaum belehren.«

Konrad sah zu Jorgo auf und betrachtete den hochge-

wachsenen, breitschultrigen Beamten wie einen Außerirdischen.
»Wieso?«, krächzte er.
Roth, der in der Nähe der Couch geblieben war, meinte ein Lächeln auf Jorgos Lippen zu sehen, aber vielleicht war es nur das matte Licht der Schreibtischlampe, das diesen Eindruck erzeugte.
Der ehemalige Partner von Emmas Mann hatte nichts von einem Sadisten. Zwar hatte Jorgo sich den Tod von Philipp Stein sehr zu Herzen genommen, weil er sich selbst die Schuld gab, die Zusammenhänge nicht schon früher erkannt zu haben. Doch Roth glaubte nicht, dass Rache eine wesentliche Triebfeder Jorgos war. Dass er jetzt Genugtuung dabei empfand, den Friseur festnehmen zu dürfen, war jedoch verständlich.
»Wie sind Sie auf mich gekommen?«
Jorgo schüttelte den Kopf, und seine Hand wanderte zu den Handschellen an seinem Gürtel. »Wir haben noch genug Zeit, um das alles auf dem Revier zu besprechen, wenn wir Ihr Geständnis aufnehmen.«
Konrad nickte. Gab sich geschlagen.
»Unglaublich«, sagte er und ließ staunend den Blick durch das Kulissenbüro wandern, in dem er geglaubt hatte, Emma zu helfen, dabei hatte er selbst die ganze Zeit im Zentrum der Beobachtung gestanden. »Sie haben mich hinters Licht geführt«, murmelte der Anwalt. Er sah zum Ausgang. Keiner der Packer war in die Kulisse zurückgekommen. Sie hielten sich an die Anweisungen, die sie von Jorgo bekommen hatten.
»Nicht Emma sollte sich sicher fühlen, sondern ich mich selbst, hier, in meiner vertrauten Umgebung.«
Auch im Moment seiner größten Niederlage funktionierte

Konrads Verstand tadellos. »Und für mein eigenes Büro hättet ihr nie einen Durchsuchungsbefehl bekommen. Ihr habt das perfekt eingefädelt. Respekt.«
Konrad stützte sich kraftlos auf dem Schreibtisch ab, und schon da hätte Roth es erkennen müssen. Erst recht, als er schwer ausatmete und beide Arme unter die Tischplatte fallen ließ.
Konrad war getroffen. Empfindlich. Vielleicht sogar so hart, dass er sich von dem Einschlag nie wieder erholen würde. Aber seine Verwandlung war zu schnell geschehen, vor allem für jemanden, der sein Leben lang trainiert hatte, seinen Körper und seine Sinne zu beherrschen.
Wir haben einen Fehler gemacht, dachte Roth und hörte ein stimmverändertes Echo seiner eigenen Gedanken, nur leicht zeitversetzt aus Konrads eigenem Mund, denn der sagte:
»Aber ihr habt einen Fehler gemacht.«
Ein Wimpernschlag später war die Pistole, die der Strafverteidiger aus einem Geheimfach unter der Schreibtischplatte gezogen hatte, schon in Position. Konrad zielte Dr. Roth genau zwischen die Augen.

54. Kapitel

Mein Schreibtisch. Mein Geheimfach. Meine Lebensversicherung«, sagte Konrad. »Eigentlich vorgesehen für wütende Mandanten, deren Prozess ich verloren habe. So gesehen passt es sogar.«

Der Anwalt lachte traurig, schloss die Hand fester um die Pistole. »Ich schieße«, drohte er, und Roth wusste, dass es ihm ernst war.

»Ich werde abdrücken, und dann brauchen Sie hier keine Möbelpacker, sondern Tatortreiniger, die sich auf Gehirnflecken spezialisiert haben.«

»Okay, okay.« Roth kam mit erhobenen Händen näher. Das war sein Spezialgebiet. Psychisch verletzte Menschen in emotionalen Ausnahmesituationen.

»Was wollen Sie?«, fragte er.

»Antworten«, sagte Konrad erstaunlich gelassen und richtete die Waffe jetzt auf Jorgos Brust. Nur eine pochende Halsschlagader verriet seinen Erregungszustand. »Wieso haben Sie mich verdächtigt?«

Jorgo vergewisserte sich durch einen kurzen Blickkontakt mit Roth, dass er ernsthaft darauf antworten durfte, dann sagte er: »Wir hatten keine DNA, keine Beweise, nichts in der Hand. Im Fall des Friseurs tappten wir völlig im Dunkeln. Wir wussten von dem Persönlichkeitsprofil her, das Philipp selbst erstellt hatte, dass es ›ein älterer, eher konservativ ausgerichteter Mann mit höherer Bildung und ausgeprägtem Ordnungssinn‹ sein musste.«

Konrad nickte und forderte Jorgo mit der freien Hand auf, fortzufahren.

»Ich kenne Emma seit Jahren. Ich konnte mir nicht vorstellen, dass sie eine gestörte Trittbrettfahrerin ist, die nur die Aufmerksamkeit ihres Ehemanns wollte. Noch weniger, dass sie selbst grundlos gewalttätig wurde.«

»Wohl kaum«, stimmte ihm Konrad zu. »Eher Philipp.«

Jorgo nickte. »Aber auch mein Partner war niemand, dem ich körperliche Gewalt gegen Frauen zutraute.«

»Jedoch seelische«, urteilte Konrad, und Jorgo zögerte kurz, dann vergewisserte er sich erneut, dass er weiterreden durfte. Entweder, er deutete Roths Blicke richtig, oder er war als Polizist darauf geschult, Menschen, die kurz davorstanden, eine Gewalttat zu verüben, besser die Wahrheit zu sagen.

»Philipp benahm sich verdächtig, zweifelte mir gegenüber immer häufiger den Geisteszustand seiner Frau an. Und als wir gemeinsam das *Le Zen* durchsuchten, kam es mir so vor, als suchte er eher nach Beweisen für ihre Paranoia als für das Gegenteil. Und er wollte auf gar keinen Fall, dass Emma von der Verbindungstür erfuhr, obwohl das Balsam für ihre gequälte Seele gewesen wäre. Er verheimlichte ihr auch, dass wir Klebereste an der Wand fanden, die vermutlich von dem Bild stammten, mit dem Sie die Tür verdeckten.«

Jorgo zuckte mit den Achseln. »Von da ab war es nur logisch, Emmas privates Umfeld zu durchleuchten. Und siehe da, das Profil passte, als hätte Philipp Sie vor Augen gehabt, als er es erstellte.«

Konrad griff sich an den Hals. Er fixierte wieder Roth sowohl mit seinen Blicken als auch mit der Mündung seiner Waffe.

»Und Sie? Sie sind das Mastermind dahinter, nicht wahr?«
»Nun ja, ich würde eher sagen, der Zufall hat mir geholfen. Ich war auch Teilnehmer des Kongresses, auf dem Frau Stein über die Rosenhan-Experimente referierte. Sie haben es bestimmt gar nicht mitbekommen, aber wir sind uns an der Garderobe über den Weg gelaufen. Später, als die Polizei mich hinzuzog, erinnerte ich mich an unsere Begegnung. Ich nehme an, Sie waren nicht aus medizinischem Interesse vor Ort, sondern um in Emmas Unterlagen die Zimmerkarten auszutauschen?«
Konrad nickte zustimmend und sagte dann: »Das war nicht meine Frage. Ich wollte wissen, ob diese Strategie mit dieser Falle hier auf Ihr Konto geht?«
Roth zögerte. Einerseits würde Konrad es gewiss merken, wenn er ihn anlog. Andererseits konnte der Chefarzt kaum ehrlich bleiben, ohne den Anwalt zu beleidigen.
Nachdem er als renommierter Experte offiziell von der Polizei um Hilfe gebeten worden war, hatte er sich in den letzten Wochen eingehend mit der Psyche des Strafverteidigers beschäftigt. Hatte sämtliche Seminarvideos und Aufnahmen öffentlicher Auftritte studiert, die es von Konrad im Netz zu finden gab. Sein fast schon pedantisches Äußeres analysiert, sein stets kontrolliertes, auf maximalen Erfolg abzielendes Auftreten, und dabei bald geahnt, dass Konrads größte Schwäche gleichzeitig die beste Chance für die Ermittler der Polizei darstellte: seine narzisstische Eitelkeit.
»Um Sie zu überführen, mussten wir Sie in einen Zustand versetzen, in dem Sie sich mächtig fühlen«, sagte er. »Sie mussten glauben, alle Fäden in der Hand zu haben und der Hauptdarsteller einer Inszenierung zu sein, wie Sie sie sonst auch vor Gericht veranstalten. Ich war mir recht si-

cher, dass Sie meiner Idee mit dem Büronachbau zustimmen würden. Wo Sie sich doch selbst so große Mühe mit dem Hotelzimmer gaben, damit Frau Dr. Stein von der Polizei nicht ernst genommen wird.«
»Dann ging es Ihnen bei alldem hier nie um Emma?« Konrad blinzelte. Seine Augen waren feucht, aber es wirkte nicht so, als würde er sich selbst bemitleiden. Tatsächlich schien er sich auch in diesem extremen Moment sehr viel mehr um das Wohlergehen Emmas zu sorgen.
»Oh doch, natürlich ging es mir auch um Frau Dr. Stein«, erläuterte Roth. »Mit dem Nachbau Ihres Büros konnten wir die zwei sprichwörtlichen Fliegen mit einer Klappe schlagen. Emma verweigerte jegliche Kommunikation nach den schrecklichen Ereignissen. Die Inszenierung brachte sie dazu, sich endlich zu öffnen. Und Sie als Mörder zu überführen.«
Konrads Blick wurde hart. Für einen Moment sah er wieder wie ein Anwalt aus, der den Zeugen der Gegenseite ins Kreuzverhör nimmt. »Woher wussten Sie es? Woher haben Sie gewusst, dass ich den Teppich mitnehme?«
Roth schüttelte sanft den Kopf. »Ich wusste es nicht. Bis zu dem Moment, an dem Sie verhindern wollten, dass Emma den Fleck säubert, kam es mir ehrlich gesagt gar nicht in den Sinn, dass es sich hier um ein Beweismittel handeln könnte. Doch dann sah ich in der Großaufnahme, wie Ihre Pupillen sich weiteten. Eine Sekunde später waren Sie schon aufgesprungen, fast instinktiv. Sie wollten auf gar keinen Fall, dass Emma den Teppich berührte. Herr Kapsalos und ich fragten uns: Wieso? Deshalb sahen wir ihn uns genauer an und entdeckten die Haare, die Emma beim Säubern vermutlich losgerissen hätte.«
Konrad klopfte mit der freien Hand anerkennend auf den

Tisch, so wie es Studenten tun, wenn sie einem Professor applaudieren.
Jorgo ließ die Hand zu seinem Holster gleiten, was Konrad nicht entging.
»Das ist keine gute Idee«, sagte er lakonisch, und die Knöchel seiner Finger wurden weiß, als er den Griff der Pistole noch fester packte, mit der er jetzt direkt auf das Herz des Polizisten zielte.
In dieser Sekunde knarrte es hinter Roth. Wie auch Jorgo drehte er sich Richtung Ausgangstür der »Kanzlei«, durch die man hier jedoch nicht in den Flur der Sozietät, sondern nur zu den Umkleidekabinen gelangte. Sie öffnete sich.
So langsam, als würde die Person, die von außen dagegen drückte, einem gewaltigen Gegenwind trotzen müssen.
Oder als hätte sie keine Kraft.
»Emma!«, schrie Konrad so laut, als wollte er sie warnen, aber da war es schon zu spät.
Sie stand bereits auf der Schwelle, mit ihren kurzen Haaren, barfuß in weißen Hausschuhen, das Kliniknachthemd im Rücken zusammengebunden.
»Was hast … *du hier zu suchen?«*, hatte er vermutlich fragen wollen, doch das ging in dem Tumult unter, nachdem der Schuss sich gelöst hatte.
Konrad sah verblüfft auf die Waffe in seiner Hand. Wunderte sich anscheinend, was gerade eben passiert war. Ließ den Arm sinken und wurde in dieser Sekunde von Jorgo umgerissen. Der Polizist war mit gezogener Pistole über den Tisch gehechtet.
Roth hatte keine Augen für den ungleichen Kampf, in dem der Anwalt sich ohne Gegenwehr auf den Boden drücken und die Arme auf den Rücken drehen ließ.
Er sah nur Emma.

Wie sie ihm entgegentaumelte.
Blut tropfte auf das frisch verlegte Parkett. Ein ganzer Strom, der sich wie ein roter, klebriger Wasserfall auf den Boden ergoss. Über den Ledersessel, auf die Stelle, wo der Couchtisch hätte stehen müssen und jetzt nur noch der Enso-Teppich lag, auf dem sie schließlich zusammenbrach.

Vier Wochen später

55. Kapitel

Nummer drei«, sagte die hohlwangige Frau mit der Männerfrisur, die dafür zuständig war, die Besucher an der Sicherheitsschleuse in Empfang zu nehmen. Sie war groß, korpulent, hatte nikotinverfärbte Zähne und Hände, mit denen sie einen Basketball umfassen konnte. Aber sie war freundlich, was an ein Wunder grenzte, wenn man Tag für Tag im Hochsicherheitstrakt eines psychiatrischen Gefängnisses arbeiten musste.

»Sie haben fünf Minuten.« Die Strafvollzugsbeamtin deutete auf den Platz mit der angegebenen Nummer über der Scheibe, die die freie Welt von den Inhaftierten trennte.

Konrad saß schon da.

Kalkweiß, ausgemergelt. Den Vollbart hatte man ihm entfernt, aber das ließ ihn sogar noch älter wirken. Nicht wenige mussten bei seinem Anblick an den Tod denken, und wie er manche Menschen bereits im Leben zeichnete.

Leichter Verwesungsgestank schwappte in den Besucherraum, aber das war natürlich nur Einbildung; eine olfaktorische Störung, weil Konrads Brustkorb sich hob und senkte und seine Nasenflügel zitterten, fast so heftig wie die altersfleckige Hand, die den Telefonhörer hielt. Allerdings lange nicht mehr so kraftvoll wie damals die Pistole. Kein Wunder, dass die Insassen hier von den Pflegern manchmal Zombies genannt wurden.

Lebendige Tote. Mit Medikamenten ruhiggestellt, auf ewig weggesperrt.

Schon hier im Besuchertrakt, wo die Angehörigen durch eine Glaswand separiert den besonders schweren Fällen gegenübersaßen, bekam ein normaler Mensch ähnliche Beklemmungen wie bei der Vorstellung, sich eine Vogelspinne über die Zunge krabbeln zu lassen.
Emma griff nach dem Hörer und setzte sich.
»Ich danke dir«, sagte der Mann, der vier Frauen geschoren, drei von ihnen getötet und ihr selbst die schrecklichste Nacht ihres Lebens bereitet hatte. »Das bedeutet mir viel, dass du mich hier besuchst.«
»Es ist eine Ausnahme«, sagte Emma tonlos. »Ich komme nur dieses eine Mal, und dann nie wieder.«
Konrad nickte, als hätte er damit gerechnet. »Lass mich raten. Dr. Roth hat dich geschickt. Er ist der Meinung, ein Schlussstrich würde dir bei deiner Therapie helfen?«
Emma kam nicht umhin, ihren ehemals engsten Vertrauten zu bewundern. Die Gefängnisklinik hatte ihm in kurzer Zeit seine Gesundheit, seine stattliche Erscheinung und seinen jugendlichen Charme genommen, nicht aber seine Intelligenz.
»Er wartet draußen«, sagte sie wahrheitsgemäß. Mit Samson, der sie wieder auf Schritt und Tritt begleitete. Und Jorgo, den sie irgendwie wohl nie loswerden würde.
Emma wechselte den Hörer von einem Ohr zum anderen und rieb sich den linken Ellbogen. Der Verband war erst seit kurzem ab, man sah noch deutlich die Wundränder der Operationsnarben.
Weil die Einzelzimmer im Sicherheitstrakt des Park-Klinikums nur nachts verschlossen wurden, hatte sie damals ihr Zimmer verlassen können. Allerdings hatte sie in ihrem Zustand über zehn Minuten für die wenigen Meter bis zur Turnhalle gebraucht.

Dank dem Schuss, der sich versehentlich aus Konrads Waffe gelöst hatte, als Emma so unvermittelt in der Kulisse aufgetaucht war, würde sie ein Leben lang an Konrad erinnert werden, sobald sie nur den Arm beugte. Aber sie hätte ihn wohl auch dann niemals vergessen können, wenn er ihr nicht das Gelenk zertrümmert hätte.
»Es tut mir so leid. Ich wollte dich nie verletzen«, sagte er mit der Stimme, die sie zuletzt im Halbschlaf gehört hatte. Im Park-Klinikum. Die Erinnerung, die sein Tonfall wachrief, war so heftig, dass Emma wieder den Geschmack von Magensäure und Erbrochenem im Mund hatte; wie damals, als sie sich in ihrem Krankenzimmer hatte übergeben müssen. Dr. Roth meinte, das Medikament wäre ihr auf den Magen geschlagen, aber Emma wusste es besser. Es war Konrads Stimme gewesen, die verhindert hatte, dass sie vollends das Bewusstsein verlor. Und es war der Inhalt seines Geständnisses gewesen, der ihr erst den Magen umgestülpt und sie schließlich wieder wachgerissen hatte.
»Was ist es wirklich?«, hörte sie Konrad fragen, und sie runzelte die Stirn.
»Wie bitte?«
»Was führt dich wirklich hierher? Du bist ein eigenwilliger Kopf, Emma, das habe ich immer an dir bewundert. Deine Stärke, schon als Kind. Du würdest dich von ihm nicht zu mir befehligen lassen, wenn du nicht selbst etwas auf dem Herzen hättest.«
Emma atmete tief ein und zollte Konrad abermals Respekt. Er hatte sie nicht verloren: seine Gabe, in ihr wie in einem offenen Buch zu lesen.
»Es ist eigentlich unwichtig, nach allem, was geschehen ist. Aber diese Frage … sie quält mich.«

Konrad zog die Augenbrauen hoch. »Was für eine Frage?«
»Philipp! Wieso hast du ihn am Leben gelassen?«
Sie zupfte sich nervös am Daumen. Ihre Fingernägel trugen wieder transparenten Lack und waren säuberlich geschnitten. Sie hatte Parfum aufgelegt und sich die Beine rasiert. Äußerliche Zeichen der seelischen Gesundung. Innerlich aber fühlte sie sich auf einmal so, als wäre eine starke Erkältung im Anmarsch. Sie hatte das Gefühl, als ob sich ihre Gesichtsmuskeln zusammenzögen und ihre Ohren schmerzten, vielleicht, weil sie Konrads Antwort nicht hören wollten.
»Ich meine, du hast alle diese Frauen getötet, nicht aber den Kerl, den du am meisten gehasst hast. Er war doch der Ehebrecher. Wäre es nicht sehr viel einfacher gewesen, ihn aus dem Weg zu räumen?«
Konrad schüttelte traurig den Kopf. »Schatz, verstehst du denn nicht? Ich wollte dich vor Schmerzen bewahren, dir aber niemals welche zufügen. Emma, du musst mir glauben, ich habe dich immer geliebt. Aber ich handelte nie egoistisch, auch damals nicht, als ich dafür sorgte, dass du ein Einzelkind geblieben bist.«
Konrads Kopf steckte auf einmal in einem Motorradhelm, und in seiner Hand befand sich kein Telefon mehr, sondern eine Spritze mit einer langen Nadel, die im Mondlicht silbern funkelte.
»Leg dich ruhig schon mal ins Bett, Emma«, hörte sie Arthurs Stimme. *»Ich bin gleich wieder zurück.«*
Emma blinzelte, und die erinnerungsgetriebene Vision verschwand.
»Was war in der Spritze?«, fragte sie Konrad hinter der Scheibe.
»Ein Abtreibungsmittel«, gab er unumwunden zu. »Ich

habe es in die Wasserflasche gespritzt, die deine Mutter neben dem Bett stehen hatte. Bitte, verachte mich nicht. Wie konnte ich denn zulassen, dass sie ein weiteres Kind zur Welt bringt, das womöglich unter den gleichen seelischen Tiefschlägen leiden muss, wie sie dein Vater dir zufügte? Ein Mann, der seiner eigenen Tochter weh tun will, nur weil sie Angst hat?«

»Du bist krank«, sagte Emma, um dann festzustellen: »Du warst es! Du hast auch Sylvias Tabletten ausgetauscht.«

»Um zu verhindern, dass Philipp dich noch mehr verletzt, indem er ihr ein Kind macht.«

Emmas Finger verkrampften sich um den Hörer. »Du hast ihr von Arthur erzählt, um meine Glaubwürdigkeit weiter zu untergraben. Und später hast du ihr gesagt, es wäre Philipp gewesen, damit sie sich etwas antut.«

»Ich wollte nur, dass Sylvia die Finger von ihm lässt. Mit ihrem Selbstmord konnte ich wahrlich nicht rechnen.«

»Und dennoch hast du sie auf dem Gewissen. Du bist komplett geisteskrank, weißt du das?«

»Ja«, gab Konrad zu. »Dennoch war ich nie selbstsüchtig, hörst du? Das Einzige, worum es mir ging, war, dass es dir gutgeht. Selbst wenn das bedeutete, dass du mit Philipp zusammen sein musstest. Diesem Proleten, dem unwerten Nichtsnutz.«

Für einen kurzen Moment sah er so aus, als würde er gegen die Trennscheibe spucken.

»Der Dreckskerl hat dich in deiner Not alleine gelassen. Ich musste mich damals ins Haus schleichen. Ich hab auf dich achtgegeben. Habe sogar das Paket von deinem Tisch genommen und für einige Stunden im Gartenschuppen versteckt, damit Philipp erkennt, wie durcheinander du bist. Dass er dich über das Wochenende nicht allein lassen kann!

Nicht in deinem Zustand! Aber das Schwein ist trotzdem gefahren. Kaltherzig, ohne Skrupel.«
»Du hast dich versteckt?«, fragte Emma.
Wie oft hast du mich all die Jahre hinweg heimlich beobachtet?
Emma wusste, dass dies ein weiterer gruseliger Gedanke war, wie der an ihre eigenen Haare, die Konrad in dem Enso-Teppich verwoben hatte. Ein Gedanke, der mit sehr viel Glück verblassen konnte, der jedoch niemals völlig seinen Schrecken verlieren würde.
»Im Schuppen. Im Keller. Bei eurem Gespräch stand ich in der Küchenkammer, nur durch eine dünne Tür von euch getrennt«, bestätigte Konrad.
»So wie damals, hinter der Durchgangstür im *Le Zen*«, schnaubte Emma.
Konrads Augen wurden feucht. »Oh Kleines, natürlich musst du mich jetzt verachten.« Seine Unterlippe zitterte. Ein Speichelfaden löste sich aus seinem Mund, und er machte keine Anstalten, ihn abzuwischen.
»Ich wollte, dass er aufhört, dich zu verletzen. Die Haare habe ich ihm doch nur geschickt, damit er weiß, was für Konsequenzen es hat, wenn er dich betrügt. Und dieses Schwein hat sie stattdessen dazu benutzt, dich noch mehr zu quälen. Es tut mir so leid.«
»Was tut dir leid?«, fragte Emma. Sie hatte sich fest vorgenommen, wütend auf ihn zu sein. Auf ihrem Weg hierher war sie den Gesprächsverlauf und sein Ende im Geiste durchgegangen. Hatte sich selbst in Gedanken aufspringen und den Hörer gegen die Trennscheibe schlagen sehen, immer und immer wieder, so lange und so hart, bis diese zerplatzte und sie Konrad anfallen und ihm die Kehle mit einem Scheibensplitter durchschneiden könnte.

Doch jetzt, da er so vor ihr saß wie ein kleiner Junge, dem man sein liebstes Spielzeug weggenommen hatte, empfand sie nichts als eine große, mitleidsschwere Leere in sich.
»Dir tut es nicht leid, all diese Frauen getötet zu haben?«, fragte sie ihn und sah, wie sich bei ihm eine Träne löste.
»Auch nicht, dass du mich mein Leben lang verfolgt hast?«
Er schüttelte weinend den Kopf.
»Und dir tut es nicht leid, dass du mich betäubt, vergewaltigt und aus dem Hotel geschleppt hast? Und mich damit zu einem paranoiden Wrack machtest, das auf Unschuldige einstach?«
»Nein«, schluchzte er. »Mir tut es nur leid, dass ich dir meine Liebe nicht schon sehr viel früher gestanden habe. Dann hätten wir beide vielleicht eine Chance gehabt.«
Emma schloss die Augen, wischte sich mit dem Handrücken über die Lider und hängte den Hörer zurück.
Natürlich, dachte sie. Er ist krank. *Wer könnte das besser verstehen als ich?*
Sie öffnete die Augen und schenkte Konrad einen allerletzten Blick.
Und obwohl sie es nie gelernt hatte. Obwohl sie es noch nicht ein einziges Mal zuvor in ihrem Leben versucht hatte, konnte sie von Konrads Lippen lesen, was er hinter der Glasscheibe zu ihr sagte:
»Aus Liebe, Emma. Ich habe das alles nur aus Liebe getan.«

»Die größten Verbrechen geschehen aus Liebe.«

Viktor Larenz

Zehn Jahre Fitzek

Mit zehn Jahren ging ich in die 5b der Wald-Grundschule und war so beliebt, wie man nur sein kann, wenn man die Klamotten seines sieben Jahre älteren Bruders auftragen muss und auch bei der Frisurmode (made by Mami) ein knappes Jahrzehnt hinterherhinkt.

Stellen Sie sich einen breitnasigen Muffelkopf mit Topfhaarschnitt, Lederhosen und Alu-Aktenkoffer vor, der seine Freizeit am liebsten in der Schulbibliothek verbringt. Ja, ganz genau: Ich war der klassische Bücher-Nerd, den man beim Völkerball nicht in seiner Mannschaft haben wollte, es sei denn als Kanonenfutter.

Tja, und dann kam Ender.

Zweimal sitzen geblieben, Deutschtürke, der größte Rüpel der Schule. Als er durch die Klassentür trat, glaubte ich, ein Vater wäre gekommen, um sein Kind etwas früher abzuholen. Doch dann wurde der Coolste der Coolen direkt neben mich gesetzt.

Die Klassenlehrerin dachte sich wohl, der Streber (also ich) könnte einen guten Einfluss auf den Problemfall (also Ender) haben. Natürlich war es genau umgekehrt. Ender änderte mein Leben; hauptsächlich, indem er mich mochte, was natürlich auch daran gelegen haben könnte, dass ich ihm bei den Hausaufgaben half. Und, glauben Sie mir, das geschah ohne Zwang und ohne dass ich ihm dafür meine Turnschuhe hätte abtreten müssen. Im Gegenteil – er brachte mir meine ersten Adidas-Stiefel zum Selbstbema-

len aus dem Sportgeschäft seines Vaters mit, um mich von meinen hässlichen Quadrattretern zu befreien.
Und da er, der Beliebte, mein Freund wurde, färbte das auf die Herde der Mitschüler ab, die mich bis dahin nicht mal hatten ignorieren wollen.
Ender lehrte mich viele nützliche Dinge, die man als Grundschüler dringend für seinen Alltag braucht: etwa, wie man eine Zigarre raucht (schlechte Idee, es hinter der Turnhalle zu versuchen, während der Sportlehrer vorbeijoggt). Später schmuggelte er die FSK-18-Videos seines Vaters aus der Wohnung (»Rollerball«, »Die Klasse von 1984«, »Tanz der Teufel«, »Zombies im Kaufhaus« und – natürlich – »Die Klapperschlange« mit Kurt Russell). Jetzt ahnen Sie vielleicht, woher meine Leidenschaft für Thriller stammt. Kurz: Ich habe Ender viel zu verdanken, und, Alter, es ist schön, noch heute mit dir über all die Jahre hinweg befreundet zu sein. Selbstverständlich besuche ich dich auch nächsten Sonntag wieder in der JVA (Scherz).
So, nun habe ich zum zweiten Mal ein zehnjähriges Jubiläum zu feiern. Und ich kann mit Fug und Recht behaupten, dass die letzten Jahre zu den wohl intensivsten und auch glücklichsten meines Lebens zählen.
Oft werde ich gefragt, was sich in meinem Leben verändert hat, seitdem ich Autor bin. Meine Standardantwort ist dann: nicht viel. Ich fahre immer noch Ferrari und schlafe weiterhin in meiner 20-Zimmer-Villa im Grunewald. (Auf Facebook müsste ich jetzt ein Smiley setzen, um klarzumachen, dass das ebenfalls ein Scherz ist. Am besten eines mit Tränen in den Augen. Verdammt, ich wüsste zu gerne, wann ich zum letzten Mal wirklich so gelacht habe wie dieses inflationär benutzte Tränen-Smiley, aber ich schweife ab.)

Tatsächlich hat sich mein Leben in der letzten Dekade dramatisch verändert, hauptsächlich, weil ich unzählige tolle Menschen kennenlernen durfte, die ich ohne meine Tätigkeit als Schriftsteller niemals getroffen hätte. In allererster Linie: Sie!
Ich gestehe: Als ich 2006 in meinem Debüt »Die Therapie« meine E-Mail-Adresse veröffentlichte, war ich völlig naiv. Ich rechnete mit einer Handvoll Zuschriften. Ein Dutzend Mails vielleicht, in denen mich die Leserinnen und Leser auf Rechtschreibfehler aufmerksam machen, Kritik üben oder ein kurzes Lob aussprechen würden. Aber weit gefehlt.
Es waren Briefe wie diese, die mir zeigten, weshalb Schreiben der schönste Beruf der Welt ist:

Guten Tag!

Als ich vor ca. zwei Jahren »Die Therapie« las, war ich gerade dabei, meinen Realschulabschluss zu machen. Ich hatte keine Ahnung, was ich mit meiner Zukunft anfangen sollte, und schwebte in der Luft. Das war ein furchtbares Gefühl, weil jeder seinen Lebensweg plante und ich einfach nicht wusste, was ich mit mir anfangen sollte. Als ich »Die Therapie« fertig gelesen hatte, schlug es bei mir ein wie ein Blitz ... Mittlerweile hole ich mein Abitur nach und werde voraussichtlich in einem Jahr mit meinem Psychologiestudium beginnen. Und das habe ich nur Ihnen und Ihrer »Therapie« zu verdanken. Ihr spannendes Buch mit den faszinierenden Einblicken in die menschliche Psyche hat mich darauf gebracht, was ich wirklich machen möchte. Ihre Bücher haben also im wahrsten Sinne des

Wortes mein ganzes Leben verändert, und dafür möchte ich Ihnen wirklich danken!

Liebe Grüße, Simone B.

Kleine Anmerkung: Nicht dass wir uns falsch verstehen. Die junge Leserin irrt sich. Sie hat die positive Entwicklung in ihrem Leben nicht mir, sondern ausschließlich sich selbst zu verdanken. Ich hatte nur das Glück, sie auf diesem Weg ein wenig begleiten zu dürfen. So wie Britta S.:

Lieber Sebastian,

2013 ist mein damals zweijähriger Sohn gerade so dem Tod von der Schippe gesprungen. Ich saß im Krankenhaus stundenlang an seinem Bett und hab ihn nur alleine gelassen, wenn die Krankenschwestern mich rausgeworfen haben. In einer meiner »Pausen« bin ich durch die Stadt geschlendert und im Buchladen zufällig auf eines deiner Bücher gestoßen. Zurück im Krankenhaus konnte ich dank »Splitter« zwischendurch tatsächlich mal die Hektik und das Gepiepse der Intensivstation ausblenden und an etwas ganz anderes denken.

Bis heute habe ich über vierzigtausend Zuschriften erhalten. Nicht alle so bewegend, aber doch viele mit höchst persönlichen Geschichten. Und nach »Zehn Jahren Fitzek« (für einige Kritiker ein Synonym für »Höchststrafe«) will ich einige dieser Zuschriften mit Ihnen teilen.

Passend zum Zehnjährigen habe ich zehn Briefe ausgewählt, zehn Leserinnen und Leser, die – stellvertretend für so viele – ihre persönliche Antwort auf die Frage geben, auf welcher Reise ihres Lebens ich sie begleiten durfte.
Viele Mails erreichten mich, nachdem ich im April 2016 in den sozialen Netzwerken von meinem Plan berichtete. Und nichts fiel mir in letzter Zeit schwerer, als unter all den zitierwürdigen Zuschriften eine Auswahl zu treffen. Ich habe hier und da ein wenig gekürzt und zum Teil auf Bitten der Beteiligten, zum Teil auch dort, wo es mir angebracht erschien, Namen und Orte anonymisiert.
Noch ein kleiner, aber wichtiger Hinweis: Alle nun folgenden Briefe sind an mich persönlich adressiert. Und dennoch beschlich mich bei der Zusammenstellung der Gedanke, dass sie nicht allein für mich bestimmt sind. Sondern für jeden Lieblingsautor.
Ich bin mir sicher, dass viele meiner Kolleginnen und Kollegen ähnliche Reaktionen erhalten. Oder erhalten würden, wenn sie denn den Kontakt mit den Leserinnen und Lesern suchten. Ich kann daher allen, die ein Buch veröffentlichen, nur raten: Gebt eure Kontaktadresse an. Und antwortet!
Leute, wenn ihr es nicht tut … Lest selbst, was euch entgeht:

Lieber Herr Fitzek,

ich muss mich bei Ihnen bedanken. Vor genau acht Wochen habe ich Ihren neuesten Thriller innerhalb von drei Tagen gelesen, und das hat mich vor dem einen oder anderen Nervenzusammenbruch bewahrt und auch das Bedürfnis unterdrückt, jemandem an die Gurgel zu springen. Denn vor genau acht Wochen lag ich im Kreißsaal, um die

Geburt meiner Tochter einleiten zu lassen. Was sich so nett und einfach anhört, entpuppte sich sehr schnell als extrem unangenehmes und nervenaufreibendes Unterfangen. Ich will jetzt nicht ins Detail gehen, denn meiner Erfahrung nach wollen die wenigsten Männer so was wissen. Zusammengefasst kann man sagen: Man hat Schmerzen, muss stundenlang mehr oder weniger bewegungslos rumliegen und zwischendurch spazieren gehen (was als Walfisch mit Elefantenfüßen auch nicht gerade prickelnd ist). Drei Tage lang ohne nennenswerte Ergebnisse. Eine Frau in den Wehen mag aggressiv erscheinen. Glauben Sie mir: Eine Frau in der Einleitung wird zur tödlichen Waffe. Aber Gott sei Dank hatte ich Ihr Buch dabei, das mein Mann und ich während der Liegephasen abwechselnd lasen. Wie schon alle Ihre Bücher zuvor flutschte auch dieses dank der Spannung so durch, dass man einfach die Zeit vergessen konnte. Unsere Tochter dagegen wollte so gar nicht flutschen, also landeten wir schließlich im OP. Das ist aber eine andere Geschichte. Die Hauptsache ist, wir haben ein tolles Buch gelesen und die tollste Tochter der Welt bekommen. Die Hebammen fanden es übrigens etwas skurril, dass wir im Kreißsaal eine Geschichte über Kindesentführung lasen, und einige stellten die Theorie auf, dass unser Baby deshalb keine Lust hatte, auf die Welt zu kommen. Sollte sich also in nächster Zeit eine Bundesbehörde bei Ihnen melden, weil Sie zukünftig Warnhinweise auf Ihre Bücher drucken müssen: Wir sind schuld! ;-)

Herzliche Grüße, Andrea S.

PS: Sie können sich mit dem nächsten Buch ein wenig Zeit lassen. In den nächsten vier bis sechs Monaten komme ich leider nicht zum Lesen.

Lieber Herr Fitzek,

vorab: Ich fresse Bücher seit sechzig Jahren. Mit Böll habe ich damals viel Zeit verbracht. Von den Tonnen an Büchern ist er einer der Auserwählten, dessen Bücher ich nicht entsorgt habe.
Seit ich unheilbar an Krebs erkrankt bin und mein Körper mich langsam verlässt, geht das Lesen dennoch immer weiter. Meine Türme auf dem Nachttisch sind weg. Ich habe meiner Frau zuliebe einen Reader gekauft. Ich habe jetzt sogar Zeit, wenn der Morphinspiegel es zulässt, Fernsehen zu gucken. Was für eine verdummende Sauerei! Ich programmiere nur noch Sendungen, die echt sind (Arte, 3Sat und gute Dokus auf anderen Kanälen), meiner Endzeitstimmung entsprechend geradezu leidenschaftlich Satire, Komik und gute deutsche Bühnenkunst à la Schlachthof, Franken, Ladies Night. Alles und eben auch Kurt Krömer.

Da habe ich Sie gesehen und Ihr Schaffen subito gegoogelt. Die Bücher auf den Reader geholt und vor zwei Stunden »Noah« beendet.
Was Sie hier geschrieben haben, verschlägt mir fast die iPad-Tastatur. Kein Buch hat mich je so beeindruckt. Ihr geistiger Fußabdruck trampt schwer in meinem Geist umher. Ich bin froh, dass ich so etwas noch lesen durfte, und danke Ihnen dafür herzlich!
Leider bin ich jetzt noch trauriger, wenn ich mit meiner pubertären Enkelin spreche. Wir glauben, umweltbewusste, tiefgrüne Leute zu sein. Allerdings reicht ein Fußabdruck von uns von Zürich bis Hamburg.
Ich habe ein »richtiges« Buch »Noah« einem Schulfreund

schicken lassen. Er war früher Boss von McKinsey Schweiz und missionierte Wachstum! Es möge ihm aufstoßen.

Ihrer Familie und Ihnen schöne Zeiten!

F. E., Zürich

Hallo Sebastian,

ich heiße Janine, bin achtundzwanzig Jahre alt und arbeite als Floristin.
Mein fast zehn Monate alter Sohn räumt am liebsten den Fitzek von Mamas Nachttisch.
Ich habe keine schlimmen Erfahrungen gemacht, worüber mich ein Fitzek hinweggetröstet hat; keine schlimmen Dinge erlebt, bei denen ich mich in deinen Büchern wiederfand, sondern ich hab einfach durch dich meine Liebe zum Lesen entdeckt.

(ACHTUNG, SPOILERGEFAHR! DIESE MAIL ÜBERSPRINGEN, FALLS SIE DEN »SEELENBRECHER« NICHT KENNEN UND NOCH LESEN WOLLEN.)

Lieber Sebastian,

im Herbst 2010 habe ich beschlossen, mich in der Psychiatrischen Abteilung eines großen Krankenhauses behandeln zu lassen, weil es da eine Angststörung gab, mit der ich im Alleingang nicht klargekommen bin. Im Nachhinein war das die beste Entscheidung überhaupt – ich bin wieder

richtig gesund und frei im Kopf. Mein Problem habe ich ganz ohne Medikamente, lediglich durch Gespräche und mentale Übungen in den Griff gekriegt.
Eines Abends konnte ich nicht schlafen und habe das Bücherregal im Gemeinschaftsraum durchstöbert. Da fand ich dann den »Seelenbrecher« von einem gewissen Sebastian Fitzek, der mir bis dato überhaupt nicht bekannt war. Ich habe das Buch in zwei Nächten verschlungen und bei mir gedacht: Das Personal hier ist echt lustig, stellt einer Truppe von Zwangsneurotikern, Schizophrenen und Burn-out-Patienten ausgerechnet einen Thriller hin, der in der Klapse spielt. Und die Therapeutin ist darin auch noch die wahre Irre!
Jedenfalls habe ich allen meinen Mitpatienten das Buch wärmstens empfohlen, und viele haben es genauso geliebt wie ich. Nur dass wir unseren Therapeuten dann nicht mehr so richtig über den Weg getraut haben.
Schließlich waren die sechs Wochen Therapie um, und ich bekam eine besondere »Hausaufgabe«. Ich sollte aufschreiben, was meine Nahziele für die nächsten Jahre sind. Bei mir waren das: ein Baby bekommen und selber einen Krimi schreiben. Ich dachte: Was der Fitzek kann, kann ich auch – ich habe schließlich Insiderwissen … ☺

Inzwischen – fünfeinhalb Jahre später – habe ich drei Kinder bekommen und zwei Krimis in einem kleinen Verlag veröffentlicht. Der erste spielt natürlich in der Klapse, der zweite teilweise auch.

Liebe Grüße, Elisabeth B.

Hallo Herr Fitzek,

ich möchte Ihnen etwas erzählen.
Ich war vor drei Monaten in Kabul stationiert. Ich begegnete einem englischen Soldaten, und raten Sie mal, welches Buch er gelesen hat? Natürlich eines der Ihren. Ich fand das echt komisch – oder wohl eher faszinierend, dass er ausgerechnet »Amokspiel« las. Wenn man bedenkt, dass wir rein theoretisch Krieg führten. Er hätte ja auch »Harry Potter« oder den »Playboy« lesen können. Was weiß ich.
Ich hab ihn darauf angesprochen, und er hatte alle Bücher dabei, die Sie geschrieben haben. Wirklich alle.
Er meinte, dass Ihre Bücher etwas Magisches an sich haben. Ich muss dazu sagen, dass ich kein Mensch bin, der großartig liest, und im Grunde auch kein Mensch, der an Magie glaubt. Er hat mich trotzdem davon überzeugt, Ihre Bücher auch zu lesen.

Ich möchte Ihnen danken. Dafür, dass ich nachts um zwei Uhr E-Mails an vollkommen fremde Leute schreibe, und dafür, dass Sie dem englischen Soldaten das Leben in dieser psychischen Ausnahmesituation erleichtert haben.

In der Hoffnung, dass Sie die Nacht mit Schlafen verbringen,

mit freundlichen Grüßen, Z.V.

Lieber Herr Fitzek,

ich habe nie sehr viel gelesen. Klar, hin und wieder verirrte sich eine Lektüre in meine Tasche, meist im Urlaub, oft der

Schule wegen. Eines verregneten Herbsttags fiel mir dann »Der Seelenbrecher« in die Hände. Morgens fing ich an zu lesen, am Abend fieberte ich schon den letzten Zeilen entgegen. Ich hatte innerhalb eines Tages ein ganzes Buch verschlungen! Das ist vielleicht für viele Lesebegeisterte eine Selbstverständlichkeit, für mich aber war es eine Premiere.

Von da an las ich ein Buch nach dem anderen, interessierte mich mehr für Literatur, fing an, selbst ein paar Geschichten zu schreiben, und studierte schließlich Germanistik. Nein, nicht auf Lehramt. Obwohl mir selbst meine damaligen Mentoren an der Uni einreden wollten, dass ich mit diesem Studium höchstens als Taxifahrerin enden würde. (Nichts gegen den Beruf des Taxifahrers, aber ich fahre nicht gerne schnell, nachts oder bei Regen über die Autobahn.)

Nach meinem Studium absolvierte ich ein Praktikum bei der Lokalzeitung. Ein Jahr später fing ich mein Volontariat an, und heute, mit siebenundzwanzig, darf ich mich ausgebildete Redakteurin nennen. Das alles war vor acht Jahren so unendlich weit entfernt. Ein Traum, den ich nie zu träumen gewagt hatte.

Angekommen bin ich trotzdem noch nicht: Mein großes Lebensziel ist es, mein eigenes Buch in den Regalen sämtlicher Buchhandlungen stehen zu sehen.

Herr Fitzek, Sie sind vielleicht nicht verantwortlich für die Leistungen, die ich erbracht habe. Aber Sie haben mir mit Ihrer Arbeit einen Schubs in die entscheidende Richtung gegeben.

Alles Liebe und mit besten Grüßen, Maxi O.

Lieber Sebastian!

Es war Ende April 2015 in Tena, Ecuador, und mein erster freier Tag seit Monaten.
Tags zuvor war ich gegen den ecuadorianischen Meister im Kickboxen Weltergewicht angetreten, um Geld für eine schwer verschuldete kranke Frau aufzutreiben.
Was mir allerdings viel mehr zu schaffen gemacht hatte als das tägliche fünfstündige Training und die Diät mit Alkoholabstinenz, war die nervenaufreibende Organisation der Veranstaltung.
Gelernt habe ich daraus, dass ich mich zwar gern wieder für einen guten Zweck verprügeln lasse, aber sicher nie mehr gemeinsam mit einer öffentlichen Institution ein Event plane.
Vor allem dank der Hilfe von zahlreichen Freunden konnte der Kampf schließlich doch stattfinden, und wir schafften es tatsächlich, die gesamten Schulden der Frau zu tilgen.
Glücklich ob der erfolgreichen Aktion beschloss ich nun, ins nur drei Stunden entfernte Baños – ein Kurort mit Massagesalons und Thermalbädern – zu fahren, um meinem geschundenen Körper ein wenig Erholung zu gönnen.
Gegen Abend besuchte ich einen deutschen Freund in seiner Pizzeria, um mich für sein Sponsoring zu bedanken, und sah mir bei der Gelegenheit auch das Bücherregal durch, dessen Inhalt den Gästen leihweise zur Verfügung steht.
»Der Augensammler« stand als Titel auf dem ersten Buch, das ich zur Hand nahm. Sebastian Fitzek. Hm, noch nie gehört. Aber Thriller lese ich sowieso gern, und vielleicht würde ich vorm Schlafengehen einen Blick hineinwerfen, falls ich nicht zu müde bin, dachte ich mir.

Von 22:00 bis 03:30 Uhr hielt mich der »Augensammler« wach. Ich konnte das Buch nicht aus den Händen legen, und so verschlief ich am nächsten Tag meinen Dienst im Internetcafé. Kurzerhand schrieb ich dir eine E-Mail, in der ich dich um ein Entschuldigungsschreiben für die nicht absolvierten Arbeitsstunden bat, und erhielt prompt eine Antwort: Aufgrund fehlender Spanischkenntnisse müsstest du leider von einem Brief an meinen Arbeitgeber absehen. Seither habe ich alle deine Romane gelesen, der »Augensammler« blieb mein Favorit.

Liebe Grüße, Hannes K.

Lieber Sebastian,

ich hoffe, du verzeihst mir die persönliche Anrede, aber nachdem wir uns schon so viele Jahre kennen, dachte ich mir, dass es Zeit ist, dich zu duzen. Natürlich kennen wir uns nicht wirklich, aber deine Bücher begleiten mich jetzt schon lange. Auch dieses Mal möchte ich es mir nicht nehmen lassen, dir zu deinem letzten Werk ein paar Zeilen zu schreiben. Dieses Buch zu lesen war für mich anders. Ich habe ein turbulentes Jahr hinter mir. Todesfälle, Autounfall … und dann, am 1. September, konnte sich mein wunderbarer Sohn Moritz, er ist sieben Jahre alt, plötzlich nicht mehr richtig bewegen. Er war linksseitig gelähmt. Verdacht auf Schlaganfall. Es wurden eine Gehirnhautentzündung und eine Neuroborreliose diagnostiziert. Wir haben fast einen Monat im Krankenhaus verbracht. Ich hatte so schreckliche Angst. Wird er es schaffen? Wird er wieder sprechen können? Er war unendlich tapfer. Nicht

eine einzige Träne hat er geweint. Ich konnte mich nicht ablenken, kein Film, kein Buch … Jetzt kommst du ins Spiel. An einem wieder heftigen Tag kam meine Schwester zu mir und sagte, ich habe genau das, was du jetzt brauchst. Sie gab mir dein neues Buch.
Du hast mir so ein paar Stunden geschenkt, Stunden, in denen ich loslassen konnte, und das war Balsam für meine Seele. Ich danke dir dafür.

Bis zum nächsten Mal.

Alles Liebe, Tina

PS: Meinem Sohn geht es gut.

Hallo Herr Fitzek,

ich heiße Anja P., mache zurzeit eine Ausbildung und bin einundzwanzig Jahre alt.
Ehrlich gesagt, habe ich weder eine spannende noch eine rührselige noch eine total faszinierende Geschichte zu bieten. Ihre Bücher haben mich einfach in die Welt der Thriller und Psychothriller eingeführt.

Hallo Sebastian,

du warst auf einer der wichtigsten Reisen von mir und meiner Zukünftigen dabei. Der Schwangerschaft mit unserem Sohn Erik.
Meine bessere Hälfte ist Buchhändlerin und daher vorbelastet, aber auch ich habe in dieser Zeit viel gelesen, wenn

wir die Abende auf dem Balkon verbrachten. So lernte ich auf Empfehlung meiner Guten deine Bücher kennen, als Erstes »Noah«.
Die Bewegungen wurden beschwerlicher, die Phantasie jedoch wurde von dir auf Reisen geschickt. Das hat uns und vor allem meiner Dame sehr gutgetan.
Am 7. Oktober 2015 war es dann so weit, ein kleiner Mensch wurde zum Mittelpunkt unserer Lebens. Was noch mal eine ganz andere Schippe an Emotionen auf den Konsum von »Passagier 23« gelegt hat.
Am 7. Mai 2016 heirateten wir, die Tische unserer Hochzeitsfeier trugen keine Nummern, sondern Autorennamen: Carroll, Ende, Fitzek, Golding, Lindgren, Mann, Martin, Orwell.
Deinen Namen mit auszuwählen war die Idee meiner Freundin, bald Frau, Andrea.

Mit freundlichen Grüßen
Daniel M.

Lieber Sebastian,

einen vernünftigen Anfang hinzubekommen ist meistens das Schwerste, sei es in einem Brief, in einer Mail, im Beruf oder im wahren Leben. Vor einiger Zeit hätte ich mich zu Beginn dieser Zeilen wahrscheinlich als sportlichen, intelligenten und humorvollen Menschen beschrieben, der alles im Griff hat und dazu mit einem phantastischen Aussehen ausgestattet wurde. Mittlerweile habe ich erkennen und lernen müssen, dass der Weg zu einem erfüllten Dasein nur über einen Grundsatz führen kann: Sei ehrlich zu dir selbst! Die schlimmste Wahrheit ist immer noch besser als jede Lüge.

Deswegen fange ich einfach mal mit meiner Vorstellung an, so wie ich es in den letzten Monaten täglich getan habe: Ich bin Fabian, vierunddreißig Jahre alt, verheiratet, habe einen dreijährigen Sohn und bin polytox mit Schwerpunkt Kokain.

In den letzten achtzehn Jahren habe ich sämtliche Rauschmittel in mich reingepfiffen, das wahre Leben aus den Augen verloren und war auf einem Weg der völligen Selbstzerstörung. Ich könnte jetzt weit ausholen, doch darum geht es in diesem Brief nicht. Stattdessen möchte ich darauf eingehen, wie du, Sebastian, ein Teil meines Lebens geworden bist und dazu beigetragen hast, dass ich zum einen meine innere Ruhe wiedergefunden habe und zum anderen neue Interessen entdecken konnte, welche mir die Möglichkeit geben, wieder ein Mensch zu sein, den meine Frau und mein Sohn lieben und auch brauchen. Ich bleibe innerhalb dieses Briefes einfach mal beim Du, ich hoffe, das geht in Ordnung. Aus Respekt würde ich das Sie bevorzugen, jedoch habe ich das Gefühl, ich schreibe diese Zeilen eher an einen Kumpel als an irgendeinen Schriftsteller. Keine Sorge, dies wird kein fanatischer Lobgesang, und ich werde auch nicht zum Groupie mutieren, der sich deinen Namen tätowieren lässt. Also sei dir bewusst, wenn bei deiner Zehnjahresshow in Bochum (wo ich dabei sein werde) ein rosa Stringtanga auf die Bühne fliegt, der ist nicht von mir ☺.

Es fing im Dezember 2015 an, als meine Frau und ich eine Woche vor Antritt meiner Therapie durch die Stadt geschlendert sind und die letzten Einkäufe für den Aufenthalt in der Klinik erledigt haben. Da ich weder Handy noch Notebook o. Ä. mitnehmen durfte, musste ich mir eine Alternative überlegen, wie ich die freie Zeit vor Ort füllen würde. Zu diesem Zeitpunkt hatte ich höchstens eine Handvoll Bücher in meinem Leben gelesen – Biografien über Auftragskiller, Drogendealer und Rocker. Die Pflichtlektüren damals in der Schule habe ich höchstens halb gelesen, und ich bin einer von den Leuten, die eher mit einem Joypad-Gen ausgestattet sind, statt Interesse an Kultur, Büchern oder Geschichte zu haben. Dank der liebevollen Frau an meiner Seite wurden dann aber tatsächlich ein paar Bücher aus dem Regal geholt, und es kam zu einem Zufallskauf von »Das Joshua-Profil«. Warum? Keine Ahnung.

Am Abend bin ich mit meiner Frau und meinem Sohn zu Hause geblieben, da für mich jeglicher Freiraum gefährlich war und mein Suchtdruck zu dieser Zeit garantiert gewonnen hätte. Das war die beste Entscheidung, die ich seit langem getroffen hatte, denn so nahm der positive Wahnsinn seinen Lauf. Ich fing an zu lesen, zum ersten Mal keine Pflichtlektüre, keine Gangstergeschichte oder die ausgeschmückte Erzählung eines Drogenbarons. Die ersten Seiten habe ich nur überflogen, dann blätterte ich zurück und fing erneut an, tauchte von jetzt auf gleich in eine Welt ab, die ich bisher noch nicht kannte. Ich vergaß alles um mich herum, habe keinen Suchtdruck gespürt, keine schleichenden Depressionen, keinen Gedanken daran verschwendet, dass ich mich jetzt in einer Kneipe zuschütten könnte. Nein, ich war zum ersten Mal in meinem Leben weggebeamt, so, wie ich es normalerweise nur durch einen Drogenrausch kannte. Ich konnte mich wieder längere Zeit auf eine Sache konzentrieren, und das Unfassbare daran war, es hat mir Spaß gemacht. Es war, als würde ich einen Film schauen. Am nächsten Tag nahm ich das Buch erneut zur Hand und stellte fest, dass das Interesse nicht verflogen war, sondern stetig wuchs. So ging es einige Tage weiter, und es dauerte nicht lange, da hatte ich das Buch durchgelesen und war stolz. Stolz, etwas Neues getan zu haben, stolz, ein Buch ohne Zwang beendet zu haben, und stolz, eine neue Leidenschaft entdeckt zu haben. Da ich immer noch nicht in Therapie war, bin ich noch mal in die Buchhandlung gefahren und habe mir »Passagier 23« und »Noah« gekauft. Ein Kollege gab mir noch »Der Augenjäger« und »Der Augensammler« mit. Somit war ich nun eingedeckt und konnte mich meinem neuen Hobby widmen. Die Entdeckung des neuen Interessenbereichs hat dazu beigetragen, dass ich gewisse Drucksituationen überstehen konnte, meine innere Ruhe wiedergefunden habe und zu einem ruhigeren Familienmenschen geworden bin. Es hat mir geholfen und hilft mir heute noch, dem Stress zu entfliehen, Sorgen und die Suchtkrankheit für einen kleinen Zeitraum zu vergessen. Der daraus resultierende Nebeneffekt, dass Phantasie, Vorstellungskraft, Wortschatz und Wissensdurst stetig wachsen, die Konzentration zu alter Stärke zurückfindet und ich in dieser Zeit abschalten kann, ist unbeschreiblich. Ich habe in meinem Leben sehr viele Fehler gemacht, und es grenzt an ein Wunder, dass meine Frau und mein Sohn noch bei mir sind und dass ich aufgrund des Konsums keine bleibenden Schäden habe. Natürlich hat nicht allein das Lesen bewirkt, dass ich zurück ins Leben gefunden habe. Zu einer solchen Veränderung tragen viele Faktoren bei: Familie, wahre Freunde, soziale Umstände, Beruf und der eigene Selbsterhaltungstrieb. Aber ein halbes Jahr nach der Erfahrung mit dem ersten Fitzek in der Hand kann ich mit absoluter

Überzeugung sagen, dass die Verstrickung glücklicher Zufälle zu einer entscheidenden Wende in meinem Leben geführt hat.
Dass ich mittlerweile alle Bücher von dir gelesen habe, brauche ich wohl nicht erwähnen. Und das ist auch der Grund, warum ich diesen Brief schreibe. Niemand weiß, was passiert wäre, wenn ich mir an dem besagten Tag im Dezember 2015 ein anderes Buch ausgesucht hätte. Deine Bücher haben mir einen Weg asphaltiert, auf dem ich gehen und leben kann. Laufen muss ich immer noch selbst, aber deine Bücher haben mir die Zeit in der Therapie und den Weg zurück ins Leben definitiv vereinfacht, da ich immer wieder in eine Welt abtauchen konnte, die mich abschalten ließ und noch heute abschalten lässt. Was dies bedeutet, können wohl nur Leute nachvollziehen, die ähnlich nah am Abgrund standen wie ich. Ich möchte hiermit einfach mal Danke sagen, dass ich an deinem Autorendasein teilnehmen durfte, und dich ermutigen, mindestens weitere zehn Jahre dranzuhängen.

Das war meine kleine Reise, bei der du vielleicht nicht unbedingt der Pilot warst, aber garantiert ein wichtiger Teil der Crew, und bei der du im Cockpit richtungsweisend mitgewirkt hast!
Somit verabschiede ich mich, wie ich mich vorgestellt habe, nur mit einer kleinen, entscheidenden Veränderung:
Ich bin Fabian, vierunddreißig Jahre alt, verheiratet, habe einen dreijährigen Sohn und bin polytox mit Schwerpunkt Fitzek-Bücher ☺.

Sehr geehrter Herr Fitzek,

zunächst möchten wir, die Klasse 11B-T der Beruflichen Oberschule Traunstein, uns für Ihr Buch, den »Seelenbrecher«, bedanken. Es diente uns als Lektüre im Deutschunterricht.
Sicherlich hat jeder von uns seine eigene Meinung über das Buch, aber als Schullektüre war es insgesamt klasse: nicht nur für uns Schüler, da es zur Abwechslung einmal ein spannendes Buch gewesen ist, sondern auch für unsere Lehrerin, die uns anhand Ihres Werkes Gespür für erzählerische Gestaltungsmittel, wie z. B. Raumgestaltung und Aufbau, das Kreieren von Spannung und genretypische Merkmale eines Psychothrillers vermitteln konnte.
Abschließend sollten wir uns kreativ mit Ihrem Werk auseinandersetzen und selber produktiv werden. Falls Sie neugierig auf das Ergebnis dieses kreativen Umgangs mit Ihrem Roman sind, sollten Sie in die Dropbox schauen, deren Link wir Ihnen senden.
Wir hatten auf jeden Fall Spaß beim Lesen, Spaß beim Spielen und haben sogar noch was dabei gelernt – also Danke!

Mit freundlichen Grüßen, Ihre 11B-T

PS: Ich hatte übrigens auch viel Freude mit Ihrem Werk (sogar in zwei Klassen) und nach einer Woche bereits ein Elterngespräch wegen der Eingangsszene des »Seelenbrechers« (ich sage nur: Lötkolben und Gynäkologenstuhl) ;-).

Ihre Elke W. (Lehrerin)

(Und noch einmal der »Seelenbrecher«, der offensichtlich nicht nur Schüler, sondern auch Studenten quält …)

Hallo Sebastian,

deine Bücher begleiten mich privat schon drei Jahre lang. Doch neben meiner privaten Begeisterung hast du es tatsächlich auch geschafft, mich bei meinem akademischen Werdegang zu begleiten. Ich studiere Germanistik und Soziologie an der Goethe-Uni Frankfurt und schrieb im Sommersemester 2015 eine Hausarbeit zum Thema Paratexttheorie – und zwar über »Der Seelenbrecher«. Mein Dozent, der weder dich noch deine Bücher vorher kannte, war von dem mysteriösen gelben Zettel als Paratext hin und weg. Die Hausarbeit mit dem Thema »Grenzüberschreitung zwischen Fiktion und Realität. Der Aufbruch eines fiktionalen Werkes durch Paratexte am Beispiel von Sebastian Fitzeks Thriller Der Seelenbrecher« *diente als Modulabschlussprüfung und bescherte mir eine 1,7. Hellauf begeistert von der (ich zitiere sinngemäß) »Genialität des Autors, die Leser auf solch eine Art und Weise mitzunehmen«, nahm der betreuende Dozent meinen Vorschlag, die Hausarbeit zur Abschlussarbeit auszuweiten, gerne an. Ab jetzt begleitest du mich bis Oktober bei meiner Bachelor-Arbeit. Entweder wird sie weiterhin vom »Seelenbrecher« handeln, oder ich überrasche meinen Dozenten mit deinem neuesten Werk »Joshua-Profil«. Ich meine, ein Buch als Paratext zu einem Buch – geht es noch passender? Danke dafür!*

Liebe Grüße, Julia (24 Jahre)

Hallo Sebastian,

2010 traf ich einen jungen Mann. Man sah sich öfter, kam zufällig auf dieselben Partys – wie das eben so ist –, und wir verabredeten uns zu einem richtigen Date, eben nur wir beide. Es war das schlimmste Date, das ich bis dahin hatte – so schlimm, dass ich auf der Toilette meine Schwester anrief und um einen Rückruf bat, bei dem sie mir dringlich und lautstark erklären sollte, dass ich sofort nach Hause kommen müsse.
So war es dann auch, aber dummerweise wollte der Auserwählte, dass ich ihn mit nach Hause nehme. Ich bin ja kein Unmensch und sagte als Taxi zu ;-). Damit auf dem Heimweg kein peinliches Schweigen entstand, fragte ich ihn, ob er denn gerne lese. Er bejahte. Also fragte ich ihn nach seinem Lieblingsautor. Seine Antwort: »Sebastian Fitzek.« Ich wurde hellhörig, das konnte ja wohl nicht wahr sein, dass dieser Typ die Bücher mag, die ich auch mag. Ich fragte ihn nach dem besten Buch von dir. Er meinte, »Splitter« wäre das beste. Ich plädierte da eher für »Amokspiel«. Die Sache ließ mich nicht los. So las ich in der Nacht und am kommenden Tag beide Bücher noch mal durch und schrieb eine Erörterung darüber, welches wohl das bessere sei. Natürlich mussten wir uns dann ein zweites Mal treffen, um diese »Ausarbeitung« zu besprechen. Deine Bücher haben ihn gerettet! Kurzum, heute sind wir verheiratet und haben eine Tochter – die beiden und der Name Fitzek in unserem Bücherregal oder in einem meiner Lieblingsbuchläden bringen mich öfter zum Schmunzeln.

Viele Grüße, Eva

So weit die kleine, nicht repräsentative E-Mail-Auswahl, die für mich mal wieder beweist, dass das Leben oft skurrilere, schönere und manchmal auch traurigere Geschichten schreibt als die, die wir uns am Schreibtisch ausdenken. Und dass es so etwas wie den »typischen Fitzek-Leser« gar nicht gibt. Zum Glück.

Sollten Sie ein Mathegenie sein und mitgezählt haben, werden Sie gemerkt haben, dass es mehr als zehn Mails waren. Und es hätten über zehntausend werden können, hätte mich mein Verlagschef Hans-Peter Übleis nicht gebeten, davon abzusehen, den Verlag mit den Druckkosten in den Ruin zu treiben.

(Bevor ich es in der Aufregung an dieser Stelle völlig vergesse: Diese Danksagung ist gleichzeitig eine Entschuldigung. Und zwar ohne irgendeine erkennbare Reihenfolge oder Gewichtung bei: Hans-Peter Übleis, Theresa Schenkel, Josef Röckl, Bernhard Fetsch, Steffen Haselbach, Katharina Ilgen, Monika Neudeck, Patricia Kessler, Sibylle Dietzel, Iris Haas, Hanna Pfaffenwimmer, Carolin Graehl, Regine Weisbrod, Helmut Henkensiefken, Manuela Raschke und dem Rest der Family (inklusive Karl und Sally), Barbara Herrmann, Achim Behrend, Ela und Micha, Petra Rode, Sabrina Rabow, Roman Hocke, Claudia von Hornstein, Gudrun Strutzenberger, Cornelia Petersen-Laux und Markus Michalek, Christian Meyer, Peter Prange, Gerlinde Jänicke, Arno Müller, Thomas Koschwitz, Jochen Trus, Stephan Schmitter, Michael Treutler und Simon Jäger, Clemens und Sabine Fitzek, Franz Xaver Riedel, Thomas Zorbach, Marcus Meier, den Krings-Brothers, Jörn Stollmann sowie bei allen Buchhändlerinnen

und Buchhändlern, Bibliotheksmitarbeiterinnen und -mitarbeitern – ihr alle seid (auch du, liebe Sandra) diesmal nur in einer Aufzählung erwähnt, auch wenn eure Arbeit, Liebe und Freundschaft dieses Buch und mein Jubiläum überhaupt erst möglich gemacht haben. Jedoch brauchte ich, wie ihr unschwer mitbekommen haben dürftet, den Platz für etwas Wichtigeres: für meine Leserinnen und Leser.)

Und Sie zu Hause auf dem Sofa, im Auto, am Strand oder in der Straßenbahn – sollten Sie tatsächlich bis hierhin durchgehalten haben, kann ich Ihnen (wie nun seit zehn Jahren an dieser Stelle) am Ende nur noch »Danke« sagen. Danke für all die Worte, die Zeit und die tollen Erlebnisse, die wir gemeinsam hatten. Sei es im realen Leben oder im virtuellen Raum.

Ich hoffe, Sie schreiben mir auch weiterhin unter fitzek@sebastianfitzek.de – denn ich würde nach wie vor gerne von Ihnen lesen.
Und ich verspreche, ich gebe mir Mühe, dass es umgekehrt genauso bleibt.

Alles Liebe
Ihr
Sebastian Fitzek,

am 8. Mai 2016, 44 Jahre alt, 1,80 groß (wenn ich mal nicht so krumm stehe) und 78 Kilo schwer; also 2 Kilo mehr als zu Beginn von »Das Paket«. (Verdammte Kinderriegel zwischen den Kapiteln.)

Sebastian Fitzek

FITZEK-BOX

»Wo Sebastian Fitzek draufsteht, ist Spannung drin.
Superspannende, bitterböse Spannung.«
B.Z.

Wahnsinnig gut. Wahnsinnig erfolgreich. 10 Jahre Wahn:
Die Fitzek-Jubiläumsbox
mit 10 Thrillern ist ein unverzichtbares
Lese-Ereignis für alle Fitzek-Fans.

Die Box enthält
»Die Therapie« (erschienen im Jahr 2006), »Amokspiel«,
»Das Kind«, »Splitter«, »Der Seelenbrecher«, »Der
Augensammler«, »Der Augenjäger«, »Abgeschnitten«,
»Der Nachtwandler« und »Passagier 23« –
jedes Buch im separaten Schuber.
Die hochwertige limitierte Sonderedition
vom größten deutschen Thrillerautor!